Schaduwspelen

Marelle Boersma

Schaduwspelen

Karakter Uitgevers B.V.

Omslagontwerp: Mark Hesseling
Opmaak binnenwerk: ZetSpiegel, Best

ISBN 978 90 6112 277 7
NUR 305

Enige gelijkenis met de werkelijkheid en/of bestaande personen berust op louter toeval.

Proloog

Hij rende alsof de duivel hem op de hielen zat. Alsof hij een aanstormende watermassa voor moest zien te blijven. Alsof de dood op het punt stond hem in te halen. Zo voelde het. Met enorme passen draafde hij over de weg, waarvan de berm aan weerszijden naar beneden liep. De dijk was als een brug waar hij overheen moest zien te komen om redding te vinden.

Het gesprek met de arts herhaalde zich in zijn hoofd. Woord voor woord kon hij de zwarte tekst terughalen. De voorspellingen dreven als onweerswolken om hem heen en huilende gezichten dropen uit de lucht naar beneden. Wanhoop en verdriet, maar vooral machteloosheid. Hoe kon hij dat voor blijven?

Zijn benen begonnen pijn te doen. Hij kreeg steken in zijn zij en zijn ademhaling ging stotend om de zuurstof binnen te kunnen krijgen. Toch ging hij door. Hij moest wel doorgaan, ondanks het afschuwelijke nieuws dat hij die middag te horen had gekregen. Natuurlijk had hij zich groot gehouden terwijl de verlammende pijn met kracht zijn hart bereikte. De ogen van hun kind, die aangaven het nieuws niet te bevatten, veel te jong om te beseffen wat er aan de hand was. Hij had zijn vrouw niet aan durven kijken, bang om dezelfde wanhoop te zien die hem lamgeslagen had. Ze waren naar huis gereden in een volledige stilte, slechts onderbroken door het vrolijke gebabbel van hun zoontje vanuit zijn kinderzitje op de achterbank. Hij had met hem gepraat en gelachen alsof er niets aan de hand was. Maar eenmaal thuis kon hij de façade niet meer ophouden, de muren leken tegen hem samen te spannen om hem te verdrukken. Hij moest weg, naar buiten.

Zijn eerste opwelling was om naar zijn vriend te gaan. Samen een hele lading bier naar binnen gieten om zijn gevoel te dempen. Toch was er ook de angst om diens oordeel. Bij hem stond alles in het teken van prestaties. Maar de levens van hun zonen zouden verschillende wegen volgen. Voor zijn eigen zoon lag alleen de weg naar de aftakeling. Hij wilde dat nu niet horen. Geen medelijdende ogen zien. Hij moest de confrontatie met de pijn aangaan. Alleen.

In een veel te hoog tempo kwamen zijn voeten neer op het harde asfalt. De dijk leek eindeloos en de wind rukte aan zijn haar. Het onheil bleef hem achtervolgen. Het zou hem inhalen. Hij was machteloos. Was dit een absoluut einde dat onafwendbaar zou komen?

Protesterende spieren die hun kracht begonnen te verliezen. Pijn die het verdriet stilde. De steken in zijn zij waren nu zo hevig, dat hij bang was dat hij zelf het loodje zou leggen. Lucht! Zijn longen verzetten zich tegen de eisende inspanning en piepten om te voldoen aan de vraag. De warmte die de buitenkant van zijn lijf in vuur en vlam zette, kon niet voorkomen dat de ijzige kou in zijn binnenste aanwezig bleef. Zweet perste zich naar buiten om zijn lichaam de nodige afkoeling te geven. Verder, hij moest verder. Weg van de plek waar het verdriet zich zou concentreren.

Zijn spieren begonnen te weigeren en zijn benen verloren aan kracht. Ze konden hem niet meer voortstuwen naar de horizon, waar de hoop leek te gloren. Hij strompelde nog een stukje voort. Als in een hallucinatie zag hij de televisiebeelden van een marathonloopster voor zich die kruipend over de finish ging. Volledig voorbijgegaan aan de waarschuwingen van haar lichaam en volkomen onwetend van het feit dat de hele wereld toekeek naar haar onmenselijke worsteling. Mager en leeg, volkomen ontdaan van alle kracht.

Alles stopte. Zijn benen waren niet meer in staat om zijn gewicht te dragen. Was dit ook de toekomst voor zijn zoon? Hij viel op het koude gras aan de kant van de weg. Hijgend lag hij op zijn rug, de lucht met diepe halen zijn longen in pompend, zijn benen lam. Elke inademing deed zeer. Kon hij het maar stoppen. Kon hij de ziekte die het lichaam van zijn zoon beheerste maar uitzetten. De pijn drong door zijn hele lichaam en eindigde bij zijn ogen, waar de tranen zomaar begonnen te stromen alsof de dijk doorgebroken was. Hij gooide zich op zijn zij en verborg zijn gezicht in zijn armen, een zelftroostende houding. Maar de schokken waren niet tegen te houden. Alles kwam eruit. Hij voelde zich verlaten en gaf toe aan de pijn. Verdriet om de toekomst, niet alleen van zichzelf en zijn vrouw, maar vooral de beperkte toekomst van zijn enige kind.

1

Fenna Faassen was al vroeg op de redactie van het tijdschrift *Ogen-blik*, waar ze al jaren als journaliste werkte. Met een kop koffie en de krant zat ze achter haar bureau. Gedachten dwarrelden met de dampende koffielucht mee omhoog. Voor haar lag een relaxte dag, geen onhaalbare deadlines, geen zeurende mensen en geen nare klusjes tussendoor. Toch was er een gevoel van onrust. Stilte voor de storm. Alsof Harry, de hoofdredacteur, plotseling met veel bombarie binnen kon komen vallen met een haastklus. Gisteren af, ze kende het precies. Geen tegenspraak. Slikken en doorgaan. Deze rust was onheilspellend en bijna tegen de regels. Ze rilde, terwijl de zon vrolijk door haar raam naar binnen scheen.

Ze trok haar zwarte shirt iets naar beneden en hing haar ketting recht. Even hield ze hem in haar handen. De kleurige steentjes waren zorgvuldig omringd door oosters aandoende kralen, een cadeau van een lieve vriendin die vaardige handen had. Ze nam een slok koffie en boog zich over de krant. Even de koppen screenen. Kranten waren voor haar, als journaliste, dé informatiebron. Soms was een item in een krant slechts drie zinnen waard, maar kon zij over datzelfde onderwerp een artikel van een aantal pagina's schrijven voor hun weekblad.

Ze had het eerste katern al bijna doorgenomen toen haar oog viel op een bericht, weggedrukt in de rechterbenedenhoek: ONDERVOEDING BIJ BEJAARDEN. Ze begon het artikel aandachtig te lezen, maar voelde de irritatie al snel opborrelen. Eerst werden oude mensen weggestopt in tehuizen met minimale zorg, en nu kwam vanuit de politiek kritiek op de slechte leefomstandigheden. Echt hypocriet. Fenna dacht aan haar moeder, op wie het artikel volledig van toepassing leek. Zij werd ook oud. Haar ogen waren dof geworden en de vermoeide trek rond haar mondhoeken werd steeds minder vaak verdreven door een glimlach. Ze leek weg te kwijnen, oud en opgebrand. Eenzaam in haar aanleunwoning, ondanks het feit dat Fenna zo vaak mogelijk langsging. Ze wilde niet meer, zei haar moeder. En zodra oude mensen dat soort dingen gingen zeggen, was er al een lange weg van gedachtekronkels aan voorafgegaan. Dan hadden ze zelf al de conclusie getrokken dat hun leven geleefd was.

Fenna maakte een notitie. Ideeën voor artikelen schreef ze altijd direct op, en dit was daar een prima voorbeeld van. Het krantenartikel was politiek en wetenschappelijk getint, vol cijfers en percentages, met dramatische opmerkingen over fatale gevolgen. Maar de menselijke kant ontbrak. Misschien kon zij er wat mee doen.

Ze sloeg de bladzijde om en zag een advertentie: SLAVENVRIJE CHOCOLADE. Het trok natuurlijk haar aandacht. Chocola verslavend? Ze noemde zichzelf voor de grap wel eens een chocoholic. Ze had de term ooit ergens zien staan en zich aangesproken gevoeld. Het speeksel in haar mond reageerde direct. Slavenvrij, las ze opnieuw. Iets anders dan verslavend. Ze nam zich voor die speciale chocola een keer te proberen. Een extra stukje kon natuurlijk nooit kwaad. En dan het liefst zonder nare nasmaak.

De foto die bij de advertentie was geplaatst trok haar aandacht. Een Aziatische vrouw met in haar hand een doorgesneden vrucht van een cacaoboom. De stralende lach van de vrouw gaf de naargeestige tegenstrijdigheid met het bericht weer. Geluk tegenover slavenarbeid.

Ben, een fotograaf met wie ze jarenlang prettig had samengewerkt, had oog voor deze details gehad. Foto's die meer weergaven dan je in eerste instantie zag. Ze miste hem en dacht nog vaak aan de vreemde omstandigheden waaronder hij bij een duikongeluk in India omgekomen was. Het raadsel was nooit opgelost.

Ze streek door haar korte haar, alsof ze daarmee de nare gedachten kon verdrijven, schoof haar bril wat verder op haar neus en pakte de sportbijlage. Op de eerste pagina zag ze een artikel over de internationale atletiekfederatie. IAAF VERBIEDT WEDDENSCHAPPEN, las ze. Snel gleden haar ogen over de zinnen. De IAAF ging de regels aanscherpen. Paranoia voor eventuele slechte reclame voor de atletieksport. De angst voor een omkoopschandaal zoals bij voetbal zat diep. Ook de berichten uit het wielrennen droegen daaraan bij. De dopingschandalen tijdens grote wielerevenementen werden altijd breed uitgemeten. De atletiekfederatie zou er alles aan doen om niet in hun voetsporen te treden. Hun sport was schoon en eerlijk.

Fenna was op dit moment extra gericht op de sportverslaggeving. Zeker nu de Olympische Spelen in het vizier kwamen. Ze hoopte dat zij uitverkoren zou worden om naar China af te reizen om de Olympische Spelen te verslaan. Maar ze hield er rekening mee dat Harry haar met haar zevenenveertig jaar te oud zou vinden. Bovendien zag ze er nu eenmaal niet uit alsof ze van sport hield. Maar China vormde een uitdaging voor elke journalist. Het was een land dat bijna dagelijks in het nieuws was met zijn snelle economische groei, problematische luchtverontreiniging, en natuurlijk de slechte mensenrechtensituatie. Ze wierp een blik op de klok: nog een halfuurtje tot de redactievergadering, dan zou ze het horen.

Op dat moment kwam Harry binnengewaaid, zijn rossige baard wilskrachtig naar voren stekend. Zijn blonde krullen sprongen wild rond zijn hoofd en zijn felle ogen waren direct op haar gericht.

'Fenna, ik wil voor de vergadering even wat met je overleggen. Afspraken voor de Olympische Spelen.'

'Mag ik naar China?' vroeg Fenna. De opwinding zorgde ervoor dat ze het in één klap warm kreeg.

'Niet zo snel,' lachte Harry. Zijn groene ogen, die model hadden gestaan voor het logo van hun tijdschrift *Ogen-blik*, twinkelden. 'Eerst maar eens overleggen.' Hij draaide zich om en liep naar de deur. 'Nu, graag,' riep hij nog over zijn schouder.

Wow, dacht ze. 'Is goed,' riep ze hem na. De onheilspellende rust was verdreven.

* * *

Zenuwachtig zocht Fenna haar informatie bij elkaar. Harry mocht je niet laten wachten. Nu betekende echt binnen een minuut.

Fenna was blij dat ze in de afgelopen weken al wat research naar China en de voorbereidingen voor de Olympische Spelen had gedaan. Maar nu ze op het punt stond om te horen of ze er wel of niet naartoe mocht om de reportage te maken, vroeg ze zich nerveus af of het wel voldoende was.

Ze klopte aan.

'Ga zitten. Ik zal ruimte maken.' Harry liep naar de overlegtafel in het ruime kantoor. De tafel was allesbehalve een toonbeeld van orde en overzicht. Stapels papieren, opengeslagen boeken en restanten van snel verorberde tussendoortjes.

'Je ziet wat bleek. Is alles in orde?' vroeg hij.

Fenna wilde zeggen dat ze gespannen was. Dat ze het oordeel van Roodbaard, zoals ze Harry vaak in gedachten noemde, vreesde. Ze wilde zo graag naar China dat de spanning haar in de weg zat. 'Beetje hoofdpijn,' antwoordde ze echter.

'Dat zegt mijn vrouw ook vaak,' grijnsde hij. Hij schoof wat stapels papieren opzij en sloeg een boek dicht. 'Misschien toch weer eens wat opruimen,' mompelde hij.

'Einstein had daar een mooie opmerking over,' zei Fenna, denkend aan haar eigen volle bureau.

'Einstein?'

'Als een rommelig bureau het teken is van een rommelige

geest, waar staat een leeg bureau dan voor?' citeerde Fenna de door haarzelf vaak gebruikte zin.

'Die is goed. Ik zal hem onthouden,' grijnsde Harry.

Fenna schoof op de stoel die hij haar aanbood.

'Goed, China,' zei hij. 'Wat staat er op de planning? Eerst een kennismaking met een aantal atleten, denk ik.'

Fenna's hart klopte sneller. Dit ging goed. 'Atletiek is inderdaad de beste ingang.'

'Ik ken de manager van een aantal topsporters, een drietal vrouwelijke atleten,' gaf Harry aan. 'Ik zal je het adres geven. Maak maar een afspraak.'

'Dat zal ik doen. Ik dacht dat het interessant zou zijn om een aantal topatleten een tijdje te volgen. Introductie, beschrijving van hun motivatie en dan het volgen van hun prestaties tot aan de wedstrijden in Beijing. Dan wordt het wat persoonlijker.'

'Goede aanpak, lijkt me,' reageerde Harry. 'Dan even over China. Wanneer wil je vertrekken?'

Een juichend gevoel maakte zich van Fenna meester. 'De opening is op 8 augustus. De achtste dag van de achtste maand om acht uur 's avonds. Daar heb ik al wat onderzoek naar gedaan.'

'Vertel.' Harry liet zich onderuitzakken.

Fenna moest haar opwinding onderdrukken, zich concentreren op de inhoud van het gesprek. De opdracht mocht haar nu niet meer ontgaan. 'De acht is een geluksgetal voor de Chinezen. Je spreekt het uit als "ba". En die uitspraak is eigenlijk hetzelfde als het woord *fa*, dat "rijkdom" of "het beter of sterker worden" betekent. Het is een soort bijgeloof in China om een groot evenement op een datum met een acht erin te starten.'

'Geweldig om dan net in het jaar 2008 de Olympische Spelen te mogen verzorgen,' begreep Harry. Hij maakte een notitie.

'Het gaat zelfs verder. Telefoonnummers met een acht of nummerplaten van auto's met een acht zijn duurder. En trouwen doe je het liefst op de achtste van de maand.'

'Dat kun je natuurlijk mooi gebruiken.' Harry keek naar de

aantekeningen die hij ondertussen had gemaakt. 'De opening is dus op de achtste. En wanneer beginnen de atletiekwedstrijden?'

'Ik dacht een week erna,' zei Fenna. 'Maar ik zou eigenlijk al ruim voor de opening in China moeten zijn. De sporters zullen moeten acclimatiseren in dezelfde tijdzone. Juist die voorbereidingen in de Chinese sfeer kunnen voor een mooi artikel zorgen.'

'Probeer dan eerst te achterhalen waar die atleten hun voorbereiding doen. Soms strijken ze neer in Japan of Korea, dan wordt het natuurlijk moeilijk. De details zullen we volgende week bespreken.'

'Ik ga erachteraan. Ga ik als enige naar China?' Fenna had die vraag voor het laatst bewaard. Ze hield ervan om in haar eentje te werken.

'We zullen het zo meteen in de redactievergadering aan de orde stellen. Maar wat mij betreft wel. Er zal hooguit een fotograaf met je meegaan.'

Fenna voelde zich intens tevreden. Dit kon haast niet meer misgaan. Ze keek naar Harry, die met zijn blonde krullen en rossige baard iets weg had van een leeuw. Machtig regeerde hij over de redactie. Niemand durfde hem tegen te spreken. *China, here I come!*

2

'Kom, jongens, we gaan uit.' Pien Holland riep de twee golden retrievers bij zich. Tasja en Bruno sprongen op uit hun mand en draaiden wild om haar benen terwijl ze haar sportschoenen aantrok. Ze had haar steile haar strak naar achteren gebonden, haar ogen licht aangezet en simpele knopjes in haar oren gedaan. Ze opende de deur en liet de honden gaan. Ze woonden op een ideale plek in het hoger gelegen gedeelte van Kleef. Vanuit hun huis liep ze zo het bos in.

De honden renden blij voor haar uit terwijl ze omhoogliep naar de Sternberg. Een toepasselijke naam. Vanaf dit hoogste punt waaiderden de paden door het bos als een ster uit elkaar.

Chris was een paar jaar geleden met het idee gekomen om het gezondheidscentrum dat ze in Groesbeek hadden, om te zetten naar een anti-agingkliniek in Kleef, net over de grens in Duitsland. Hij had een prachtig pand op de kop getikt, geschikt voor een centrum, een woongedeelte en een grote hobbykelder onder het gehele pand.

Kleef, een gouden greep. Duitsland was nu eenmaal het land met de best draaiende wellnesseconomie van Europa. Kuuroorden, thermische baden, wellnessklinieken... het waren stuk voor stuk typisch Duitse trends. Het oppervlakkige van de schoonheidscentra gaf mensen geen voldoening meer. Men was duidelijk op zoek naar iets nieuws. Zij was met haar nieuwe centrum een van de eersten geweest die in anti-aging een gat in de markt hadden gezien.

Ze had goed voorzien dat de vergrijzing van de bevolking in haar voordeel zou werken. De mensen die na de oorlog geboren waren, waren de eerste tweeverdieners, een vermogende en vaak intellectuele groep senioren die nu hun sporen hadden verdiend en op een comfortabele manier oud wilden worden. En daar probeerde zij met een uitgekiend anti-agingprogramma haar steentje aan bij te dragen. Zelfverzekerd, gezond en mooi oud worden sprak mensen aan. Sterk van geest en lichaam.

Pien wist dat ze alert moest blijven, wilde ze met haar centrum voorop blijven lopen en de concurrentie aan kunnen gaan. Ze moest snel reageren en met nieuwe en opzienbarende ontwikkelingen komen. Haar ambitie om in haar vakgebied de beste te zijn, dreef haar voort. Trendsetter in plaats van trendvolger. Een begrip op haar gebied. Ze wilde met haar Holland Anti-aging Centrum de top bereiken in Duitsland en in Nederland. En juist het feit dat ze gelokaliseerd waren op de Duits-Nederlandse grens was daarbij een groot voordeel. De niet-aflatende toestroom van klanten die op haar nieuwe programma afkwamen, bewees dat ze op de goede weg was.

Ze slenterde verder, luisterde naar de wind die door de bladeren speelde. Ze liep langzaam, keek om zich heen naar de machtige beukenbomen afgewisseld met witte, breekbare berken. Overal vers groen op deze dag die op dit vroege uur al aankondigde dat het warm zou worden. Het was rustig in het bos. Ideaal om na te kunnen denken. Tijd die ze overdag niet vond en die ze nodig had om alles wat in haar leven gebeurde een plek te geven.

Tasja en Bruno hadden er zin in. De golden retrievers renden speels achter elkaar aan door het struikgewas. Ze hadden de honden nog maar een paar maanden. Chris was opeens met de dieren aan komen zetten. Een van zijn wilde ideeën. Chris was een warrige intellectueel, die problemen op zijn eigen manier aanpakte. Hij hield niet van gezeur, niet van lange discussies. Hij kon genieten van kleine dingen en pakte zijn eigen waardevolle momenten. Een leefwijze die haar soms met jaloezie vervulde.

Haar gedachten schoten terug naar haar eigen jeugd. Haar dromen voor de toekomst. Dansen, haar lust en leven. Maar haar vader had haar verboden naar de dansacademie te gaan. Presteren moest ze, in een maatschappelijk verantwoorde baan. Dat had hij voor ogen en dat was waar hij zijn studietoelage in wilde stoppen. Zonder zijn financiële steun geen opleiding. Ze had zich erbij neergelegd omdat ze wist dat gehoorzamen een must was in haar ouderlijk huis. Einde toekomstdroom. Presteren was zijn credo. Een zeven was net voldoende en de winst nooit groot genoeg.

Chris had haar ook met de andere kant van het leven laten kennismaken. Maar haar karakter was al gevormd tijdens haar jeugd en daarom voelde ze een onvoorstelbare drang om van het Holland Anti-aging Centrum een succes te maken. Bijna nietsontziend.

* * *

Een paar uur later zat Pien in haar kantoortje. Het centrum draaide prima, ze hadden vandaag een volle bak. Maar ze had de zaken zo geregeld dat zij zich die ochtend volledig kon richten op het afhandelen van de administratie, zonder zich met het dagelijkse reilen en zeilen te bemoeien.

Het viel haar op dat de normale geluiden plotseling verstilden. De muziek van de fitnesszaal viel weg en rennende voetstappen kwamen dichterbij. Er was iets mis. Ze keek op van haar computer.

'Frau Holland. Schnell!' Een oudere man kwam gejaagd naar binnen rennen. Zijn gezicht bezweet, ogen groot en angstig.

Pien schoof haar stoel met een ruk achteruit en volgde de man. In de fitnesszaal stond alles stil. Geen bewegende apparaten, geen muziek uit de luidsprekers voor een begeleidend ritme, maar stilstaande bezwete mensen, in groepjes bij elkaar geklit. Verontrust gepraat. Gefluister zelfs. Pien voelde de onrust in de groep.

'Waar is Bärbel?'

Vingers wezen naar de gang.

'Wat is er aan de hand?' vroeg ze aan haar fysiotherapeute, die met een vuist op de toiletdeur sloeg.

Bärbel keek op, haar ogen groot en verschrikt. '*Ein Problem.* Mevrouw Schneider is hier binnen. Ze antwoordt niet. Misschien is ze niet goed geworden. Maar de deur zit op slot.'

Pien rende weg en kwam terug met een grote schroevendraaier. 'Zorg dat onze gasten afgeleid worden,' zei ze op zachte toon tegen Bärbel.

Ze zette de schroevendraaier op het slot en draaide het open. 'Frau Schneider? Is alles goed?' riep ze door de kier van de deur. Geen antwoord.

Pien trok de deur open. De vrouw hing half over het toilet. Haar arm in de pot. Een walgelijke stank hing om haar heen. Op de vloer lagen etensresten. Slijm droop uit haar mond.

Pien deinsde achteruit en sloeg haar hand voor haar mond. 'Gatver, wat...?' Maar meteen ging ze over tot actie. Ze tilde voorzichtig het hoofd van de vrouw op en voelde de hartslag in haar hals. Zwak, maar regelmatig. Pien probeerde haar op te tillen. Het logge lichaam was als een dood gewicht.

Thomas stak zijn hoofd om de deur. 'Wat is hier gebeurd? Bärbel waarschuwde me. Is ze flauwgevallen?' Hij hielp Pien om de vrouw uit het toilet te tillen.

Toen ze de vrouw stabiel hadden neergelegd, klonk een hoge gil uit de zaal. Pien schrok. 'Blijf bij haar,' zei ze tegen Thomas, en ze rende op het geluid af. Een groep mensen stond over een vrouw gebogen. Bärbel zat naast haar en probeerde de wild schokkende vrouw in bedwang te houden.

'Opzij, alsjeblieft,' riep Pien. Ze knielde naast Bärbel neer. Het gezicht van de in elkaar gezakte vrouw was rood en opgeblazen, haar handen wreven wild over haar lichaam alsof ze een onbeschrijfelijke jeuk had. 'Wat heeft ze?'

Bärbel streek een paar zweterige plukken uit haar gezicht. 'Geen idee. Ze zakte zomaar in elkaar. Wat moeten we doen?' Paniekerige ogen keken Pien aan.

Op dat moment kermde de vrouw angstaanjagend, gooide haar beide armen in een stuip omhoog en zakte met een kreun opzij. De ogen van Bärbel drukten paniek uit.

'Bel 112, Bärbel. Nu!' Pien keek naar de vrouw. Haar pafferige gezicht was nat van het zweet en haar adem ging raspend. Wat was er aan de hand?

* * *

Na het eten liet Pien zich moe op de zwarte bank zakken. Een snerpende pijn plaagde haar hoofd.

Ze keek naar Chris, volledig verborgen achter de krant. Afgesloten voor welk gesprek dan ook. Ze was vaak jaloers geweest als hij verslag deed van zijn kroegbezoeken met Ronald. Stille Chris, gezellig kletsend met zijn vriend. Pimpelen in hun stamkroeg, hun favoriete tijdverdrijf. Waarom praatte hij niet meer met haar en gaf hij alleen antwoord als hij er niet onderuit kon? Zonder communicatie groeide je uit elkaar. Waar was hij mee bezig? Hoe had die enorme kloof tussen hen zich kunnen ontwikkelen? Kwam het door de eeuwige zorg om Michael? Of waren ze gewoon uitgepraat? Uitgeleefd samen?

Hij wist nog niets van de nare gebeurtenissen in het centrum, die haar de hele dag hadden achtervolgd. De twee vrouwen waren in zorgwekkende toestand in het ziekenhuis opgenomen. Anti-aging had een keerzijde. Oud, zwak, en daardoor extra gevoelig. Waar was ze aan begonnen?

Chris liet de krant zakken. 'Hoe liep het vandaag in het centrum?'

Toch interesse. 'Niet zo best. Er zijn mensen onwel geworden. Ze zijn met spoed opgenomen in het ziekenhuis.'

'Ziekenhuis?' vroeg hij geschrokken. 'Hoe kan dat dan?'

'Ik heb geen idee. Ze zijn zomaar in elkaar gezakt.' Ze voelde de gespannen spieren in haar nek, die ze de hele middag had proberen te negeren.

'Dat is heftig. Weet je wat de oorzaak is?'

'Geen idee. Ze hebben het normale programma gevolgd, diëtiste, massage, supplementen. Ze waren net begonnen met de afsluitende spierversterkende oefeningen...'

'En toen ging het mis,' zei Chris peinzend.

'Ja, twee vrouwen, vlak na elkaar.' Pien zag het weer voor zich, de pafferige gezichten, koortsig en bezweet. 'Misschien was het wel wat benauwd binnen, dat kan het geweest zijn.'

'Het was inderdaad warm vandaag.' Chris vouwde de krant op en staarde voor zich uit.

Pien zocht naar een reactie. Maar zijn gezicht stond afwezig. Zijn huid vertoonde de oneffenheden van een puistvolle jeugd. Kleine littekens die haar nooit gestoord hadden. Ze had ze gestreeld. Het hoorde bij hem, net als de borstelige wenkbrauwen en zijn volle lippen.

'Vreemd,' mompelde Chris voor zich uit. 'Wat voor reactie vertoonden ze? Wat bedoel je met in elkaar zakken?' Zijn ogen drukten nu bezorgdheid uit.

Pien vond het prettig dat hij meeleefde. Misschien was er toch nog hoop. 'De ene vrouw was flauwgevallen in het toilet en had alles onder gespuugd. De ander leek een vreemde jeukaanval te hebben. Haar hartslag was zwak en ze voelde koortsig aan.'

'Allergische aanval?' twijfelde Chris.

'Ja, daar leek het wel op. Alsof ze iets verkeerds binnen hadden gekregen. Die ene vrouw bleef maar over haar armen wrijven alsof ze verging van de jeuk.' Pien masseerde haar nek.

Chris schudde met zijn hoofd. 'We moeten er maar het beste van hopen. Oudjes geven gratis problemen. Het zal wel niets met het centrum te maken hebben.'

'Ik hoop dat de media er geen lucht van krijgen. Een ongeluk in ons centrum, dat is de ergste antireclame die we kunnen krijgen.'

'Zo'n vaart zal het vast niet lopen. Meestal loopt het met een sisser af.' Chris duwde zich zuchtend van de bank omhoog. 'Ik ga naar de kelder.'

Het onderhoud was afgelopen, alsof het een tienminutenafspraak bij de huisarts was. De betrokkenheid was weer verdwenen.

3

Fenna laadde haar boodschappen op de kruiwagen die ze klaar had gezet bij haar parkeerplaats op het boerenerf. Ze duwde de kruiwagen bedreven over het pad naar haar woonboot, waar ze samen met haar tienerdochter Tara woonde. Hun boot lag midden in het groene hart van Nederland, de zevende boot in de rij, gelegen aan het erf van een knorrige boer. Ze had vrij uitzicht over het water en de landerijen daarachter. In plaats van verkeer of voetgangers had ze watervogels die langs haar raam paradeerden. De geraniums stonden overal in volle bloei. De vele kleuren roze en rood maakten er een bont spektakel van. Fenna hield van de zomer. Er lag een belofte in verborgen. Na de voorjaarsbollen kwamen de zomerkleuren, die een toezegging deden voor een lange, warme zomer. Hoopte ze.

'Hé, Fenna. Hoe istie?' John, haar buurman, stond in de deuropening van zijn schuur. Hij droeg een versleten spijkerbroek en een smerig T-shirt.

'Ha, John,' groette ze terug. 'Prima. Met jou ook?' Ze liep door, bang om na een uur nog aan de uitgebreide verhalen van John vast te zitten.

'Alles goed, vrouwke. Kom een keer een bakkie halen!' riep John echter tot haar opluchting.

'Doe ik.'

John was een geschikte vent, altijd bereid om haar te helpen als haar ruim leeggepompt moest worden, de rioolpomp weigerde of als haar verwarmingsketel het begaf. Goud waard. Maar ze hield van goud op afstand.

Ze tilde haar tassen uit de kruiwagen, liep de loopplank op en opende de voordeur. Tara lag onderuit op de bank, de onafscheidelijke telefoon tegen haar oor gedrukt.

'Hoi, Tara.'

Slechts een oogopslag. Tara drapeerde haar lange haar over haar hoofd en kletste verder.

Fenna bracht de boodschappen naar de keuken en schopte haar schoenen uit. Het was benauwd binnen. Haar terrasdeuren stonden slechts op een kier, terwijl de zon op het platte dak ervoor zorgde dat de woonboot veranderde in een drijvende stoof.

Ze opende het keukenraam en begon de boodschappen op te ruimen. Ze probeerde niet te luisteren naar het geleuter van haar dochter. Eindeloos werden alle belevenissen van Tara en haar vriendinnen besproken. Het herkauwen van gebeurtenissen. Het volledig bezetten van de telefoon. En dat natuurlijk net nu ze zelf goed nieuws had. Wat zou Marjet ervan vinden dat ze naar China mocht?

Marjet was een vriendin uit duizenden. Nadat ze ernstig ziek was geworden na een cosmetische operatie was Fenna ervan doordrongen geraakt dat hun vriendschap een groot goed was. De angst om haar te verliezen had haar verlamd en tegelijkertijd tot allerlei stomme acties aangezet. Nu, achteraf, konden ze er samen om lachen, herinneringen ophalen met de zekerheid dat de afloop goed was.

Marjets uiterlijk was na die operatie behoorlijk veranderd. Haar neus, kin, borsten en heupen waren gepimpt. Maar daarnaast had Marjet zich geleidelijk ook ontworsteld aan haar minderwaardigheidscomplex. Ze was opgebloeid en ze ging nu als een zelfverzekerde mooie vrouw door het leven. Een prachtig proces dat Fenna van heel dichtbij had meegemaakt. De innerlijke schoonheid van Marjet was niet door het scalpel aangetast.

Om haar ongeduld in te tomen liep Fenna naar het terras. Als Tara uitgepraat was, zou ze zowel Marjet als haar moeder direct op de hoogte brengen. Neuriënd pakte ze de gieter en duwde hem in het water naast haar boot. Haar planten waren gortdroog na deze zonnige dag. Fenna liep langs de grote schuiframen die haar terras tegen de wind beschermden en liep het gangboord op. De vijf lange plantenbakken puilden uit van de donkerrode hanggeraniums. Haar grote trots. Ze haalde er regelmatig de oude bloemen uit, het oeroude recept om een mooie volle bloemenzee te creëren.

'Dat weet ik nog niet,' hoorde ze Tara zeggen toen ze weer binnenkwam. 'Nee, nu niet. Mijn moeder is thuis. Ja, goed. Ik bel je vanavond wel even.'

Het telefoongesprek werd zowaar afgebroken. Fenna hield zich in en liep naar de keuken.

'Wat eten we?' Tara kwam naast haar staan en tilde haar lange haren uit haar nek.

'Een maaltijdsalade. Daar had ik zin in met dit warme weer.'

'Salade? Bah, dat klinkt groen.' Tara opende de koelkast en pakte een blikje energiedrank.

Haar slanke benen draalden om Fenna heen, alsof ze niet konden besluiten of ze zouden blijven rondhangen of weglopen. Ze dronk een paar slokken, maar bleef bij het aanrecht hangen.

'Ik heb een leuk nieuwtje. Ik heb de opdracht gekregen,' deelde Fenna het goede nieuws met haar dochter. 'Ik mag naar China voor de Olympische Spelen.'

'Vet, mam. Mag ik dan alleen thuisblijven?'

'Is dat het enige wat je te zeggen hebt?' vroeg Fenna lachend.

'Nee, ik hoop ook dat ik niet verplicht word om te oefenen met stokjes te eten.'

Fenna zag de plagerige twinkeling in de bruine ogen van haar dochter. 'Help me maar even met het eten. Je mag de groenten snijden.'

* * *

Een groot aantal planten gaf de woonkamer een zachte sfeer. Groen gaf rust en ontspanning. Haar bureau stond voor het grote raam dat uitzicht bood op het water. Papieren in dikke stapels rondom haar notebook. Rommelig, maar voor haar overzichtelijk. Fenna had na het eten zachte relaxmuziek opgezet. Golvende tonen die haar geest rust gaven, in plaats van de opjagende muziek die Tara vaak draaide.

Fenna pakte de telefoon. Hoe zou haar moeder reageren op het nieuwtje? Vast net zo enthousiast als Marjet. Het indianengehuil moest bijna in China te horen zijn geweest. Mazzelaar, prachtbaan, vakantie! Marjet riep in haar enthousiasme van alles door elkaar. Maar Marjet had ook haar eigen angst voor de keuze van de fotograaf aangewakkerd. Ze hoopte maar dat ze het mis had.

Haar moeder nam niet op. Vreemd, dacht Fenna. Ze is toch altijd thuis? Ze heeft slechts met een enkeling contact. Er zal toch niets gebeurd zijn? Gevallen? Gewond? Of is ze nog naar buiten gegaan?

In de afgelopen jaren was Fenna ongemerkt veranderd in een bezorgde dochter. Alsof ze het ouderschap van haar moeder had overgenomen. Vreemd, hoe zelfstandigheid en afhankelijkheid elkaar afwisselden in een mensenleven. Ze zat nu in een tussenfase, waarbij ze zich zowel om haar dochter als haar moeder zorgen maakte, alsof beide generaties van haar afhankelijk waren. Wanneer zou zijzelf afhankelijk worden van haar dochter? Zou Tara ooit bezorgd zijn om haar? Ze kon het zich totaal niet voorstellen.

Fenna liep naar Tara. Ze deed de deur open en zag het scherm van msn wegflitsen. Een lange lijst met Duitse woorden stond nu op het scherm.

'Lukt het, meisje?' vroeg ze, wijselijk geen commentaar gevend.

Tara knikte, maar hield haar ogen op het scherm gericht.

'Ben jij vanmiddag nog bij oma Els geweest?'
'Nee, ik ben direct na school naar huis gekomen. Hoezo?'
'Ze neemt de telefoon niet op.'
'Geef haar dan ook een mobieltje, dan kun je haar altijd bereiken.'
'Misschien niet zo'n slecht idee. Ik zal een simpel telefoontje voor haar kopen.'
'Ik wil haar wel wat uitleg geven.'
'Dat zal ze fijn vinden.' Fenna sloot de deur en liep terug naar de woonkamer, waar de muziek haar laatste tonen liet horen.

4

Hoewel ze naar Kleef verhuisd waren, kwam Chris nog regelmatig in zijn oude stamkroeg in Groesbeek. Samen met zijn vriend Ronald een biertje drinken, beetje kletsen, en natuurlijk de vrouwtjes bekijken.

'Doe maar een Palmpje,' zei Chris.

Ronald liep met grote passen naar de bar. Zijn schedel glom in het weinige licht. Een wijde spijkerbroek hing laag om zijn heupen. Heel wat anders dan zijn gebruikelijke zakelijke outfit als representatieve sportmanager. Chris keek rond. Het was een typische dorpskroeg. Een stel jonge knullen aan de gokautomaat, twee oudere mannen met een sigaar hangend aan de bar. Donkere houten meubels, dringend aan verfrissing toe.

'Alsjeblieft.' Ronald zette een glas voor hem neer.

'Lekker, proost!' Chris nam een slok.

'Vertel eerst maar eens wat er aan de hand is. Je bent erg afwezig. Is er iets met Michael? Als ik hem zo samen met Tom achter de pc zie heb ik niet het idee dat het slecht met hem gaat,' zei Ronald, terwijl hij een witte snor weglikte.

'Naar omstandigheden gaat het best goed. Het is fijn dat hij Tom heeft. Die twee zonen van ons kunnen goed met elkaar opschieten.'

'Michael straalt inderdaad uit dat hij geniet van zijn leven.'

'Doet hij ook. Ondanks zijn beperkingen. Hoe is het met Tom?'

'Tom gaat goed. Hij voetbalt in het eerste. Dat was voor mij ook een vereiste, anders had hij moeten stoppen. Edith is dat niet met me eens. Maar je weet dat ik niet van amateurgeneuzel hou. Presteren moet hij. Als ik het aan Edith overlaat, wordt Tom een watje. Hij kan het, dus moet hij het ook laten zien. Binnenkort geeft hij een feest. Een knalfeest. Hij wordt maar één keer zestien. Brommertijd.'

Chris staarde in zijn glas. Brommers, ooit hun grote hobby. Motor opvoeren, racen op de stille landwegen en de meisjes laten gillen, zodat ze zich aan je vastgrepen. Machtig op je zestiende. Niet voor Michael weggelegd. Nu niet aan denken. 'Hoe gaat het met je sportbusiness?' vroeg hij daarom.

'Klasse. Ik heb er op dit moment een paar sterke meiden bij zitten. Met een beetje mazzel gaan er straks drie naar de Olympische Spelen. Dan kun je jezelf als sportmanager wel geslaagd noemen.'

'Mooi, man. Maar meer hun prestatie dan de jouwe,' lachte Chris. Geslaagd, dat was een woord dat op Ronald van toepassing was. Niet zeuren maar presteren, was zijn motto.

'Moet je niet zeggen. Ik creëer de condities, zij hun conditie, zeg ik altijd.' Zijn hele lichaam lachte. 'Maar we dwalen af. Ik wilde weten hoe het bij jou loopt.'

Chris verstrakte. 'Ach, een klein probleempje in het centrum.'

'Klein?'

'Nou ja, er zijn twee vrouwen onwel geworden in het centrum. Pien maakt zich nogal zorgen. Niet alleen om die vrouwen, maar zeker ook om wat dit voor het centrum gaat betekenen.'

'Jij niet?'

'Ach, ik denk dat het wel losloopt. Maar er moeten natuurlijk geen vreemde dingen gebeuren.'

'Chris, hou me niet voor de gek. Ik zie dat je nerveus bent. Heb je alles onder controle?'

'Ik denk het wel,' zei Chris vaag. 'Problemen zijn er om opgelost te worden.'

'Hoe loopt het met je bezigheden in de kelder?'

'Alles gaat zijn gangetje.' Er stond te veel op het spel om er open en bloot over te praten.

'Zijn gangetje? Man, je moet toch een keertje scoren, daar hebben we het vaak genoeg over gehad. Durven, ervoor gaan, anders kom je er niet. Risico's nemen!' Ronald sloeg hem op zijn schouder. Het bier gutste over de rand.

'Ik doe het in mijn eigen tempo.' Chris sloeg de overgebleven slok bier achterover en bestelde een volgende.

'Jij hoeft ook geen olympische tijd neer te zetten. Mijn meiden wel, en liefst binnenkort. Ze hebben niet zo heel veel tijd meer. De Spelen in China zijn al begin augustus. Er komt nog één belangrijke wedstrijd waar ze de limiet kunnen lopen. Als dat niet lukt, moeten ze vier jaar wachten.'

'Nee, niet veel tijd meer,' mompelde Chris slechts.

5

Het was tegenwoordig een heel complex van rotonden en bruggetjes. Fenna fietste langs de A4 en passeerde de molen die de entree vormde van Leiderdorp. Ze was gelukkig al bijna bij haar moeder, die in een aanleunwoning van een verzorgingstehuis woonde. Het was slechts vier kilometer van haar woonboot, maar ze zweette alsof ze een opvlieger had.

Haar moeder zat al voor het raam op de uitkijk. Alleen de geraniums ontbreken, dacht Fenna met een glimlach. Ze zwaaide vrolijk naar haar. Fijn dat ze op de begane grond woonde, dan had ze nog wat te zien.

'Ha, mam.' Fenna zoende haar moeder op haar weke wangen. Uit haar gezicht was de kracht verdwenen.

Het koffieapparaat van Fenna's moeder maakte onduidelijke pruttelgeluiden. Ook oud.

'Hoe is het? Doet je knie nog zeer?' Fenna bekeek haar moeder. Haar grijze haren waren alleen aan de voorkant netjes gekamd. Net alsof ze haar krullen al slapend had geplet en alleen het zichtbare gedeelte in de spiegel had opgekamd. Maar haar ogen waren minder dof dan anders en de lach die al een tijdje afwezig was geweest, speelde weer volop over haar gezicht.

'Mijn knie? Het gaat wel, hoor. Dat gaat vanzelf weer over.' Ze klonk optimistisch.

'Mam, wat is er aan de hand? Je straalt.'

'Schenk jij even de koffie in? Er staan koekjes in de kast. Pak maar lekker.'

Fenna ging de koffie halen. Eerder zou haar moeder toch niets zeggen.

Even later zaten ze tegenover elkaar. Haar moeder op haar luie stoel, waarvan ze de leuning naar beneden kon laten zakken, en zijzelf op haar vaders oude fauteuil, waarop zij als enige nog mocht zitten nadat haar vader was overleden. Er was geen ruimte geweest voor het grote eikenhouten bankstel uit het oude huis.

'Nou, gooi het er maar uit, mam.'

'Wat bedoel je?'

'Een kind kan zien dat er iets leuks is gebeurd. Je ogen glanzen weer als vroeger. Dus brand maar los!'

'Ik heb iemand leren kennen,' zei haar moeder veelbetekenend.

'Een man?'

'Ja, Henk, heet hij. Een aardige en zeer vitale man. We zijn gisteren samen uit eten geweest. Erg gezellig. Weet je, alleen is maar alleen.'

'Ja, dat is zo, maar...' Fenna merkte dat dit nieuwtje een dubbel gevoel met zich meebracht. Ze kon zich haar moeder niet voorstellen naast een andere man dan haar vader. Mam en pap, altijd samen. 'Is het een aardige man?'

'Ja, dat zei ik toch net. Jullie moeten maar eens kennismaken.'

'Ja, kennismaken,' mompelde Fenna. Ze nam een slok van haar koffie. Toch was het wel een prettig idee dat haar moeder iemand had leren kennen. Ze had het de laatste tijd steeds vaker over pijntjes gehad. Ook het afscheid nemen van dingen die ze niet meer kon, viel haar moeder zwaar. Dus een gezellige man om haar heen zou haar afleiding geven.

'Henk neemt me mee uit. Mijn leefwereld is opeens zoveel groter geworden. Ik kon zelf alleen nog maar naar de Winkelhof, je weet wel, het winkelcentrum hier achter. Verder kwam ik niet. Nu ga ik opnieuw de wereld ontdekken. Andere dingen beleven dan handwerken of lezen.'

Fenna keek naar het grote wandkleed dat pontificaal boven de eettafel in de kleine kamer hing. Maanden was haar moeder ermee bezig geweest, elke keer weer een lapje erbij, tot er een compleet landschap was ontstaan. Vorig jaar had Fenna het als verrassing in laten lijsten. Geëmotioneerd had haar moeder het van haar aangepakt. Geen woord had ze gesproken. Enkel die blik, die alles zei. Fenna kon er nog ontroerd van raken als ze terugdacht aan dat moment.

'Je hebt groot gelijk, mam. Dit wooncentrum blinkt ook niet uit in uitdagende activiteiten.'

'Nee, bingo,' smaalde haar moeder. 'Ik ben niet seniel.'

* * *

Even later liepen ze samen naar het heempark dat tegenover het verzorgingstehuis lag. Haar moeder leunde zwaar op Fenna's arm.

'Je loopt niet erg lekker, mam.'

'Nee, dat zei Henk ook al. Mijn benen willen niet meer. Ik ben gewoon moe.'

'Ga eens naar de dokter, laat je bloed eens nakijken. Misschien heb je bloedarmoede.' Fenna dacht terug aan het artikel dat ze gelezen had over ondervoeding bij bejaarden.

'Ik ben d'r gek. Stel dat ze zo'n naald in mijn arm zetten,' reageerde haar moeder fel.

'Ach, jij met je angst voor naalden. Je krijgt wat staalpillen en je voelt je een stuk beter. Daar weegt zo'n speldenprikje toch wel tegen op?'

'Krijn was de enige die wist hoe hij een injectie moest geven.'

'Pap was dokter. Normaal doen verpleegkundigen dat. Bovendien is pap er niet meer. En dat kan natuurlijk niet betekenen dat je nooit meer een injectie wilt.'

'Ik laat me niet meer lekprikken,' zei haar moeder koppig.

'Daar moet je je maar eens overheen zetten.'

'Geen polonaise aan mijn lijf. Ben je soms vergeten hoe ze me helemaal bont en blauw gestoken hebben met zo'n speldenprikje? Weken heb ik met blauwe armen rondgelopen, alleen maar omdat een jong grietje mijn ader niet kon vinden.'

Fenna wist het. De enige die haar een injectie mocht geven was haar vader. Te belachelijk voor woorden, natuurlijk. En lastig, zeker nu hij er niet meer was. Elke keer als de griepprik weer gehaald kon worden, kostte het Fenna al haar overredingskracht om haar moeder mee te krijgen.

Ze liepen zwijgend door. De heemtuin zelf was afgesloten, dus liepen ze verder door het park. Het was er mooi. In elk seizoen bezat het een eigen schoonheid. Veel mensen uit het wooncentrum werden hier 'uitgelaten', zoals haar moeder het altijd noemde. De geasfalteerde paden waren gemarkeerd met oude boomstammen, die groen uitgeslagen waren. Oude bomen verplaats je niet, ze moeten rusten.

'Je hoeft je geen zorgen over mij te maken, Fenna. Henk heeft erg leuke ideeën. Hij zegt dat er genoeg mogelijkheden zijn om mijn conditie wat op te vijzelen. Maar ik denk dat alleen al zijn aanwezigheid me goeddoet.'

Fenna drukte haar even tegen zich aan. 'Geniet er maar lekker van.'

Het leek alsof haar moeder opeens met een fermere tred doorliep, alsof haar hoofd niet meer naar haar kin zakte en ze haar ogen weer wat opende voor de wereld om zich heen.

'Wat een mooi nieuws dat je naar China mag. Hoe vindt Tara dat?'

'Wel spannend. Meer voor haar dan voor mij, geloof ik. Een paar weken alleen, zonder het gezeur van een moeder.'

'Dat is normaal voor die leeftijd.'

'Tara komt morgenmiddag even bij je langs.' Fenna wist dat haar zeventienjarige dochter het prima kon vinden met haar oma.

'Hè, gezellig. Tara kan altijd zo leuk vertellen over school en haar vriendinnen. En hoe gaat het met de jongens? Hebben ze nog een vriendin?'

'Toine heeft nog steeds dezelfde vriendin. Hij belt regelmatig. Mike geniet sinds kort weer van het vrijgezellenleven. Hij komt als het goed is volgend weekend langs. Dan zal ik wel horen hoe alles loopt. Tenzij hij weer naar zijn oude vrienden gaat, ouwehoeren en bijdrinken, ik weet er zo langzamerhand alles van.'

'Laat ze maar lekker uitrazen nu ze nog jong zijn.'

'Ik ga een mobiele telefoon voor je kopen.' Het kwam plompverloren, wist Fenna.

'Sociale controle?'

'Nee, gewoon bezorgdheid. Tara kan je morgen precies uitleggen hoe die werkt.'

Haar moeder gaf haar een kneepje in haar arm. 'Ik weet precies hoe jouw ongerustheid werkt.'

6

Het was nog vroeg toen Pien het centrum binnenkwam. De lichten waren echter al aan en de geur van verse koffie hing in de gezellige ontvangstruimte. Op de bar stonden een paar vazen met bloemen. Een ijzeren regel. Een warme sfeer moest de eerste indruk zijn. Pien zette een van de zwartleren krukken recht en liep om de bar heen naar het kantoor. Bärbel zat al achter haar bureau.

'*Gutemorgen, Bärbel.*'

'*Gutemorgen*. Er is al koffie.'

'Lekker. Wil jij nog een kop?' Er ging niets boven een kop koffie bij de start van een werkdag.

Bärbel knikte. De blonde krullen golfden over haar schouders. Haar eeuwige glimlach leek aan te geven dat alle problemen met humor op te lossen waren. De losse manier in de omgang met de klanten was Pien echter een doorn in het oog. Uitdagend en controversieel. En in een noodsituatie te snel in paniek. Maar de klanten droegen haar op handen.

'Nog nieuws uit het ziekenhuis?' De lange wimpers van haar fysiotherapeute sloegen omhoog.

De gebeurtenissen in het centrum hadden Pien die nacht niet met rust gelaten. Ze maakte zich grote zorgen. Beide vrouwen lagen in zorgwekkende toestand op de intensive care. Een van hen zelfs in coma.

'Ze wilden me gisteravond niet veel vertellen. Ik zal straks weer bellen, maar ik moet eerst nog naar een andere afspraak. Dat zal wel even duren, ben ik bang.' Ze zette de koffie bij Bärbel neer.

'Ik heb er geen goed gevoel over. Ze vertoonden reacties die mij aan een allergische shock deden denken. En het ging allemaal zo snel.' Bärbel zette de mok aan haar lippen.

'Ik hoop dat ze alles snel onder controle zullen hebben in het ziekenhuis. En dat de klanten na dit incident niet zullen wegblijven,' zuchtte Pien.

'Dat zal wel meevallen, toch? Alleen de groep die er gisteren was weet ervan. Wat zei Chris ervan?'

'Chris denkt dat het allemaal niet zo'n vaart zal lopen.' Pien had haar eigen gedachten hierover. Slecht nieuws gaat razendsnel, goed nieuws duurt eeuwen.

'Dan komt het wel goed. Chris heeft dat soort zaken vaak goed in de gaten.' Bärbel schoof haar stoel achteruit en liep het kantoor uit. Ze stak nog even haar hoofd om de hoek van de deur. 'Ik moet straks even weg, tandarts.'

'Dat is goed.' Pien nam een slok koffie. Pittig en opwekkend. Dat had ze nodig. Wat een vreemde opmerking over Chris. Alsof Bärbel hem zo goed kende.

7

Chris zat achter zijn computer en werkte aan de vertaling van een wetenschappelijk boek. Hij had nogal wat vertraging opgelopen door de vele uren die hij de laatste tijd in de kelder doorbracht. Het maakte niet uit. Daar lag zijn hart.

Nadat hij jaren als verkoper bij een bedrijf voor laboratoriumapparatuur had gewerkt, had hij van de ene op de andere dag ontslag genomen. Michael bleek zo ziek dat hij steeds meer verzorging nodig had. Al snel had hij thuiswerk gevonden, als wetenschappelijk vertaler. Zijn Nederlandse achtergrond gecombineerd met hun verhuizing naar Duitsland was perfect gebleken. De locatie in Kleef bood Pien de mogelijkheid om het centrum verder uit te bouwen en bovendien had hij nu de beschikking over een grote kelderruimte.

Pien had zichzelf tot doel gesteld een begrip te worden in de wellnessbranche. In het begin van hun huwelijk kon hij Piens gedrevenheid waarderen. Maar naarmate de jaren vorderden en ze steeds minder tijd voor hem had, zag hij de nadelen van een ambitieuze vrouw. En sinds een paar jaar leefden ze volledig langs elkaar heen. Hun enige gezamenlijke interesse was hun zoon Michael. Hun zorg voor zijn toekomst. Hun eeuwige jacht op genezing.

Op dat moment hoorde Chris de tussendeur vanuit het centrum opengaan. Dat was vreemd. Kwam Pien naar huis? Hij stond op en liep naar de hal. Daar stond zijn afleiding van zijn saaie leven. Blond, een glimlach om haar lippen en haar volle borsten bekneld in een strak shirtje.

'B-Bärbel, jij durft,' stotterde hij.

'Hallo, Chris.' Ze liep op hem toe. 'Had je me niet verwacht?'

'Niet hier bij mij thuis. Niet via de tussendeur.'

'Pien is naar een afspraak. Die heeft niets in de gaten, zelfs als ik je vlak voor haar neus zou zoenen.' Ze stond nu zo dicht bij hem dat hij haar zoete geur rook.

'Dat zou ik maar niet proberen.' Bij die gedachte brak het zweet hem uit.

'Doe nu niet opeens zo onschuldig. Jij wilt het net zo graag als ik.' Ze tikte hem op zijn wang en liep langs hem heen naar de woonkamer.

Chris liep achter haar aan. Ze draaide zich naar hem toe. Zijn ogen werden als vanzelf naar de diepe donkere lijn tussen haar witte borsten getrokken. Zijn lippen voelden droog. Stel dat Pien thuiskwam?

'Kom lekker bij me.' Bärbel ging op de bank zitten en sloeg uitnodigend op het gladde leer. Tasja hief haar kop op, haar staart kwispelde, maar ze bleef netjes in haar mand liggen.

Chris aarzelde, maar schoof toch naast haar. Ze pakte zijn hand en legde hem op haar been. Zijn vingers begonnen automatisch te strelen. Haar huid was heerlijk zacht. Zijn verlangen naar deze begeerlijke vrouw nam toe. Ze flikte het elke keer.

'Is Pien...'

'Pien is net weg naar een belangrijke afspraak. Een prima kans voor ons.'

'Maar je weet dat ik...'

'*Natürlich*, ik weet dat je het liever niet thuis doet. Maar dit is toch ook een beetje mijn thuis geworden?'

Hij keek naar haar lippen, die sensuele bewegingen maakten,

haar tong die ze af en toe bevochtigde en de wimpers die een losse pluk haar in beweging brachten.

'Wat ben je toch een prachtige man. Ik hou van je onderhuidse stoerheid, je blauwe ogen en je warrige haren.'

Chris zoog de woorden op. 'Jij mag er ook zijn.' Wat klonk dat onbeholpen. 'Je haren glanzen, en dan die prachtig gespierde benen...' vulde hij zichzelf aan. Hij was er niet goed in. Wat zocht deze sensuele vrouw in een duffe vent als hij?

Hij zou laten zien dat hij niet saai was. Hij schoof haar rokje omhoog en liet zijn hand tussen haar benen glijden. Een wild verlangen maakte dat zijn terughoudendheid smolt. Hier zat de meest aantrekkelijke vrouw van heel Kleef en ze wilde hém. Haar ogen waren nu heel dicht bij zijn gezicht. Hij snoof haar lichaamsgeur diep op. De opwinding knelde in zijn kruis en was nauwelijks te negeren. Hij boog zich naar haar toe. Haar lippen beroerden die van hem. 'Bärbel,' mompelde hij zacht.

Alles verdween naar de achtergrond. De tintelingen in zijn lendenen waren alles wat telde. Hij duwde haar onder zachte dwang naar achteren. Schoof zijn hand dieper in de warme holte tussen haar benen, die zich zonder protest openden. Wat stugge haartjes kwamen opzij uit haar slipje. Een warme geilheid drong diep door.

'Pak me maar lekker,' zei ze.

Even was hij in verwarring door haar directheid. Elke keer weer. Hij was het niet gewend. Hij kwam overeind en streek door zijn wilde haardos. Chris Pauw, noemde Pien hem op die momenten. Een onschuldige look, totdat hij wild en ongenaakbaar bleek. Volgens Pien.

'Misschien is dit toch niet zo'n goed idee,' zei hij. De woonkamer die hij met zijn gezin deelde, dook op in zijn bewustzijn. 'Ik kan toch eigenlijk niet...'

Wat zag Bärbel eigenlijk in hem? Was de spanning opwindend? De echtgenoot pakken van haar bazin? Een risico dat haar zelfs haar baan zou kunnen kosten. Maar goed, als zij dat wilde, zou hij het haar geven. Zelf wilde hij alleen maar ongecompliceerde seks. Zijn jachtinstinct werd opnieuw aangewakkerd. De spanning verslapte, als enige. Hij liet zijn tong op onderzoek uitgaan. Ze smaakte lekker. Fris met een klein pittig smaakje. Precies als haar uiterlijk, dacht hij.

'Ahh,' kreunde ze.

Hij legde zijn hand achter haar hoofd en trok haar begerig naar zich toe. De laatste reserves werden verdrongen. Genieten. Hij duwde haar shirtje omhoog en binnen enkele seconden had ze het uitgetrokken en stonden haar jonge borsten fier omhoog. Ze hielpen elkaar uit de kleren en toen Bärbel volledig naakt voor hem op de bank lag, liet hij zich op zijn knieën op de grond glijden. Met zijn vingers bekeek hij haar lichaam. Ze had haar ogen gesloten, volop genietend van de trillende strelingen die haar zichtbaar opwonden. Hij bevochtigde zijn vingers met zijn tong en liet ze over haar tepels glijden, die groeiden tot speelse knopjes. Hij merkte dat haar hand op zoek ging en hij draaide zijn onderlichaam naar haar toe.

Haar vingers waren sterk en haar massagetechniek fantastisch. Hij kon haar prachtige naakte lijf, dat uitgestrekt op het leer voor hem lag, niet weerstaan. Haar jonge lichaam was hard en gespierd. Chris liet zijn tong over Bärbels buik dwalen. Vochtige warmte. Transpiratie. Ze rook heerlijk.

'Ik wil in je,' fluisterde hij.

Hij beklom de bank en haar lichaam, dat zich gewillig opende. Zijn tong kronkelde vochtig in Bärbels mond. Veel te snel kwam hij klaar.

Hij lag even loom op haar lichaam, dat nog zacht nawiegde. Daarna liet hij zich van haar af glijden. Hij drukte een kus op Bärbels lippen. 'Dat was heerlijk.'

Bärbel zuchtte diep en begon zich aan te kleden. 'Ik ben gek op je. Je bent een mysterieuze man.' Ze keek hem nu serieus aan. 'Ik wil je veel vaker zien, Chris. Ik wil met je leven, slapen, douchen. Niet alleen maar soms tussendoor. Jij wilt mij toch ook?'

Chris voelde de bevrediging door zijn lichaam trekken. 'Ja, lekkere meid van me. Ik wil je veel vaker.' Hij ging rechtop zitten. 'Maar je weet dat dat niet kan. Ik heb Pien. En Michael.'

'Maar ik wil bij je blijven,' pruilde Bärbel. 'Wij kunnen samen het centrum gaan runnen.'

Chris werd onrustig. Dit was niet de bedoeling. Hij had zijn behoeftes en Bärbel had zich een tijdje geleden op een presenteerblaadje aangeboden. Zonder eisen. Dus waarom begon ze nu moeilijk te doen?

'Ik heb Pien nodig. Zij is de moeder van Michael. Ik kan haar niet zomaar in de steek laten.'

'Waarom niet?' ging ze verder. 'Je houdt toch van mij? Je hebt Pien helemaal niet nodig. Ik weet zeker dat ik veel meer klanten aan kan trekken. Je moet sommige mensen horen over Pien. Tang, stresskip, schoolfrik, ze hebben allerlei namen voor haar als ze niet in de buurt is. Maar voor mij kruipen ze. Ik ben de bindende factor van het klantenbestand. Dus als jij van Pien scheidt, dan kunnen we...'

'Scheiden? Waar heb je het over?' Chris' keel kneep dicht.

'Maar dat wil jij toch ook?' vroeg ze, met een kinderlijk hoge stem.

Hij zweeg. Geen woord kon de weg vinden. Waar was hij aan begonnen?

'Vertel me niet dat ik slechts een avontuurtje was.' Haar stem begon vervaarlijk te trillen. 'Dat meen je toch niet? Ik wil met je trouwen, een leven opbouwen samen met jou.' Haar ogen waren groot en haar wenkbrauwen gaven de wanhoop aan.

Chris zag in zijn hoofd van alles de revue passeren. Hij had zijn leven met Pien opgebouwd, het centrum, waar ze zoveel plannen voor hadden. Zijn mooi uitgedachte therapie. Alles klopte. Hij wilde dat allemaal niet kwijt. 'Sorry, Bärbel, als ik je valse hoop heb gegeven...'

'Valse hoop? Vals! Ja, dat is het!' Haar gezicht vertrok opeens in een kwade grijns. 'Ik heb me aan je gegeven. Jij wilde het toch ook? En nu...' Haar ogen gleden minachtend over zijn lichaam. 'Kijk nu eens hoe de held erbij zit. Hoe mooi had het kunnen zijn. Jij en ik. Partners.'

'Ik denk dat het verstandig is dat je weggaat,' fluisterde Chris. Hij kon niet tegen scheldende vrouwen. Alleen huilende vrouwen waren erger. 'Neem de rest van de dag vrij. Ik zal wel doorgeven dat je ziek naar huis bent gegaan. Morgen...'

'Morgen? Morgen zal ik aan Pien vertellen wat voor vent ze heeft. *Ein Verlierer*. Eentje die zijn handjes niet thuis kan houden.' Ze spuugde de dreigementen naar hem toe.

Chris probeerde kalm te blijven, maar voelde de onbedwingbare behoefte aan zijn medicatie. Kalmerend. Rust in zijn hoofd. Hij wilde haar zacht naar de deur duwen.

'Ik zal haar vertellen wat we gedaan hebben,' brieste Bärbel verder. 'Op haar mooie leren bank. Dat kun je niet ontkennen.'

'Natuurlijk zal ik dat ontkennen. Het is jouw woord tegen het mijne,' zei hij zekerder dan hij zich voelde.

'Ik zal aangifte doen van verkrachting. Jullie huwelijk stelt niets voor. Dat ziet een kind. Met koude ogen bekijken jullie elkaar. Zal ze jou geloven? Ik zal het langzaam inkleden, telkens wat toespelingen maken. Totdat ik je afmaak. Dan zal ze zich van jou afkeren. Dan heb je die scheiding aan je broek, of je nou wilt of niet. Maar mij ben je dan ook kwijt.' Bärbel stak haar neus in de lucht en draaide zich om. Met kittige passen marcheerde ze de kamer uit. De tussendeur viel met een klap dicht.

8

'Je bent gestoord! Volledig overgereguleerd. Geen normaal mens!' Don stond hijgend naast haar.

Maud draaide zich om naar het aanrecht. Ze was tot het bot gegaan tijdens de looptraining. Tempowisselingen als windvlagen om een hoog flatgebouw. Onverwacht en heftig. Ze had behoefte aan rust. En nu dit.

Don schreeuwde door. 'Denk je nou echt dat ik een volgende keer nog ga opruimen? Jij doet tóch alles opnieuw. Ik word gek van jouw overgeorganiseerde leven.'

Maud probeerde zich in te houden, maar de spanning sloeg op haar ademhaling en ze legde beide handen op het werkblad om rust te vinden. Want hoe makkelijk was het om terug te schelden. Don had de borden verkeerd in de afwasmachine gezet, en niets voorgespoeld. Dat irriteerde haar. Dus dat had ze gezegd, verder niets.

'Ik hou het voor gezien. Ik ga weg,' hoorde ze achter zich. 'Je zoekt het maar uit. Er zit iets los in dat gecontroleerde hoofd van je. Jij leeft alleen maar voor jezelf. En die verdomde sport!'

'Sport is belangrijk voor me. Maar ik ben niet gek,' bracht Maud er zacht tegen in. 'Hoe kun je dat nou zeggen?' Ze draaide zich naar hem toe.

'De kopjes moeten op kleur in de afwasmachine, pannen precies volgens de regels in de kast, bestek netjes gestapeld. Belachelijk en onleefbaar.' Het boze gezicht van haar vriend Don was vertrokken in een woedende grijns.

'Efficiënt, zul je bedoelen.'

'Moet je kijken!' schreeuwde Don haar echter toe. 'Potjes kruiden op een nette rij, zelfs op alfabet. En waag het niet om een potje scheef terug te zetten. Nee, heibel in de tent! De kruiden moeten in het gelid, het etiket recht naar voren. Belachelijk! Dat is toch geen leven?'

'Maar jij kookt bijna nooit. Wat maakt het dan uit?'

'Nee, ik durf niet te koken. Stel dat ik aan jouw overgeorganiseerde keukenspullen kom. Bovendien, zelfs de maaltijden zitten vol structuur. Alles moet passen binnen jouw eet- en trainingsschema. Je sport gaat voor alles. Een keer samen uit eten gaan is er niet bij. Je hele leven hou je onder strikte controle. En mij erbij!'

'Sport ís mijn leven,' bracht ze uit. Ze deed moeite om beheerst te klinken. Ze wilde geen ruzie. Ze haatte geschreeuw. Ze moest zich bedwingen. Daar ging het om: controle.

'Ik heb het helemaal gehad. Ik ga weg. Vandaag nog.' Don draaide zich om en liep weg.

Maud nam een grote hap lucht. Beheersing. Maar daarna liep ze hem achterna. Ze hield van hem. Ze wilde niet dat hij wegging. Ze had hem nodig. 'Don, wacht. Doe niet zo raar. Hoezo weg?'

'Ik kan niet met je samenleven, Maud. Jij laat me niet leven. Je leeft mij. Ik word er knettergek van. Moet je kijken...' Don stond midden in de slaapkamer en wees op de kast waarin de overhemden op kleur gesorteerd aan hangertjes hingen. 'En dit.' Hij rukte een lade open. 'Alle sokken opgevouwen met een centimeter teen eruit. Waarom? Wat is er verkeerd aan een rolletje? Als ik de was een keer opvouw, doe jij het over. Alleen maar omdat het niet volgens jouw extreme methode is gedaan. Het is echt belachelijk. Je durft niet te leven! Je durft geen risico's te nemen. Alles moet binnen de door jou bepaalde grenzen. Je bent een afschuwelijke controlfreak!' Don pakte een weekendtas en smeet zijn overhemden op bed.

Maud kneep haar handen tot vuisten om zich in te houden. Ze duwde haar nagels steeds dieper in het vlees van haar handpalm. Beheers je. Maar het barstte eruit. 'Ik, een controlfreak? Nou wordt ie mooi! Wees blij dat ik enige controle hou op ons huishouden. Jij maakt er alleen maar een enorme rotzooi van. Overal laat je alles slingeren. De kleren in elkaar gerold en door elkaar in de kast. Alles moet ik achter je kont opruimen. Het enige wat jij doet is troep maken!'

Don richtte zich langzaam op. De boosheid was volledig verdwenen. Zijn ogen stonden triest. 'Ik had graag wat anders willen maken dan troep.'

'O ja? Wat had je dan willen maken? Rotzooi?' Ze stond als een tijgerin voor hem. Haar handen als klauwen achter haar rug om toe te kunnen slaan en haar borst uitdagend naar voren. Ze baalde van zichzelf, maar kon niet anders. Ze had zichzelf niet meer in de hand. Het was een vreselijk gevoel.

'Nee.' Hij zweeg even en sloeg toen zijn ogen naar haar op. 'Ik had zo graag kinderen met je willen maken.'

* * *

Hij was weg. Maud zat in elkaar gedoken op het bed. Resten kleding om haar heen. Een troep. Wanorde. Niet alleen in huis, maar vooral in haar hoofd. Don was weg.

Hij was haar stabiele factor. Met hem had ze oud willen worden. En kinderen? Hoe vaak hadden ze het onderwerp in de laatste twee jaar al aangesneden. Zij wilde wachten. Haar sportcarrière was belangrijk voor haar. Een zwangerschap kon nu niet. Maar Don wilde niet wachten. Elke keer was hij er weer over begonnen.

Zou hij echt wegblijven? Kon ze hem opbellen? Vragen om terug te komen? Of was dat vragen om problemen? Ze had alle concentratie nodig. Zeker nu de Olympische Spelen zo dichtbij waren. Ze moest zich compleet geven tijdens de trainingen. Presteren tijdens de wedstrijden. Maar daarvoor had ze thuis rust nodig. Ze werd kalm van een opgeruimd huis. Zeker na haar urenlange trainingen, die zoveel van haar vergden. Dat moest hij toch kunnen begrijpen?

Nu was het te laat. Don was weg. Echt weg? Ze wist het niet. Ze was de controle kwijt, en dat deed zeer. Ze hield van hem. Ze had hem nodig. Hoe moest ze nu verder? Hoe moest ze het financieel redden? Ze bouwde niet alleen op zijn aanwezigheid en zijn liefde, maar ze was ook afhankelijk van zijn inkomen. Fulltime sporten bracht geen brood op de plank. Nog niet. Daarvoor moest ze hoog in de wereldtop komen. En daarvoor moest ze meer tijd steken in de trainingen. Werkende partners waren in veel gevallen de belangrijkste sponsor. Bij haar ook.

Ze was dus niet alleen Don kwijt, ze zat ook nog eens in financiële problemen. Het drong plotseling tot haar door. De wanhoop perste zich in de diepste vezels van haar gevoel.

Ze moest wat doen. Dit voelde afschuwelijk.

Ze trok een schoon shirt aan. Ze moest zichzelf opjagen. De pijngrens overschrijden. Niet alleen de pijn in haar spieren, maar ook in haar hart. Ze moest lopen, rennen, sprinten. Ze moest de beste worden, ze moest winnen. Prijzengeld binnenhalen. Startgeld innen. Alleen dan kon ze blijven sporten.

9

Eindelijk had ze tijd om het ziekenhuis te bellen. Door alle afspraken was het er de hele tijd bij ingeschoten. Pien pakte de telefoon en vroeg direct naar de intensive care.

'Overleden?' Een gloeiend hete golf schoot door haar heen. Ze luisterde nauwelijks naar de uitleg aan de andere kant van de lijn. Zei ja of nee terwijl haar gedachten doordraaiden. Ze was nog net helder genoeg om naar de andere vrouw te vragen, mompelde een bedankje en legde de hoorn neer.

Ze staarde naar de telefoon alsof het een besmet voorwerp was. Het afschuwelijke nieuws drong slechts langzaam door. Een van de vrouwen die op mysterieuze wijze onwel waren geworden, was in het ziekenhuis overleden. Stuk voor stuk waren haar organen uitgevallen. Het leek op een massale afweerreactie, was haar verteld. Oorzaak onbekend. De andere vrouw was gelukkig stabiel. Ze mocht zelfs van de intensive care. Gelukkig wel. Opluchting vermengd met angst. Wat voor gevolgen zou het bericht hebben voor haar centrum? Zou er een inspectie komen? Zouden de gasten wegblijven? Of zou het afgedaan worden als domme pech?

Ze kon het niet afwachten. Ze moest zelf actie ondernemen. Net als ze altijd had gedaan. Onafhankelijk zijn van iedereen.

Het was alsof ze haar vaders stem hoorde. 'Pien, nooit afwachten tot een ander iets doet als je het zelf kunt!'

Op dat moment kwam Bärbel binnenlopen. 'Kan ik je even spreken?'

Pien zag haar ogen, die problemen uitdrukten. Nu niet, dacht ze.

'Frau Schneider ist tot,' bracht ze met moeite uit. 'Ik ben even weg.'

Ze wachtte de reactie van Bärbel niet af. Op dit moment was ze blij dat het centrum gekoppeld was aan hun woonhuis. Snel thuis bereikbaar, maar toch op afstand. Zou Chris in de kelder zijn?

* * *

Ze vond hem achter zijn bureau.

'Ik heb slecht nieuws,' zei ze plompverloren.

Chris draaide zich met een ruk om. 'Wat heeft ze verteld? Eh... wat is er gebeurd?'

'Het ziekenhuis,' stootte Pien uit.

Chris zuchtte diep. Maar sprong daarna meteen op en greep haar schouders. 'Het ziekenhuis? Slecht nieuws? Vertel!'

Pien schrok van zijn heftige reactie.

'Een van de vrouwen is overleden...' begon Pien.

'Verdomme!' Chris liet haar abrupt los. Zijn hoofd knakte naar beneden en zijn handen waren tot vuisten gebald.

'De andere vrouw is nu stabiel. Ze dachten dat...'

'Dood. Hoe kon dat gebeuren?' vroeg Chris haar.

'Ik weet het niet. Het ziekenhuis had het over een afweerreactie van haar lichaam. Misschien moeten we het centrum goed schoon laten maken?'

Chris wendde zich van haar af. 'Dood door een afweerreactie,' herhaalde hij haar woorden.

'We moeten iets doen. Dit nieuws kan ons centrum de nek omdraaien.'

Chris wreef met beide handen door zijn haar. Pien liet hem begaan, hoewel ze een hekel had aan zijn warrige uiterlijk.

'Je hebt gelijk. Actie! We moeten die andere vrouw spreken,' zei Chris. Zijn ogen stonden alert. 'Zij is de enige die kan vertellen wat er gebeurd is. Als we haar zover kunnen krijgen...'

'Dat is een goed idee,' vulde Pien haar man aan. 'Als zij zegt dat het niet aan het centrum ligt, zijn we uit de brand.'

De glimlach om zijn volle lippen verbreedde zich. 'We moeten haar met een grote bos bloemen ontvangen. En een cadeaubon voor een dagje relaxtherapie met een vriendin. Als ze dat accepteert, geeft ze aan dat ze vertrouwen heeft in het centrum. Dat zal iedereen ervan overtuigen dat wij er niets mee te maken hebben.'

Pien kuste hem. 'Je bent mijn held. Dit laat een positief beeld achter, in plaats van iets vervelends. Ik ga erachteraan.' Pien snelde terug naar het centrum. Handelen was beter dan zitten simmen. Haar vader had gelijk.

10

Met een dienblad balancerend op zijn hand kwam Harry haar tegemoet in de gang. Een grote milkshake schoof opzij en stootte tegen een bord waarop twee kroketten lagen.

'Vroege lunch?' knipoogde Fenna.

'Een tussendoortje,' antwoordde hij lachend. Zijn blonde krullen wipten mee. Als hij zich al betrapt voelde, liet hij het in elk geval niet merken.

'Ik heb straks een afspraak met die atletes.'

Harry liet het blad zakken en nam vast een hap van een kroket. 'Dat heb je snel voor elkaar.' Hij kauwde tevreden en slikte de massa door. 'Ik heb geregeld dat je een fotograaf meekrijgt naar China.'

'Wie is het?' Fenna had de vorige avond de verschillende fotografen die voor *Ogen-blik* werkten op een rijtje gezet. Ze had haar voorkeur, zeker nu het om een buitenlandse reportage ging. Langdurig samenwerken kon spanningen met zich meebrengen.

'Ruud de Heer.'

Ze was even volledig lamgeslagen. Ze voelde haar mond droog worden. Shit, was het enige wat ze kon denken. In één klap was de gouden glans van China verdwenen.

'Vraag jij zelf even of hij nu ook met je mee kan?' ging Harry onverstoorbaar verder.

'Eh, je bedoelt nu direct?' was het enige wat ze kon uitbrengen.

'Je hebt toch een afspraak met die atletes?'

'Ja, maar...'

'Hij moet er maar vanaf het begin bij betrokken worden.'

Fenna zweeg en keek hoe hij het dienblad boven zijn hoofd tilde en wegliep. Onthutst staarde ze hem na.

Met Ruud samen naar China, dacht ze. Ze liep naar haar bureau en liet zich op haar stoel vallen. Een diepe zucht ontsnapte. Wekenlang nauw samenwerken met Ruud. Hij moest zelfs mee naar Papendal. Wat een vooruitzicht. Daarna greep ze de telefoon. Harry's wil was wet.

* * *

Ze pakte haar spullen bij elkaar voor het eerste interview met de atletes. Samen met Ruud naar Papendal. De eerste in de serie gezamenlijke werkzaamheden voordat ze naar China zouden gaan.

Fenna keek naar het kleurige wandkleed dat ze uit India had meegenomen. Ze had gehoopt dat ze voor haar tweede Aziatische opdracht direct weer in dezelfde ontspannen sfeer zou komen. Maar zo werkte het dit keer niet. Nu zou ze niet met Ben samenwerken. Een andere fotograaf vergde een andere benadering.

Ze stak haar hoofd om de hoek van de fotoredactie. 'Zullen we gaan?'

Ruud was een man met een bijna kaal hoofd en een lichaam dat twee stoelen nodig had. Hij meende altijd seksueel getinte opmerkingen te moeten maken. De pretlichtjes in zijn ogen kwamen daarna.

De fotograaf drentelde door de ruimte, zijn fotoapparatuur bij elkaar graaiend. 'Mijn auto is naar de garage. Ik had niet op een externe opdracht gerekend.'

'Ik kan rijden. Tenzij je niet mee wilt in mijn Smart.'

Ruud lachte. 'Ik rij graag mee in jouw luxueuze twoseater, het is alleen de vraag of jouw autootje mij mee wil hebben.'

Fenna ging er niet op in. 'Moest je auto een grote beurt hebben?'

'Ja, iedereen heeft af en toe een beurt nodig,' zei Ruud grinnikend.

Fenna hield zich in. Ze wilde proberen de sfeer zo goed mogelijk te houden. Maar alleen al dat voornemen zorgde voor een geforceerde atmosfeer. Ze had een hekel aan zijn opmerkingen die te pas en te onpas rondgeslingerd werden. Altijd dubbelzinnig.

'Wat een mooi groen blikje heb je toch,' floot Ruud toen hij haar auto zag staan.

'In de stad is mijn Smart in elk geval beter hanteerbaar dan jouw terreinwagen,' bromde Fenna.

'Ik wilde dat jij een beetje handelbaar was. Je bent aan het mopperen. Kom op, beetje vrolijk. Het leven is zo slecht nog niet. En weet je, terreinwagen klinkt een beetje simpel. Het is gewoon een SUV.' Ruud wachtte tot Fenna de sloten ontgrendelde.

'Suf, inderdaad,' herhaalde ze terwijl ze instapte. 'Waarom zou je in een stad met zo'n bakbeest gaan rijden?'

Ruud hees zich naast haar. Ze verbaasde zich erover dat het paste. Zijn omvangrijke lichaam puilde enigszins over de bijrijdersstoel heen, maar ze had al snel gezien dat ze gewoon bij de versnellingspook kon. 'Het is een *sports utility vehicle*, sportief, stoer, robuust, en op de snelweg heb je een veel beter zicht omdat je hoger zit,' pufte Ruud.

'Klinkt misschien wel sportief, maar voor alle andere weggebruikers is het een olifant tussen de lammetjes.' Fenna startte de motor en reed weg.

Ruud probeerde zijn gordel vast te snoeren, maar slaagde daar niet in.

Fenna zag zijn geworstel vanuit haar ooghoeken, maar zei

niets. Ze merkte dat hij het opgaf en de gordel los liet hangen. 'De bekeuring is voor jou.'

'Ik zal jou eens op mijn bon slingeren.' De lach barstte de kleine ruimte uit.

De bocht naar de A12 nam ze lekker snel.

'Slaat dit wagentje niet om bij zo'n scherpe bocht?' gaf Ruud aan terwijl hij tegen het portier gedrukt werd.

'Wees maar niet bang. Koekblikken zijn stabieler dan je denkt.'

11

Sinds een paar maanden trainde Maud drie dagen in de week op Papendal. Meestal samen met haar maatjes Lucinde en Kim, ieder met een eigen trainingsschema. Daarbij hadden ze de beschikking over een eigen kamer in het sporthotel op het sportcomplex.

Ze was net klaar met de tempotraining toen ze aan de andere kant Ronald de blauwgekleurde atletiekbaan op zag lopen. Hij had hun gemeld dat hij een leuk nieuwtje had. Ze was er benieuwd naar en zag dat Lucinde in een oogwenk naast hem stond, haar groene kattenogen nieuwsgierig op zijn gezicht gericht. Maud dribbelde langzaam naar Ronald toe.

'Hallo, Maud,' begroette Ronald haar. 'Kim, kom je er ook even bij?'

De donkere paardenstaart van Kim sprong heen en weer terwijl ze in een snelle looppas kwam aanrennen.

'Ik heb een afspraak voor jullie gemaakt. Het tijdschrift *Ogenblik* wil een reportage maken over de aanloop naar de Olympische Spelen.'

Mauds belangstelling zakte wat weg. Reportage. Journalisten, niet echt prettig volk. Bovendien was Kim de enige die de limiet voor de Olympische Spelen had gelopen. Alle aandacht zou vast naar haar gaan.

'De journaliste komt over een halfuurtje hier. Ze wil met ieder van jullie een kort gesprek hebben. Dat levert wat mooie reclame op. Ze is geïnteresseerd in jullie voorbereiding en ze wil natuurlijk jullie prestaties volgen. Ik zal haar voorstellen om ook naar de volgende wedstrijd te komen.'

Maud voelde direct de druk toenemen. De wedstrijd waar alles van af zou hangen. De laatste mogelijkheid om zich te verzekeren van een startplaats.

'Die wedstrijd is een belangrijk item, ook voor de pers,' ging hij verder. 'Het zou mooi zijn als we ze konden trakteren op een drievoudig succes. Toch?'

Ze knikten alle drie bijna gelijktijdig.

'We gaan ervoor, Ronald. Dat weet je toch?' De ogen van Lucinde glansden.

'Ik zal de vrouw in de dug-out opvangen, een beetje voorweken. Op die manier kost het jullie zo min mogelijk tijd. Als jullie klaar zijn met je training en je wat opgefrist hebben, zie ik jullie daar. Oké, meiden, zet 'm op!' Zijn ogen wijd open en een grijns van hier naar China gaven zijn enthousiasme weer.

Maud keek hem na. Soepel en zelfverzekerd liep hij weg. Ze moest binnenkort eens met hem praten over nieuwe sponsormogelijkheden. Hij behartigde hun belangen prima. Misschien kon hij wat extra financiële steun regelen, nu Don bij haar weg was. Het basisinkomen waar Don altijd voor gezorgd had, was van de ene dag op de andere verdwenen. Ze had gewoon een extra sponsorcontract nodig om zich volledig op het sporten te kunnen blijven richten. Maar ze wist dat ze dan die kwalificatie moest halen. En de limiet lag erg hoog. Ze had hem nog geen enkele keer gehaald. Dat vrat aan haar. Als ze niet beter presteerde, zou ze thuis moeten blijven. Niet mee naar de Olympische Spelen in Beijing.

Ze zou nog harder gaan trainen, maar ze wist dat inzet alleen niet genoeg was. Talent, genetische aanleg en karakter waren minstens zo belangrijk. Uiteindelijk was de tijdwaarneming de enige waarheid. Zelfs een honderdste van een seconde boven de limiet was te langzaam.

Op dit moment accepteerde ze zelfs een gesprek met journalisten, die ze normaal liever op afstand hield. Noodzakelijk kwaad. Maar nu moest ze wel. Aandacht was goed om sponsors binnen te halen. En het geld had ze nodig om te kunnen blijven sporten.

* * *

Er was voldoende plek voor het congrescentrum van Papendal. Fenna draaide haar kleine auto de parkeerplaats op, stapte uit en wachtte geduldig tot Ruud ook zover was.

'De sportmanager met wie ik een afspraak heb, zou in de dug-out zijn,' zei ze kort. Ze liep voor Ruud uit.

'De dug-out?'

'Ja, de coffeecorner in het congrescentrum. Ik heb wel zin in een kop koffie.'

'Ik heb wel zin in die drie vrouwen. Beter lekkere wijffies dan een stel spierbonken.'

Fenna reageerde niet en liep voor hem uit het congrescentrum in. Het was een tijd geleden dat ze hier geweest was. De gang was behangen met allerlei sportfoto's, en op de vloer gaven lijnen het beeld van een sportzaal aan.

Ze bestelden een koffie. In de bar stonden strakke tafels als in een restaurant, maar achterin was een gezellige zitruimte geformeerd. Daar lag een mooie kleur vloerbedekking, en banken gaven een informelere uitstraling. Een open haard hing als een enorm plasmascherm in het midden aan de muur.

Ze zaten nog maar net, toen Fenna een man van middelbare leeftijd signaleerde. Hij kwam met een swingende pas op hen af. Zijn hoofd was gladgeschoren en hij droeg een smalle bril op zijn strakke neus. Het nette pak misstond in de casual omgeving.

'Ik ben Ronald van Kalkhoven. Leuk dat jullie wat media-aandacht voor mijn atletes willen creëren. Ik heb een leuk drietal voor jullie in de aanbieding,' begon Ronald nadat ze tegenover elkaar hadden plaatsgenomen.

Managementpraat, dacht Fenna geïrriteerd. Vrouwen als bezit. Het zou vast klikken met Ruud. Voorlopig zag haar gedroomde reportage over de Olympische Spelen er heel anders uit dan ze gedacht had.

'Wat dachten jullie van de KLM, onze nationale trots?' ging de man echter onverstoorbaar verder.

'KLM?' vroeg Ruud.

'Kim, Lucinde en Maud, kortweg KLM, drie zwaantjes van meiden, over de baan vliegend in een sierlijke souplesse. Toegewijde vogeltjes en hard voor zichzelf.'

'Atletes? Op welk terrein?' vroeg Fenna.

'Lucinde en Maud zijn de specialistes op het gebied van de sprint en Kim doet het hartstikke goed op de achthonderd meter.'

'Is het zeker dat ze naar de Olympische Spelen gaan?'

'Kim gaat zeker. Om die andere twee durf ik mijn hoofd te verwedden. Lucinde heeft laatst op een inofficiële wedstrijd al een prachtige tijd neergezet, maar die moet ze binnenkort dus nog even herhalen.'

Fenna lette op de bewegingen van zijn gezicht. Een expressieve man, die gewend was de aandacht te krijgen. Zijn hele gezicht leek mee te gaan op de bewegingen van zijn mond. Het woord 'even' ontging haar niet. Alsof die vrouwen gemakkelijk toptijden neerzetten, zonder zich helemaal te pletter te trainen. Zoiets deed je niet éven.

Ronald praatte verder. 'Het zou fijn zijn als er wat mooie platen van die meiden gemaakt werden. Ze kunnen alle aandacht in de media gebruiken. Dat is aantrekkelijk voor sponsors en zo.'

'Tuurlijk, man,' antwoordde Ruud met een overduidelijke knipoog. 'Drie zwaantjes voor mijn lens lijkt me wel wat.'

Fenna onderbrak het mannelijke onderonsje. 'Ik zou graag deze drie atletes interviewen. Kan dat hier ter plekke? En ik hoop dat ze ervoor openstaan dat we ze ook in China volgen.'

'Natuurlijk kan dat. Maar topsporters zijn niet altijd makkelijk voor de pers. Het is nodig voor hun promotie, maar ze vinden het vervelend om telkens gevolgd te worden. Ik hoop dat je daar straks in China ook rekening mee wilt houden. Een soort haat-liefdeverhouding.'

'Geef mij die laatste maar,' lachte Ruud vet.

* * *

Het interview was voorbij. Maud liet zich opgelucht op haar bed van het sporthotel in Papendal zakken. De journaliste had maar doorgezaagd over haar motivering, trainingen en prestaties tot nu toe. En dan die nieuwsgierige ogen, die achter haar ronde brillenglazen nog indringender waren. Duidelijk een betweterig type van middelbare leeftijd, totaal niet sportief, maar wél eentje die alles dacht te weten. Bah, alsof je als topsporter opeens openbaar bezit was. Ze hield niet van vragen. Er waren nu eenmaal niet overal antwoorden op.

Gelukkig was ze erin geslaagd Ronald even onder vier ogen te spreken over haar financiële situatie. Hij zou op zoek gaan naar nieuwe sponsormogelijkheden, een gratis trainingslocatie of extra vergoeding van reiskosten. Alles wat geld of tijd zou schelen was meegenomen. Fijn dat Ronald er was om dit voor haar uit te zoeken. Ze moest zich echt richten op de komende wedstrijd. Er hing veel van af.

Op haar nachtkastje lagen een paar doosjes supplementen. Nieuwe dosering. Voedingssupplementen waren nodig om haar lichaam in topconditie te houden. De trainingen vergden veel van haar lijf. Maar ze hield er niet zo van om die te slikken.

Natuurlijk wist ze dat hun sportarts precies in de gaten hield wat er wel en niet op de lijst van het Nederlands Zekerheidssysteem Voedingssupplementen Topsport stond. En dat hij de dosering aanpaste aan hun persoonlijke behoeften. Toch wilde ze alles ook zelf in de gaten houden. En dus was het NZVT een uitkomst. Zo kon ze zelf ook zien of de middelen onder de verboden middelen vielen. Ze was blij dat er een organisatie was die dat controleerde, want topsporters waren al vaker de dupe geweest van onbewust dopinggebruik. Dat zou haar niet overkomen. Ze hield alles zelf goed onder controle.

12

Voor het eerst in dagen voelde Pien zich vrolijk en optimistisch. Vandaag was het feest. Mevrouw Bentheim was een paar dagen geleden ontslagen uit het ziekenhuis en had enthousiast gereageerd op de uitnodiging. Vandaag kwam ze naar het centrum. Ze was een flamboyant type. Gewend om in de schijnwerpers te staan. Daar genoot ze van. Dat kwam Pien nu goed van pas.

Om het hele gebeuren verder aan te kleden had Pien de feestelijke ontvangst gecombineerd met de presentatie van een nieuw dieet. Als een razende had ze de vorige avond alle informatie tot een fleurige presentatie verwerkt. Een win-winsituatie.

Zoals altijd hield ze de ontwikkelingen op het gebied van veroudering en wellness goed in de gaten. Ze bleef alert op innoverende methoden en diëten die ze kon introduceren in haar antiagingcentrum. En nu kon ze een dieet presenteren dat op dit moment in Amerika *hot news* was. Het was een tegenhanger van de zogenaamde polypil, een pil met bloeddrukverlagers, aspirine, foliumzuur en een cholesterolverlager. De meeste mensen waren niet erg happig om deze pil te nemen, die misschien wel het risico op hart- en vaatziekten zou verkleinen, maar ook nogal wat bijwerkingen had. Dus was de polymaaltijd ontwikkeld, een dieet dat de veroudering tegen zou kunnen houden. Ze wist zeker dat dit dieet zou aanslaan bij haar vrouwelijke gasten. Rode wijn, knoflook, visolie, maar ook donkere chocolade. Favoriete eetwaar. Hiermee kon ze scoren. Gezondheid was de basis van anti-aging. En een aantrekkelijke aanpak was goud waard. Een prettige ontsnapping uit de klauwen van de voortschrijdende aftakeling. Levensverlengend eten, wat wilde je nog meer. Daar werd je hongerig van.

* * *

'Dat verliep prima,' fluisterde Chris haar toe. 'Dat nieuwe dieet wordt een gegarandeerd succes. Ik heb mijn ogen goed de kost gegeven en de vrouwen waren stuk voor stuk enthousiast.'

'Ja, bijna alle chocolade is op. Het ging me wat ver om er rode wijn bij te schenken, maar die groene thee was een goed alternatief.'

Chris zag dat Pien tevreden rondkeek. Iedereen stond geanimeerd te praten en mevrouw Bentheim was het stralende middelpunt.

Bärbel kwam bij hen staan. 'Mooie presentatie. Dat is goede reclame voor het centrum.' Haar glimlach deed Chris aan de *Mona Lisa* denken. Mooi, mysterieus en met een duistere onderlaag.

'Dank je wel. Er is vandaag ook een persbericht naar de kranten gestuurd,' antwoordde Pien opgewekt.

'Dat levert ons vast nieuwe klanten op.'

'Ja, we krijgen het druk de komende dagen. Als de introductie goed uitpakt, kunnen we het schema wat omgooien.'

Chris voelde zich niet op zijn gemak tussen de beide vrouwen in. De blik van Bärbel schoot in zijn richting en ze kneep haar ogen iets samen. Hij voelde zijn maag ineenkrimpen. Ze zou toch niet...?

'Ik wil ook graag wat aanpassen,' begon Bärbel. 'Ik denk dat Chris vast wel goede ideeën heeft, hè, Chris?' De flemende stem sneed bij hem naar binnen.

Pien keek hem met een blij verbaasde glimlach aan, volkomen onwetend van het onheil.

'Ja, eh... Vanavond zullen we het daar wel over hebben,' bracht hij met moeite uit.

'Misschien dat ik vast wat kan vertellen,' ging Bärbel verder. 'Wij hebben...'

Op dat moment zeilde mevrouw Bentheim hun groepje binnen. 'Wat een feest! Ik vind het werkelijk fantastisch!' zong ze in hun richting.

Chris was nog nooit zo blij geweest met de nadrukkelijke aanwezigheid van de vrouw. Hij draaide zich van hen af en trok Bärbel mee.

'Ik neem aan dat je Pien niet met onze problemen lastigvalt,' siste hij haar toe.

'Problemen?' Haar stem klonk liefjes. 'Chris, ik wil helemaal geen problemen. Ik wil jou, dat weet je toch? Pien moet dat nu zo langzamerhand maar eens weten.'

Chris keek schichtig om zich heen, maar Pien werd volledig in beslag genomen.

'Bärbel, ik kan Pien niet in de steek laten. Je kent onze situatie. Michael is volledig van ons afhankelijk.'

'Je wilt het gewoon niet. Je bent een slappeling. Kies voor jezelf, voor de liefde, voor mij.'

Chris wist niet hoe hij moest reageren. Hij wenste dat hij nooit op haar avances was ingegaan. Te laat. Hij zat klem. 'Verdomme, Bärbel, laat me met rust. En Pien ook. Ik kan ervoor zorgen dat je ontslagen wordt. Waarom zou ze jou geloven?'

'Reken maar dat ze naar mij luistert. Je zult het zien. Elke insinuatie op een samenzijn met jou zal als een sluipend gif jouw huwelijk binnendringen en uiteindelijk verzieken.' Bärbel boog zich naar hem toe en fluisterde in zijn oor: 'Je hebt me gebruikt en dat pik ik niet.' Ze gooide haar blonde krullen naar achteren en liep met haar kin omhoog weg.

Chris keek haar na. Hij deed een greep in zijn zak en viste een potje pillen op. Snel gooide hij er eentje in zijn keel. Rust in zijn hoofd. Hij keek naar Bärbel, die volkomen op haar gemak een gesprek aanknoopte met een paar klanten. Daarna maakte hij zijn blik van haar los. Zijn ogen dwaalden rond en eindigden bij Pien. Ze keek naar hem met een vreemde blik in haar ogen.

13

Na de presentatie van het nieuwe dieet was het drukker dan anders. Pien werd volledig in beslag genomen door de telefoon, die onafgebroken rinkelde. Nieuwe klanten die informatie wilden of een keer wilden komen kijken. Positieve drukte.

Ze had nauwelijks tijd gehad om na te praten met Chris. Overdag was ze in het centrum en 's avonds verdween hij direct na het eten naar de kelder. Om het positieve verloop van de feestelijke bijeenkomst zat voor haar een zwart randje, Bärbel. Maar hoe meer tijd eroverheen ging, hoe meer het beeld van Bärbel en Chris vervaagde. Ze wist niet of ze daar blij om moest zijn of dat ze het alarmerende gevoel dat het onderonsje had opgewekt, moest gehoorzamen. Iets weerhield haar ervan om een terloopse vraag te stellen. Angst? Ze wist het niet. Wel leek het haar belangrijk dit aan de orde te stellen zodra er voldoende tijd was om er in alle rust over te praten. Maar praten was niet Chris' hobby. De bezigheden in de kelder wel.

De telefoon ging. Een vriendinnengroep die graag een dag wilde komen kijken. Pien handelde het gesprek in alle rust af.

Nadat ze had neergelegd, staarde ze naar de telefoon. Een onschuldig apparaat, en toch zo belangrijk. Hij zorgde voor extra klanten, maar was aan de andere kant ook de bezorger van minder positieve berichten. Daarom had ze erop aangedrongen dat zij vandaag zelf de telefoondienst op zich nam. Ze verwachtte een telefoontje uit het ziekenhuis.

Ze probeerde de serie nieuwe aanmeldingen te zien als een voorbode voor de uitslag voor Michael. Positief denken hielp. Soms. En vandaag was die positiviteit van groot belang. Vandaag zou ze horen of Michael geschikt zou zijn om mee te doen aan een medisch experiment. Een telefoontje dat hun hele leven zou kunnen veranderen. Nieuwe voedingsbodem voor haar hoop. Michael takelde steeds verder af, werd steeds meer afhankelijk van levensreddende apparatuur. Eerst de elektrische rolstoel, daarna de nachtelijke beademing en er stond hem meer te wachten. Achteruitgang. Nog niet eens stilstand.

Zou ze dit keer goed nieuws krijgen? Hij verdiende een kans, maar er zat een naar voorgevoel in haar onderbuik. Zeurend.

Op haar horloge versprongen de cijfers langzamer dan anders. Wachten vertraagde de tijd. Hoe belangrijk waren nieuwe klanten als je wachtte op een genezend medicijn voor je zoon?

Op dat moment rinkelde de telefoon.

* * *

'Verdomme!' riep Pien tegen de hoorn voordat ze hem neerkwakte. 'Verdomme, waarom nooit eens geluk?' Ze ving haar hoofd op in haar handen. Even liet ze de wanhoop toe. Het verdriet was ongewoon heftig. De tranen waren lang onderdrukt door de hoop die ze gekoesterd had. Maar weer was die de bodem ingeslagen. Afgewezen. Weer een kans op genezing verdwenen.

Bärbel kwam binnen. Pien streek over haar gezicht, de tranen meenemend.

'*O, es tut mir leid.* Kom ik ongelegen?'

'Ik moet even weg. Kun jij de telefoondienst overnemen?'

'*Natürlich.*' Zonder verder wat te vragen ging Bärbel zitten.

Pien veegde de laatste vochtige resten van haar gezicht en verliet het kantoor. Ze moest naar Chris. Ze moest hem het slechte nieuws vertellen.

* * *

'Chris? Heb je tijd om even naar boven te komen?' riep ze door de kelderdeur naar beneden. 'Ik moet wat met je bespreken.'

'Momentje. Ik kom eraan,' kwam het gedempte antwoord.

Pien liep naar de keuken en schonk wat te drinken in. Daarna zakte ze op de leren bank en wachtte op haar man.

Het duurde inderdaad maar kort voordat Chris zijn verwarde haardos om de hoek van de deur stak. 'Wat doe jij thuis? Moet je niet in het centrum zijn?'

'Ik werd net gebeld door het ziekenhuis. Ze hebben de uitslag binnen van het vooronderzoek van de trial.'

Chris' uitdrukking veranderde op slag. Pien zag dat hij de uitslag al van haar gezicht las. 'Niet toegelaten dus,' concludeerde hij.

'Nee,' zuchtte Pien.

'Wat was de uitslag?' Chris zat nu naast haar en was opeens heel dichtbij. Door Michael konden ze met hun gevoel bij elkaar komen.

'Ik begreep niet alles van wat hij me vertelde. Maar hij had het over de verkeerde stop of zoiets. Eigenlijk is me alleen maar bijgebleven dat hij gewoon niet mee mag doen,' concludeerde Pien een beetje schuldbewust. Ze wist dat de arts nog een heel verhaal had gehouden, maar alleen het negatieve nieuws was doorgedrongen. Alle onderzoeken voor niets.

'De verkeerde plek van het stopcodon,' mompelde Chris naast haar. Daarna keek hij haar aan. 'Dat stofje waarmee ze de test wilden uitvoeren zou ervoor zorgen dat de vorming van het voor Michael zo belangrijke eiwit hersteld zou worden. In elk geval gedeeltelijk. Hierdoor zou zijn achteruitgang tot staan gebracht kunnen worden.'

Pien luisterde nu aandachtig. 'Dus het komt erop neer dat de afwijking die ik hem gegeven heb, niet eens de goede afwijking is,' concludeerde ze hard.

'Jeetje, Pien. Zet dat nou toch eens uit je hoofd. Jij hebt hem toch niet bewust die afwijking gegeven?'

'Nee, dat niet. Toch is het gebeurd. Dat hebben de artsen me wel ingewreven.' Het schuldgevoel was zwaar, alsof het nooit weg was geweest.

'Dat klopt. Maar niemand wist dat toch van tevoren? Jij toch ook niet? En dat hij nu niet mee kan doen met deze trial, daar kun jij toch ook niets aan doen? Daar moet je je niet schuldig over voelen. Het is gewoon pech.' Chris wreef met zijn hand over haar rug.

'Ik begrijp er sowieso bijna niets van,' zuchtte ze. 'Voor mij zijn al die uitdrukkingen van de artsen maar abracadabra.'

'Wees blij dat ík het begrijp. Ik kan het je uitleggen. Ik heb niet voor niets jarenlang biologie gestudeerd.'

'Soms is het beter om niet alles te weten. Ik blijf hoop houden dat het een keer gaat lukken. Het kan toch niet zo zijn dat Michael...'

'Ik vraag me ook wel eens af of we vergeefs aan het vechten zijn. De tijdsdruk is afschuwelijk.'

Ze zag de wanhopige blik van Chris. Ook hij leek te denken dat het afgelopen was. Als Michael nog lang moest wachten, dan was het voor hem te laat. Met welke experimentele behandeling hij ook mee mocht doen, die moest nu toch wel erg snel komen. De deadline kwam dichtbij, letterlijk en figuurlijk.

Ze leunde als vanzelfsprekend tegen hem aan, samen wegzinkend in hun leed. Was het verdriet hun bindende factor? Of was er nog meer? Het beeld van Bärbel met Chris dook in Piens gedachten op, maar ze drukte het net zo hard weer weg. Bärbel mocht niet tussen hen in komen. Dat zou ze niet accepteren. Chris hoorde bij haar, samen hadden ze een zoon en die zouden ze samen helpen. Als één team. Samen moesten ze blijven vechten, hoe hopeloos het ook leek. Want hoe afschuwelijk was het om het onvermijdelijke te moeten afwachten. Ze volgde met haar ogen de contouren van hun leren bank. Ze zag dat er kleine scheurtjes in het leer kwamen, een bank met rimpels. Er moest toch een oplossing zijn om Michael te helpen? Net als er voedingssupplementen en oefeningen waren om ouderdom tegen te gaan? En net als het anti-agingmiddel waar Chris in zijn vrije tijd aan werkte. Voor hun centrum.

'We moeten doorzetten, Chris. We hebben die hoop op beterschap nodig,' zei ze zacht.

'Ja,' beaamde Chris, 'we blijven doorgaan met zoeken. Ooit zullen we de ziekte verslaan.'

Pien voelde zijn armen om haar heen en zuchtte diep. Hoop en wanhoop lagen dicht bij elkaar.

14

Het was druk in het stadion. Fenna zat op de perstribune en wipte onrustig heen en weer. Ze voelde zich zo gespannen als ze in tijden niet was geweest. Sinds ze met de drie atletes had gepraat was ze in gaan zien wat er voor hen op het spel stond. Hun hele leven stond in het teken van de sport.

Een tijdslimiet was als een streefgewicht. Hoeveel vrouwen waren niet aan het strijden om hun streefgewicht te bereiken? Een gevecht tegen de overtollige kilo's, die hen niet alleen onaantrekkelijk maakten, maar vooral ook stijf en immobiel. Fenna kende het maar al te goed. In de loop van de afgelopen paar jaar waren er sluipende kilo's aan gekomen. Net alsof je na je veertigste voor elke dwaling extra gestraft werd.

Fenna probeerde gezond te eten. Ze kocht biologische groenten en gebruikte weinig vet. Vlees kwam sporadisch op tafel en eigenlijk alleen maar omdat Tara er zo gek op was. Vroeger, toen ze nog getrouwd was en haar jongens ook nog thuis woonden, had hun dieet er volslagen anders uitgezien. Haar ex had erop gestaan dat er elke dag vlees op tafel kwam. 'Ik werk er hard genoeg voor,' had hij altijd gezegd. Alsof dat de norm was. Sinds ze samen met Tara de woonboot betrokken had, was dat veranderd. Gezond was het motto. Het enige waarmee ze zondigde was de chocola.

Ze liet haar ogen over de baan zwerven. Maud liep zich warm langs de baan en Lucinde stond een eind verderop haar spieren te stretchen. Kim zag ze nergens. Die was pas in een latere race aan de beurt.

Op dat moment werd de wedstrijd aangekondigd. Maud liep al naar haar startpositie. Fenna zag dat ze volledig in zichzelf gekeerd was. Er bestond niets meer behalve de race en haar lichaam. Concentratie ten top.

* * *

De zenuwen raasden door Mauds lichaam. Nu moest het ervan komen. Alleen maar denken aan de wedstrijd. In gedachten ging ze stap voor stap door de race. Ze visualiseerde elk moment, elk gedeelte van de baan. Van startschot tot finish. Deze keer zou de eindstreep geen einde zijn, het moest het begin worden van een reeks overwinningen. Ze had niet voor niets alles opzijgezet voor het lopen. Net als Lucinde en Kim. Als Kim de limiet kon halen, moest zij het toch ook kunnen? Ze trainden altijd samen, ze wisten van elkaar wat ze konden. Nu moest ze bewijzen dat zij het net zo goed kon als Kim. En dat zou ze doen. Ze wilde winnen. Die eindstreep over vliegen. Kaatsen over de baan. Dat zou ze doen.

Volledig geconcentreerd zette Maud haar voeten in het blok en nam de starthouding aan. De zenuwen waren bijna volledig tot rust gebracht. Controle. Het enige wat ze zag was de baan. De witte lijnen waren als bakens die haar zouden begeleiden tot aan de eindstreep. Net zoals de elektronische haas tijdens de trainingen haar begeleidde als ze een specifiek tempo moest aanhouden. Nu moest ze gewoon zo hard mogelijk. Nietsontziend. Doodgaan voor de sport. Dieper dan de pijngrens. De laatste tips van haar coach draaiden rond.

Het startschot klonk en weg was ze. Ze sprong naar voren met alle kracht die ze in zich had. Hard, zo hard ze kon. Hak snel naar de bil, knie omhoog. Schrapen! Haar voet zo kort mogelijk op de grond. Zorgen dat ze de kaats te pakken kreeg. Limiet. Ze moest het nu halen. Presteren. In haar ooghoeken zag ze de bewegingen van haar tegenstanders. Voet voor voet. Het voelde goed. De cadans was er. Ze perste het uiterste uit haar spieren, voelde de kracht en de snelheid. De pijn volgde. Heerlijke pijn. Ze vloog. Ze zoog de lucht naar binnen, haar longen persend om haar lichaam van zuurstof te voorzien. Ze was sterk. Nog even. Spieren verdwenen in een verlammende krachteloosheid. Doorgaan! Ze gooide haar bovenlichaam ver naar voren.

Haar eerste blik was naar de tijdwaarneming. Had ze het gehaald?

* * *

In de kleedkamer dacht Maud terug aan de gelukzalige momenten direct na de finish. Gelukt! Het was haar gelukt! Happend naar lucht had ze de tijd zien staan, terwijl de gelukzalige hitte door haar lijf spoot. Wisselbaden van pijn en warmte golfden nog steeds door elkaar heen. Ze leek te zweven, terwijl haar benen zo zwaar waren als de sleepgewichten tijdens de training. Tegenstrijdigheid ten top.

De verplichte dopingtest kon haar goede humeur niet stuk krijgen. De stoïcijns kijkende official kon haar letterlijk de pot op. Kijk maar. Ik pies op jullie. Hier is mijn urine, schoon en krachtig. Ik heb het gehaald en jij kunt me dat niet ontnemen. Normaal vond ze het afschuwelijk, in een bakje plassen terwijl een ander toekeek. Het wende nooit. Maar nu was het alsof ze een halo van geluk om zich heen had, waar niemand doorheen kon dringen. Dit keer was het allemaal niet voor niets. Het doel was bereikt. Ze had de limiet gehaald.

Zelfs de fotografen, die opeens als mieren om haar heen gekrioeld hadden, hadden naar haar gevoel een telelens nodig. Niemand kon bij haar komen. Haar geluk was te groot. De emoties stuiterden door haar lijf.

Drie honderdsten van een seconde. Het waren eenheden die

in een normaal leven geen betekenis hadden, maar in de atletiek een wereld van verschil waren.

Het werd een topdag. Alle drie de limiet. China, een nieuwe wereld, en kansen om alleen maar van te dromen.

Journalisten, fotografen, televisiecamera's, alles was prachtig maar onbelangrijk. Ronald die als een bezige bij om hen heen zwermde. Die hun herinnerde aan de sponsors en de daarbij behorende items, die natuurlijk goed zichtbaar moesten zijn op alle foto's. Alles ging als in een waanzinnige draaimolen door, terwijl haar leven stilstond. Het hoogtepunt bereikt.

De stralende gezichten van haar sportmaatjes, die aan beide zijden om haar schouders hingen. De drie-eenheid compleet. Alles voor het plaatje.

Ze hadden alle drie de voorselectie gehaald. Natuurlijk was het afwachten of het NOC*NSF hen alle drie in de selectie zou opnemen. Maar zij hadden in elk geval laten zien wat ze waard waren. Maud verwachtte dat ze met z'n drieën naar Azië zouden vertrekken. Een nieuw avontuur tegemoet.

15

Hun woonwijk bestond uit veel vrijstaande woningen, allemaal verschillend van bouw. De brede straat, die in Duitsland *Allee* genoemd werd, had een slecht wegdek. Reparatielappen asfalt, met teer omzoomd. Chris liep langs een lange rij beukenbomen, die als een leger voor de huizen opgesteld stonden. Bewakers met groene camouflage, bladeren op hun kruin. De tuinen waren netjes onderhouden. *Deutsche Gründlichkeit.*

Chris opende de deur die verscholen lag tussen twee grappige wachthuisjes en stapte het café binnen. Gedimd licht. Wat kaarsjes omgeven door geribbeld glas op de bar. Een rooklucht die zijn keel prikkelde. Donkere tafels en stoeltjes met gevlochten zittingen. Ze waren uitgezakt, zoals de buiken van de gasten.

Hij zag een hand omhooggaan. Ronald had een halfvol glas bier voor zich staan. Chris boog zich over de bar. *'Abend, Hans.'*

'Diebels?' bromde de barman.

Chris knikte en wees op Ronald.

'Zwei mal?'

Sinds hij in Kleef woonde kwam hij hier graag. Het sfeertje was ontspannen en het Diebels bier speciaal. Dat kon je aan de Duitsers overlaten. Hij begroette zijn maat Ronald.

'Moet je kijken.' Ronald stootte hem aan.

Chris volgde zijn blik. Een vrouw gekleed in een strakke spijkerbroek, waarboven een kort shirt haar borsten nauw omsloot, liep met zelfverzekerde passen door de kroeg.

'Wat een joekels. Om duizelig van te worden,' zuchtte Ronald. 'Als ik nog vrijgezel was, wist ik het wel. Dan hoefde ik de markt niet verder te verkennen. Toeslaan.'

'Ze weet dat ze mooi is.'

'Nou en? Die strakke billen... en dan die borsten erboven. Ze ís mooi, man.'

'Ze lijkt op Bärbel.'

De ogen van Ronald lieten de vrouw los. 'Ja, dat heb je goed geregeld. Doen jullie het nog steeds?'

'Ze is een probleem aan het worden. Ze begint me te claimen.'

'Daar heb ik je voor gewaarschuwd. Als Pien erachter komt...' Ronald boog achteruit om ruimte te maken voor de barman. Twee glazen bier klapten op de al natte viltjes. Ronald knikte naar Hans en boog zich toen weer naar hem toe.

'Laat dat "als" maar weg,' zuchtte Chris. 'Het gaat erom "wanneer" ze erachter komt. Bärbel dreigt alles aan haar te vertellen.' Hij nam een grote slok van het bier met de typische bitterzoete smaak.

'Oei, dat is niet zo mooi, maat. Als ze wil, maakt ze je kapot,' zei Ronald onomwonden. 'Die meid is sluw. Daar was ik laatst al achter. Als ze jullie geheim kan gebruiken, zal ze het doen.'

'Maar wat moet ik doen? Als Bärbel gaat kletsen raak ik Pien kwijt.'

'Dat is de vraag. Pien is niet gek. Die heeft vast allang wat gemerkt. Vrouwen schijnen daar een speciaal zesde zintuig voor te hebben. Heeft ze nog geen toespeling gemaakt?'

'Nee, ze is eerder aanhankelijker dan anders.'

'Zie je wel, Pien heeft vast al een vermoeden. Ze wil je dus niet kwijt. Sterker nog, ze wil je weer terugwinnen. Maak daar gebruik van. Doe wat meer je best. Beetje verleiding, dat is nooit weg. Ik zou er niet mee zitten.'

Chris was er minder zeker van dan zijn vriend. Maar misschien moest hij inderdaad wat meer aandacht aan Pien besteden. Hopelijk waaide de storm dan over.

'Als je dat wilt, dan zal ik wel eens met Bärbel praten. Met mijn natuurlijke charmes kan ik haar misschien wat afleiden.' Ronald sloeg het bier achterover en Chris volgde zijn voorbeeld. Diebels was echt doordrinkbier.

'Dat zou ik waarderen. Ik wil Pien niet kwijt. Maar pas op voor Bärbel. Die meid is geen simpele stoeipoes.'

'Ik hou wel van tijgers.'

Chris stak zijn hand op en Hans knikte van achter de bar.

'Vertel eens, hoe gaat het met je kelderbezigheden?'

Chris vertelde in korte bewoordingen hoe het ervoor stond.

'Machtig mooi, man. Ik snap er niets van, maar het klinkt echt machtig mooi.' Zijn ogen wipten omhoog. 'Je moet er eindelijk eens wat mee gaan doen.'

'Ben ik mee bezig. Alles op zijn tijd.'

'Experimentele anti-aging. Nou, Pien kan trots op je zijn. Geen wonder dat ze je niet kwijt wil.' Ronald was zichtbaar onder de indruk.

Chris genoot van deze goedkeuring. Als de altijd kritische en veeleisende Ronald geïmponeerd was, zei dat wat. 'Pien vindt het prachtig. Ze ziet de voordelen van het middel voor het centrum. Maar ze begrijpt niet precies hoe het werkt.'

'Vrouwen hoeven ook niet alles te weten.'

De zin bracht de gedachte aan Bärbel weer terug en Chris zweeg. De angst voor ontdekking welde opnieuw op. De stilte tussen hen werd opgevuld door de achtergrondgeluiden in de kroeg. Muziek die opvallend herkenbaar was. Gedachten die meeliftten op de nevel van rook, waarna ze tegen het plafond werden samengedrukt.

* * *

Er waren al wat biertjes gepasseerd. Het was drukker geworden en de rook dikker.

'Ik wil je al een tijdje wat vragen,' begon Ronald nadat hij een tijd stil voor zich uit had zitten kijken.

Chris volgde zijn blik. Twee jonge vrouwen, giechelend en alleen oog voor elkaar en hun witte wijntje. Wilde Ronald van hem wat weten over vrouwen?

'Heb je wel eens van genetische doping gehoord?' vervolgde Ronald echter.

Chris' ogen schoten los van de vrouwen. Hij schraapte zijn keel, waar een nare brok leek te zitten. 'Ja, natuurlijk. Maar als sportmanager kun je je daar beter verre van houden.'

Ze hieven bijna tegelijkertijd het glas om een slok te nemen. Houding of noodzaak?

'Ik hoor van alles, maar weet er niet het fijne van.' Ronalds ogen stonden wijd open en zijn mondhoeken dansten bij zijn woorden.

'Ik heb er heel wat over gelezen. Ik denk dat de sportwereld er niet ver meer vandaan zit,' zei Chris, zijn antwoord zorgvuldig formulerend. 'De Spelen van Athene zouden wel eens de laatste schone Spelen kunnen zijn geweest.'

'Dus je denkt dat in China gendoping gebruikt zal worden?'

Chris aarzelde. 'Dat zou goed kunnen. Op internet is het aantal links gigantisch. Het IOC kent het gevaar. Het is niet voor niets dat ze genetische doping al een paar jaar geleden op de lijst van verboden middelen hebben gezet. Het stomme is alleen dat er nog geen detectiemethode voor bestaat. Ik neem aan dat jij dat zelf ook weet.'

Ronald knikte. 'Natuurlijk weet ik daarvan. Er wordt lichaamseigen weefsel aangemaakt, dus dat is nooit als doping op te sporen. Maar niet alles op internet is waar.'

'Er zijn nu nog te veel risico's.' Chris' glas was opeens leeg. Hij stak zijn hand op naar Hans.

'Welke risico's?'

Chris had in Ronald een goede toehoorder gevonden om zijn kennis te spuien. 'Als je een gen inbrengt in een lichaam, zet je processen in gang die je niet meer kunt stoppen. Er zijn al ongelukken gebeurd in het verleden. Gentherapie met epo geeft oncontroleerbaar dik bloed. Levensgevaarlijk. En bovendien kent niet elk gen de weg. Soms gaan ze zitten op een plaats waar ze niet thuishoren, met alle gevolgen van dien. Ook kunnen de virussen die gebruikt worden om de genen in de cel te transporteren, muteren tot een onbekende soort. De gevolgen kunnen immens zijn.'

'Ik snap niet alles wat je zegt, maar het klinkt gevaarlijk.'

Chris zweeg en keek naar Ronald, die beide handen om zijn glas gevouwen had en in zijn lege glas staarde alsof hij daar een antwoord zou kunnen vinden.

'Zwei Diebels,' kwam Hans tussendoor. Ronald ontwaakte uit zijn overpeinzingen en liet zijn glazen bol los.

'Het is zeker niet onschuldig,' ging Chris verder. 'In de toekomst zal gentherapie geweldige resultaten geven. Maar voorlopig is het nog sciencefiction. Het wordt alleen maar gebruikt als uiterste redmiddel.'

'Maar hoe zit dat dan? Bij proefdieren schijnt het fantastisch te werken. Wat is dan het probleem? Mensen zijn toch ook dieren?'

'Sommige mensen zijn echte beesten,' lachte Chris. Hij dacht terug aan zijn vrijpartij met Bärbel. Ronalds gezicht stond echter nog steeds serieus. 'Nee, Ronald,' ging hij dus verder, 'experimenten met proefdieren kun je niet direct vertalen naar de mens. De dosering is een van de grootste problemen. Hoe secuur je ook alles bepaalt, er kunnen altijd slachtoffers vallen.'

16

Het was hun laatste trainingsdag op Papendal. Maud zweette als een otter en was blij met de miezerregen, die haar enigszins verkoelde. Het leek alsof de trainer ook een boost had gekregen van hun succesvolle wedstrijd. Knallen, dieper, harder, explosief, snelheid, kom op, knieën naar je kin, je kin zit niet naast je borsten! De kreten vlogen harder over de baan dan zijzelf. De elektronische haas, flikkerende lampjes rondom de atletiekbaan, stond op een hoge snelheid ingesteld.

Maud genoot. De pijn gaf aan dat haar spieren op hun duvel kregen, meer dan de afgelopen tijd ooit het geval was geweest. Ze moest nog sneller worden, haar explosiviteit vergroten, waardoor haar start nog beter zou gaan. Daar kon ze nog winst behalen. De natuurlijke aanleg van de Afrikaanse vrouwen kon ze alleen maar bestrijden door nog harder te werken. En gelukkig had zij het voordeel van een westerse medische begeleiding. Alle mogelijkheden lagen er. Zij moest ze grijpen. Zij moest harder werken dan ze ooit gedaan had. Zij moest haar lichaam pijnigen tot een grens die zijzelf controleerde.

Na het uitlopen, het oprekken van haar spieren en het innemen van het nodige vocht liep ze het sporthotel van Papendal in.

Eerst een douche.

De spiegel toonde haar rode gezicht, plakkerig en glimmend. Haar korte blonde haar piekte. Daaronder glanzende ogen die de zee weerspiegelden, zoals haar moeder altijd tegen haar zei.

Haar moeder was een strandtype, met weer en wind buiten te vinden. Altijd met de honden langs de vloedlijn, op zoek naar de geheimen die de zee prijs wilde geven. Toen Maud vertelde dat ze naar het oosten van het land zou verhuizen, had ze haar verbijsterd aangekeken. Leven zonder de zee was een verbijsterende onmogelijkheid voor haar.

Regelmatig ging Maud terug naar Noordwijk. Een prachtige mogelijkheid om in de duinen te trainen. Het mulle zand gaf de weerstand die haar spieren in haar jeugd sterk hadden gemaakt. Haar moeder had er een appartement met uitzicht op de door haar zo geliefde zee. Was ze niet op het strand, dan keek ze wel uit over de zee. Maud had nog altijd het gevoel dat ze zat te wachten op haar vader. Hij was jaren geleden verdwenen tijdens een zeiltocht over het Kanaal. Nooit teruggevonden. Maud had niet veel herinneringen aan haar vader. Haar beeld werd gevormd door een oude foto. Een blonde man, gefotografeerd achter het roer van een kajuitjacht. Nooit meer had haar moeder gezeild. Toch bleef de zee trekken.

De ogen van de man op de foto keken haar nu aan in de spiegel en ze vroeg zich af of ze nog meer van hem geërfd had. Zijn doorzettingsvermogen om te bereiken wat hij wilde? Zijn spierkracht om de strijd aan te gaan met de elementen? Van haar moeder had ze dat in elk geval niet. Zou ze de genen van haar vader hebben? Dankte ze haar succes aan hem? Hij zou vast trots op haar geweest zijn.

Ze stapte onder de douche. Het warme water spoelde de zoute zweetresten van haar lichaam. Ze goot wat douchecrème in haar handen en liet die over haar natte lichaam glijden. Een buik waar menig fotomodel jaloers op kon zijn. Hard en strak. Haar kleine borsten waren een pijnlijk punt, dat ze het liefst zo snel mogelijk met haar handen verliet. Meer dan die puntjes was er ook niet.

Ze dacht terug aan de eerste keer dat Don zijn handen over

haar kleine borsten had laten dwalen. Met gespannen spieren had ze een oordeel afgewacht. Maar dat kwam niet. Zou hij ze niet eens opgemerkt hebben? Dat ze zich onnodig zorgen had gemaakt, bleek wel toen hij blindelings haar tepels vond. Hij liet haar borsten gloeien alsof ze in omvang toegenomen waren.

Hun seks was fantastisch geweest. Hij vertelde haar in het donker zijn fantasieën. Zij voerde elk droombeeld van hem uit tot in het kleinste detail. Tijdens het praten stokte zijn adem dan regelmatig, als de opwinding te groot werd. Dan streelde ze even andere delen van zijn lichaam, totdat hij doorging met praten. Soms gehoorzaamde ze niet precies, zodat de spanning vergroot werd. Dan stopte hij met zijn verhaal en nam haar hard en onbeheerst.

Maud voelde de opwinding in haar lijf toenemen terwijl ze aan hun nachten dacht. Haar tepels werden hard. Ze liet haar vingers over haar lichaam naar beneden glijden. Snel en handig hielp ze zichzelf naar een hoogtepunt. Het was een slap aftreksel van de keren dat Don het had gedaan. En het benadrukte eerder haar eenzaamheid dan haar bevrediging. Een plastisch gebeuren dat niets met seks te maken had. Maar het was het enige wat overgebleven was sinds Don zijn koffers gepakt had.

Ze voelde de kloppende beweging in haar onderbuik langzaam wegzakken. Weg was het genot. Verdwenen de opwinding. Wat overbleef was een leeg gevoel. Ze droogde zich af en kleedde zich aan zonder nog een keer in de spiegel te kijken.

* * *

Ronald had haar en Lucinde naar de dug-out geroepen, omdat hij nieuws voor hen had. 'Nieuws' was een beladen woord in de sportwereld.

'Maud, ik heb een nieuwe trainingslocatie voor je weten te regelen.' Er trok een snelle glimlach over Ronalds gezicht. 'Voor jou lekker dichtbij, en volledig gratis. Je kunt er zeker terecht tot jullie naar China vertrekken. En misschien weet ik nog meer los te peuteren.'

'Dat zou top zijn.' Maud was blij en verbaasd tegelijk. Was dit het nieuws? Waarom was Lucinde ook naar de dug-out geroepen?

'Maar dit even terzijde,' ging hij echter verder. 'Ik heb daarnaast slecht nieuws voor jullie.'

Maud keek Lucinde aan, maar die keek met grote, angstige ogen naar hun manager. Toch niet naar China, was het eerste wat door Mauds hoofd schoot. Onlogisch, na zijn laatste bericht, maar een enorm angstbeeld.

'Kim is positief getest.'

Maud was perplex. 'Positief? Hoe kan dat nou?'

Ronalds gezicht was rustiger dan ooit. Het leek alsof zijn emoties volslagen weggedrukt waren. 'Ik heb Kim verder niet meer gesproken. Ik weet niet wat er aan de hand is. We zullen de contra-expertise moeten afwachten.'

'Shit.' Doping was een taboe. Ze spraken er onderling nooit over, alsof het niet bestond in hun wereld. Het woord in je mond nemen maakte je al verdacht. Maar dat haar trainingsmaatje het zou gebruiken was niet voor te stellen.

'En nu?' vroeg Lucinde naast haar.

'Het NOC*NSF zal een beslissing nemen. Als de B-test ook positief is, betekent het gegarandeerd dat Kim wordt uitgesloten van deelname. Ik hoop dat ze het mis hebben. Maar het kan zijn dat er te weinig tijd is om het resultaat af te wachten. Het vertrek naar China is al heel snel. Ik hou jullie op de hoogte.' Ronald wist met zijn figuur geen raad en nam gehaast afscheid.

Maud keek Ronald na. Zijn kale hoofd zat weggedoken in de kraag van zijn colbertje. Ook hij was helemaal van slag.

'Kim positief getest. Ik haat dat woord. Hoe kun je dat nou positief noemen?'

'Niet genoeg tijd? Zou dat betekenen dat Kim niet mee kan naar China, terwijl het nog niet zeker is of ze echt positief is?' vroeg Lucinde. Ze zat verslagen op de bank.

'Over eerlijkheid in de sport gesproken.'

17

Op het scherm verscheen weer een nieuwe foto. Fenna keek mee met Ruud, die op de redactie door de serie foto's heen klikte. Fotograferen kon hij in elk geval als de beste. Fenna zag het gezicht van Maud, in opperste concentratie voor de start. Haar strakke ogen, donkerder dan ze zich herinnerde, de harde trek om haar mond, spieren in haar nek gespannen. Zo goed getroffen.

'Je hebt er een paar mooie foto's bij zitten,' zei Fenna. 'Deze laatste is erg mooi,' zuchtte ze.

'Hmm,' humde Ruud slechts. Hij klikte verder.

Maud tijdens de race, haar gezicht vertrokken, tanden op elkaar. Daarna de foto van de drie stralende atletes. Armen om elkaar, rode bezwete gezichten.

'Deze moet er zeker in,' besloot Fenna.

'Over de hele breedte?'

'Ja, dat lijkt me wel. Verder nog twee van de wedstrijd.'

'Wil je Kim er wel of niet bij hebben?'

'Tja,' weifelde Fenna. 'Het is even de vraag wat we met dat vermeende dopinggebruik van Kim doen.'

'Noemen, natuurlijk.'

'Ik ga voor een artikel over het succes, zoals we dat van plan waren. Ik plaats wel een los kader met het laatste nieuws.'

'Of een lekker dubbelzinnige kop: POSITIEF NIEUWS OVER NEDERLANDSE ATLETE.' Ruuds grijns riep direct weerstand op bij Fenna. 'Ik hou niet van die dubbelzinnigheid. Bovendien verdienen die andere twee dat niet.'

'Het is toch positief dat die andere twee naar China mogen,' wierp Ruud quasi verontwaardigd tegen.

Fenna slikte een reactie in. 'Kies jij maar een foto uit van Maud en Lucinde.'

'Een beetje sensatie kan toch wel?'

'Dan moet je gaan solliciteren bij *Privé* of *Weekend*.' Fenna schoof haar stoel naar achteren en liep de kamer uit.

Waarom raakte ze altijd direct geïrriteerd door Ruud? Wat had die man in zich, dat hij die reactie in haar losmaakte?

18

Sinds een paar dagen trainde Maud in de fitnessruimte van een anti-agingcentrum in Kleef. Het was fijn dat Ronald deze locatie voor haar had kunnen regelen. Gratis en ook nog op korte afstand van haar huis. Dat scheelde niet alleen in de reiskosten, maar ook in de tijd die ze elke keer kwijt was. En ze had alle tijd nodig die ze kon gebruiken om haar voorbereiding optimaal te laten verlopen. Niet alleen voor haar training, maar ook voor de benodigde rust. Slapen was net zo belangrijk en kostte ook veel tijd.

Maud voelde zich snel thuis in het centrum. De eigenaresse Pien en haar man Chris waren erg gastvrij en leken zelfs trots dat ze bij hen kwam trainen. En de klanten, die stuk voor stuk op leeftijd waren, vonden het prachtig om 'hun' centrum te delen met een topsporter.

Het artikel dat in *Ogen-blik* was geplaatst, had Pien uitgeknipt en op het prikbord gehangen. Maud was Pien dankbaar dat ze het stukje over het vermeende dopinggebruik van Kim eraf had geknipt, zodat alleen hun topprestatie overbleef. De oudjes genoten mogelijk nog meer van haar succes dan zijzelf. En elke keer werd haar weer gevraagd of het al duidelijk was of ze naar China ging.

Het was nog rustig in het centrum. Prettig om flink aan het werk te gaan. Ze voelde haar spieren onder de gewichten protesteren. Ze nam een hap lucht en perste alle kracht die ze had uit haar bovenbenen. Doorzetten. Niet nadenken, duwen. En opnieuw. Kracht, spieren, tijd, zweten. De gedachten die steeds omhoog piepten, duwde ze met evenveel kracht weg. Kim en doping. Spieren kweken door synthetische middelen te slikken. Ze had het nooit overwogen. Maar de competitie was hard. De tegenstanders sterk. En de verleiding soms groot. Nu kwam het toch wel dichtbij.

Maud stopte en veegde met haar handdoek het zweet uit haar nek. Ze pakte haar bidon. Eten en drinken, prestatie en bedrog. Alles hing samen in de sportwereld. Succes en mislukking, inspanning en herstel.

Terwijl ze haar gezicht afveegde, vroeg ze zich opnieuw af of Kim werkelijk schuldig was. Zou ze doelbewust verboden middelen hebben geslikt of was ze positief getest door een foutief supplement? Of was er gesjoemeld met de dopingformulieren in het laboratorium? Urine verwisseld? Winst en bedrog. Allemaal over de hoofden van de sporters. Het gebeurde.

Een krantenbericht van een paar weken geleden kwam in haar herinnering. Statistici hadden berekend dat de honderd meter voor mannen nog 0,48 seconden sneller zou kunnen. Ze was woedend geweest. Wat dachten die heren wiskundigen? Die hadden simpelweg achter hun computertje, zittend op hun te dikke reet, naast een warme centrale verwarming, berekend dat het huidige wereldrecord nog lang niet scherp stond. Allemaal theorie. Waanzinnige methodiek. Topsporters moesten in hun vierkante ogen nog beter kunnen presteren. De druk van de verwachting was bijna niet meer te weerstaan. Sneller, hoger, verder. Prestaties die niet meer op te brengen waren. Resultaten die ze niet konden leveren, ook al zouden ze het nog zo graag willen.

Zou Kim daaraan bezweken zijn? Zou ze daadwerkelijk naar een verboden middel gegrepen hebben? Uit angst om haar eerdere prestaties niet waar te kunnen maken. Vormbehoud was net zo belangrijk als die limiet. Zou ze te ver gegaan zijn in haar streven om haar ultieme doel te bereiken?

Ze nam nog een paar slokken en dacht aan een schandaal dat dit jaar nog de kranten had gehaald. Een vader had verdovende middelen in de waterflessen van de tegenstanders van zijn tennissende kinderen gedaan. Een van de kinderen had het niet overleefd. Pure fantasie van een vader over een sportief succes van zijn zoon. Een doorgeschoten fanaticus, nu veroordeeld tot acht jaar gevangenisstraf. Zo ver gingen sommige mensen dus.

* * *

Ze zat net op de hometrainer voor de cooling down, toen haar mobiele telefoon overging. In een oogwenk had Maud hem te pakken. Lucinde, gaf haar display aan.

'Ha, Luus. Waar zit je?'

'Ben net thuis. Moet je horen, Ronald belde.'

'Over Kim?' Maud ging op de bank aan de zijkant in de sportzaal zitten.

'Ja, ook.' Het bleef even stil.

Dat kon maar één ding betekenen. Foute boel. 'Positief dus,' zuchtte Maud hardop.

'Dat niet. Er is nog geen uitslag van de contra-expertise. Maar het NOC heeft besloten haar uit te sluiten van deelname.'

'Jeetje, wat klote.' Maud staarde naar de zaal vol fitnessapparatuur. 'Weet je de reden?'

'Ik denk dat er te weinig tijd is. We gaan al bijna weg.'

Maud veegde de zweetdruppels, die irritant in haar ogen liepen, weg. Het nieuws kwam hard aan. Was het een terechte beslissing? Had Kim echt wat genomen? De grenzen waren zo smal. Soms zat er al genoeg in een neusspray om de dopingtest naar de verkeerde kant te laten uitslaan. Misschien had Kim gewoon pech gehad.

'Ben je er nog?' hoorde ze Lucinde aan de andere kant.

'Ja, ik vind het zo shit voor haar. Heb je haar nog gesproken?'

'Nee, ze neemt de telefoon niet op.'

'Begrijpelijk. Het nieuws zal wel een meute strontvliegen aantrekken. Laat die journalisten naar echt nieuws op zoek gaan.' Maud voelde met haar sportmaatje mee. Ze had het zelf meegemaakt op het moment dat ze op het nippertje had verloren. Het leek alsof ellende voor de media aantrekkelijker was dan glorieuze winst. 'Zei Ronald nog iets over ons?'

'Ja, het NOC*NSF heeft tegen hem gezegd dat wij allebei geselecteerd zijn. Als het goed is krijgen we vandaag nog het officiële bericht.'

Ondanks het slechte bericht van Kim kwam er een juichend gevoel opzetten. 'Beijing,' zei Maud zacht. 'We mogen allebei naar de Olympische Spelen.'

'Ja, ik ben zo ongelofelijk blij. Maar tegelijkertijd voel ik me klote om Kim.'

'We hebben het verdiend om blij te zijn. We mogen naar China, Luus! Wat een geweldig nieuws!'

'Nu proberen om onze vorm te behouden. Hoe is die nieuwe trainingsplek van je?'

'Geweldig. Ik zit in een anti-agingcentrum in Kleef.'

'Dat is weer eens wat anders,' lachte Lucinde.

'Ja, ik moest wel even slikken toen ik al die oudjes zag. Bejaardengymnastiek, was mijn eerste gedachte. Ik denk dat de jongste klant hier al dik boven de vijftig is.'

'Nou, je bent er in elk geval vroeg genoeg bij. Wie weet maak je wel kans op de eeuwige jeugd.'

'Nou, daar lach je misschien om, maar ik ben echt onder de indruk. Wat een levenskracht hebben die lui hier. Het lijkt wel alsof die *Bratwürste mit Senf* in Duitsland vol groeihormonen zitten. Gewichten duwen ze omhoog alsof het plastic bordjes zijn. Maar ik ben wel blij met de gratis ruimte op korte afstand van mijn huis. Het scheelt me elke dag heel wat tijd.'

Maud zag een groepje mensen binnenkomen. Ze keek op de klok. Shit, het was al laat. Ze stond op van het bankje en begon rond te lopen om haar spieren soepel te houden.

'Als ik dat zo hoor, zijn ze daar goed bezig. Ik teken ervoor als ik op die manier oud kan worden,' hoorde ze Lucinde zeggen.

'Ja, die anti-agingmethode schijnt prima te werken. De eigenaresse is een goede zakenvrouw. Dat heb ik wel gemerkt. Als ze zo doorgaat, wordt dit echt een succesvol bedrijf. Ze barst van de nieuwe plannen.'

'Hou het contact maar warm. Als ze uitgroeien tot een topbedrijf, zit er misschien wel een betere sponsoring in voor ons. Je weet maar nooit. Ik ga even lopen. Ik zie je later.'

'Doe rustig aan. We bellen!' Maud drukte het contact weg.

19

De duistere kelder dwong tot lopen zonder geluid. Pien kwam niet vaak in deze akelige, van daglicht verstoken omgeving. Af en toe moest ze hier even naartoe. Het leek alsof ze daardoor weer verbonden werd met haar man, die zoveel uren in deze verduisterde ruimte doorbracht. Ze probeerde zijn sfeer te pakken. Zijn gedrevenheid te doorgronden. Zijn gedachten te achterhalen. In contact te blijven. Ze had hem nodig, maar niet ten koste van alles.

Het was donker in de kelder en een beetje onheilspellend. Er kwam slechts wat vaag licht van boven af. Zou ze de tl-lamp aandoen? Nee, alleen even rondkijken. Dat was alles. Ze wist waar ze moest zijn. In een aparte ruimte stond een computer, aangesloten aan een apparaat. Hier was Chris dus avond aan avond bezig. Ze schuifelde verder de kelder in. Achterin lichtte een vriezer op. Ze opende de kleine kist die gevuld was met stalen rekken met rijen witte doosjes. Zijn heiligdom.

Op dat moment dacht ze dat ze iets hoorde. Voorzichtig liet ze het deksel zakken. De scharnieren kraakten licht. Ze spitste haar oren. Was er iemand in huis? De koeling van de vriezer sloeg aan en vertroebelde haar gehoor. Shit, zou Chris al thuis zijn? Kwam hij nu de kelder in? Ze deed een paar passen in de richting van de trap.

Op dat moment klonken er overduidelijk voetstappen. Er kwam iemand naar beneden! Ze sloop bij de vriezer vandaan en duwde zichzelf tegen de muur. Ze was nu dankbaar voor de duisternis. En vooral voor haar voorliefde voor zwarte kleding. Met een beetje mazzel kon ze zo meteen ongemerkt naar boven glippen.

De voetstappen stopten. Even hing er een geladen stilte. Het was natuurlijk volkomen dwaas om je te verstoppen. Maar dit was zijn heiligdom, hij verdroeg niemand beneden. Ze was als de dood dat hij zou ontdekken dat ze af en toe naar beneden sloop om het contact tussen hen te zoeken. Nooit zou hij dat geloven. Vrouwengeleuter.

Daar stond ze dan. Haar gezicht tegen de vochtige muur gedrukt en schuifelende voetstappen die steeds dichterbij kwamen. Was het Chris wel? Haar gedachten draaiden alle kanten op. Een lamp flitste aan in de ruimte waar de computer stond en ze zag een schaduw heen en weer bewegen. Haar hart bonsde in haar borstkas. Bang voor haar eigen man. Stom. Ze keek rond. Ze zocht een excuus om haar aanwezigheid tegenover Chris te verklaren. Een droogrek, een slee, een kast met oude jassen. Toen zag ze het wijnrek. Dat was het. Ze greep een paar flessen en liep naar de verlichte deuropening.

Ze probeerde te neuriën. Schor. Nonchalant. Alsof ze bezig was geweest met opruimen. Ze zag dat de schaduw stilhield. Ondanks haar eigen angst voelde ze een glimlach over haar gezicht glijden. Angst ontmoet angst.

Ze staarde de lichte ruimte in en stond vastgenageld aan de vloer.

'Ha, daar ben je. Ik was je al aan het zoeken,' klonk de heldere stem van Bärbel. Haar gezicht stond vrolijk en open als altijd.

* * *

Volkomen in beslag genomen door wisselende gedachten liet ze Bärbel voor zich uit de trap op gaan naar het centrum. Omdat de kelder zich uitstrekte onder het gehele huis, had de kelder zowel een ingang vanuit het centrum als vanuit hun woonhuis. Niemand gebruikte de deur in het centrum. Die lag in een uithoek, naast de kleedkamers, met een bordje PRIVÉ erop. Zij was de enige die af en toe naar beneden glipte. En dan alleen op momenten dat ze wist dat haar man niet thuis was.

Ze liepen zwijgend langs de sportzaal, langs het natte gedeelte, waar de sauna, de whirlpools en dompelbaden waren, en door de smalle gang langs de schoonheidssalon en de massageruimten. Al die tijd zwegen ze. Bärbel liep rustig mee, groette hier en daar wat mensen en leek volledig op haar gemak. Bij Pien daarentegen smeulde de onrust in haar maag. Haar medewerkster had niets te zoeken in de privéruimten. Een stilzwijgende regel die overtreden was. Wat voor ontoelaatbare zaken pleegde ze nog meer? Het zat Pien allemaal niet lekker. Maar tegelijkertijd zette ze haar vraagtekens bij de wens van Chris dat zijzelf ook niet in de kelder mocht komen. Waarom was dat? Had dat iets met Bärbel te maken? Was het hun geheime ontmoetingsruimte?

'Bärbel, wat deed je in onze kelder?' Pien stelde de vraag pas in de rustige omgeving van het kantoor.

'Ik zocht jou. Ik wilde overleggen over mijn werkschema.' Bärbels blauwe ogen keken haar onschuldig aan.

'Je hebt niets in de kelder te zoeken. Niemand van het centrum.'

'Ik had het hele centrum afgezocht en iemand had jou naar beneden zien gaan. Daarom liep ik even achter je aan. Wat is het probleem?'

Pien hield zich in. Het klonk allemaal zo voor de hand liggend. 'Dit is een privéruimte. Chris heeft daar zijn spullen staan.'

'Chris is niet zo moeilijk. Bovendien, wat zou hij voor mij te verbergen hebben?'

Het was de toon waarop Bärbel het zei. Het brandde naar binnen. Pien keek haar lang aan. De lange wimpers bleven open. Geen enkele knipper verraadde iets.

Pien had de neiging haar toe te schreeuwen dat ze weg moest blijven. Niet alleen uit de kelder, maar ook bij Chris. Ze duldde het niet dat de jonge vrouw zich in haar leven drong. Maar ze slikte de woede door. Als een dikke brok bleef die in haar droge keel steken. Ze probeerde niets te laten blijken van de pijn en de kwaadheid die ze in haar binnenste oppotte. Zij bleef de baas. Niet alleen over haar gevoelens, maar ook over Bärbel. Ze liet niet met zich spotten. En ze zou geen bakzeil halen. Zij moest winnen.

'Wat is er met je werkschema?' zette ze zichzelf in de superieure positie. Zíj gaf leiding en Bärbel zou háár bevelen moeten opvolgen. Ze zou laten zien wie de baas was.

20

Het water uit de kraan voelde weldadig aan zijn plakkerige handen. Chris had de hele middag in de kelder gewerkt. Zijn handen voelden smerig aan na het urenlang werken met handschoenen aan. Maar de tevredenheid over de laatste resultaten overtrof alles. Het einde van zijn experimenten kwam in zicht.

Hij hoorde de telefoon overgaan. Hij snelde de trap op en enigszins buiten adem beantwoordde hij de oproep.

Het was Ronald. Zijn stem klonk gejaagd.

'Ik ben in een wespennest beland. Die meid is echt helemaal mesjokke.'

'Bärbel?'

'Die naam klinkt veel te lief. Het is echt een kreng! Ze verandert binnen een minuut van een poeslieve mooie meid in een feeks.'

'Dus toch een tijger,' antwoordde Chris droog.

'Erger.'

Op dat moment kwam Pien de kamer binnen. Hij gebaarde naar haar dat het voor hem was en vanaf dat moment zocht hij zorgvuldig naar woorden. 'Ben je verder nog wat wijzer geworden?'

'Voor mij is het zo duidelijk als wat. Ik geef geen cent voor jouw geheim. Als die meid de kolder in haar kop krijgt, vertelt ze alles aan Pien. En niet alleen dat, ze verzint er nog een spannende anekdote bij. Zonder blikken of blozen.'

Chris zweeg. Hij wist het. Hij had het in haar ogen gezien. Meedogenloos. Wraakzuchtig. Eisend. Ze zou zijn excuses niet accepteren. 'Ik zal er rekening mee houden.' Chris keek naar Pien, die een cd uitzocht. Waarom kwam ze net nu de kamer in?

'Rekening mee houden? Dit soort figuren is onberekenbaar. Ze begon mij zelfs te bedreigen. Volkomen verknipt. Ik moest me met mijn eigen zaken bemoeien en als ik dat niet deed moest ik de gevolgen maar accepteren.' Chris hoopte dat de harde stem van Ronald niet hoorbaar was.

'Wat bedoelde ze daarmee?'

'Ze pikt het niet dat ik jou bescherm. Ze heeft één doel, en dat is het centrum. Met jou erbij. En nu jij haar hebt afgewezen, lijkt ze doordrongen van haat. Alsof alles en iedereen tegen haar is.'

'Maar...?'

'Ik weet wat je wilt vragen,' onderbrak Ronald hem. 'Ik was zo naïef om te denken dat ik wel even met haar kon babbelen om het op te lossen. Maar nu heeft ze mij ook in haar macht. Ik ben sportmanager, Chris. Vergeet niet dat de media je dan in de gaten houden, zeker als je met topsporters te maken hebt. En al helemaal zo vlak voor de Olympische Spelen. Zo kan ze me dus pakken. Doping.'

'Maar jouw sporters zijn clean.' Chris zag tot zijn opluchting dat Pien de kamer uit liep.

'Je vergist je, Chris. Kim is net positief getest.'

'Shit, dat wist ik niet.'

'Ja, verdomme. Kim was de enige die de limiet al gelopen had. Ze had het niet nodig. Ze was waarschijnlijk toch wel geselecteerd.' Ronald klonk agressief. 'En door haar ben ik nu ook de lul.'

Chris durfde niets te zeggen. Dit was een zware klap voor zijn maat. Als een van zijn sporters verdacht werd van doping, zorgde dat ook voor een smet op zijn naam. En dat speelde Bärbel prachtig in de kaart. Alsof een doemscenario uitkwam.

'Misschien is Kim straks wel negatief bij de contra-expertise,' opperde Chris voorzichtig.

'Kom op, Chris. Dat maakt allemaal niet meer uit. Niet voor mij. Eén anonieme melding aan een krantenredactie en de persmuskieten zoemen om mijn hoofd. Bovendien, het kwaad is al geschied. Haar naam wordt nu in verband gebracht met doping. Nog nooit is een van mijn atletes verdacht geweest. Schoon als pasgeboren baby's. Daarom wilde ik met ze werken. En nu...'

'Ik zal met Bärbel praten. Als ze wraak wil, dan moet ze bij mij zijn, niet bij jou.' Chris hing op. Hij staarde peinzend uit het raam. Zijn problemen waren nog lang niet opgelost. En nu was het zijn schuld dat Ronald erin meegetrokken werd.

21

Nu de trainingsperiode op Papendal weer afgelopen was, de belangrijkste wedstrijd gelopen en een startbewijs voor de Olympische Spelen binnen, moest Maud weer haar draai zien te vinden in haar eigen woning. Ze vocht tegen de stilte. Alles herinnerde haar aan Don. De leegte die hij had achtergelaten had ze nog niet opgevuld. Het leek alsof hij elk moment binnen kon lopen en ze weer verder konden gaan met hun gezamenlijke leven.

Don had eigenlijk groot gelijk. Als topsporter leefde je in de aanloop naar een grote wedstrijd helemaal in jezelf. Puur egoïsme. Alleen maar gericht op je eigen lichaam, je trainingsschema, je eetgewoonten, en alleen maar rekening houdend met je eigen wensen. Alsof er niemand anders op de wereld was. Maar dat was de enige manier om wat te kunnen bereiken. Ze moest alles wegcijferen. Geen sociaal leven, de studie of baan op een laag pitje en alleen maar trainen. Altijd maar trainen, bezig zijn met de vorm waarin je lichaam verkeerde. Hopen dat je geen blessure opliep. Een belangrijke overwinning behalen. Het ultieme doel.

Op dit moment kon ze zich voorstellen dat sommige renners van de Tour de France grepen naar een middel dat hen hielp om de extreme uitputtingsslag aan te kunnen. Het was begrijpelijk dat iemand, 's avonds alleen op zijn kamer, wanhopig op zoek ging naar een oplossing om de volgende dag die fiets weer op te klimmen. Vooral omdat hij als een berg tegen de volgende etappe opzag. Waarom dan niet wat hulp? Slechts een klein moment van zwakte. De kans dat je gecontroleerd zou worden, was als een Russische roulette. Je kon net pech hebben. Duidelijk was wel dat de controles strenger werden, de detectiemethoden beter en dus de kans dat je gepakt werd groter. Dat zorgde voor die dopingschandalen. Het was echter de vraag of er echt meer gebruikt werd.

Of sport een eerlijke strijd was, bleef een terugkerende vraag. Mensen waren toch verschillend? Lange benen, genetische afkomst, en natuurlijk doorzettingsvermogen. Daarnaast was er de altijd aanwezige maar verborgen doping. Ze had het altijd verworpen. Want waar lag de grens? Wat was acceptabel en wat was ronduit levensgevaarlijk? Maar nu de eisen steeds hoger werden, kwam de verleiding dichterbij dan ooit. Ze wilde zo graag presteren tijdens de Olympische Spelen.

In haar woning draaiden haar gedachten continu in een eigen cirkeltje rond. Maud had behoefte om erover te praten. Maar met wie? Alleen al het noemen van namen van verboden middelen was verdacht. Ze kon alleen vrijuit praten met personen die ze volledig vertrouwde. Ze miste Don.

Ze besloot naar haar moeder in Noordwijk te gaan. Ze wilde niet alleen zijn. Ze kon haar gedachten niet tot rust brengen. De draaikolk aan mogelijkheden was te sterk.

* * *

De ontsnapping die haar moeder haar bood was heerlijk. Natuurlijk was ze welkom, zoals altijd. Haar moeder hield rekening met haar looptrainingen, haar eetpatroon en haar rustmomenten. Die was blij met haar aanwezigheid. Nooit zou ze méér vragen of verlangen. Ze cijferde zichzelf weg, net als ze haar hele leven had gedaan voor Mauds vader. Die was ook altijd zijn eigen gang gegaan. Lange zeiltochten over de wereldzeeën. De tijd tussendoor gevuld met voorbereidingen voor de volgende tocht. Tot die nooit meer zou komen. Haar moeder hoefde nu niet meer te wachten tot haar vader terugkwam.

Maud sliep weer in haar oude tienerkamer. Wel vertrouwd, maar geen thuis. Haar computer stond nog steeds op het bureau. Even kon ze weerstand bieden, toen zette ze hem toch aan. Ze had zich in het verleden nauwelijks verdiept in mogelijke middelen om zichzelf te versterken, maar nu wilde ze weten wat de laatste ontwikkelingen waren. Ze moest een knoop doorhakken om rust te vinden. En daarvoor had ze informatie nodig.

Via Google kwam ze terecht op een forum over bodybuilders. Onvoorstelbaar extreem. Ze schuwden geen enkel experiment. Spieromvang was alles waar het om draaide. Hoe gespierder, hoe mooier, hoe meer waard, was hun idee. Zelfs rommelen in hun genen hadden ze ervoor over, terwijl ze geen idee hadden wat de effecten op lange termijn zouden zijn. *'If you don't take it, you won't make it,'* las ze tot haar verbazing. Gebruikten dan zoveel mensen verboden middelen? Was dat de manier om de gigantische druk die de maatschappij op de topsport uitoefende, het hoofd te bieden? Epo was te detecteren, een bloedtransfusie ook. Sporters konden altijd opgeroepen worden, *out of competition* noemden ze dat. Je moest altijd melden waar je zat. En dat verzuimen kon je een waarschuwing opleveren. Net als Rasmussen in de Tour. Nooit positief getest, toch schuldig bevonden.

Was ze dan al die jaren zo naïef bezig geweest? Gebruikten veel sporters hulp? En was alles wel aan te tonen? Ze wilde schoon lopen. Sport moest eerlijk zijn. Controle over haar eigen lichaam houden. Waarom wilde ze nu zoeken naar informatie? Net nu Kim afgevallen was. Het risico op ontdekking was weer aangetoond, maar op de een of andere manier prikkelde het. Juist nu. Ze moest het in Beijing gaan maken. Die medaille was belangrijker dan ooit. Ze moest presteren. Alleen dan zou ze haar waarde kunnen opschroeven en sponsors kunnen interesseren, en dus ook meer startgeld kunnen vragen. Winst zou betekenen dat ze zou kunnen blijven sporten, ook financieel.

22

De strakke inrichting van hun woonkamer benauwde Chris soms. Alsof hij de symmetrie zou verstoren als hij iets verschoof. Als de decordelen op een podium, hun samenhang op de centimeter nauwkeurig vastgesteld. Alleen de stukjes tape, als meetpunt, ontbraken. Deze inrichting was alleen mooi als de bewoners voor de speelsheid konden zorgen. En die ontbrak veel te vaak. Alleen Michael zorgde voor een ongedwongenheid in het geheel en was daardoor juist de bindende factor. Hun stralende middelpunt.

Orde en netheid waren voor Pien belangrijk en daarom paste hij zich aan. Chris begon zijn papieren te sorteren en legde een stapel in een lade van zijn bureau. Op dat moment hoorde hij de tussendeur opengaan. Hij verstrakte. Bärbel?

Maar daarna hoorde hij de bekende hakjes op het parket. Pinnig en snel.

'Chris, het is weer gebeurd.' Pien strekte haar armen naar hem uit. Haar gezicht drukte een pijnlijke radeloosheid uit.

'Wat is er?' kon hij nog net vragen voordat ze zich in zijn armen wierp.

'Het was afschuwelijk,' snotterde Pien. 'Een terugkerende nachtmerrie. Drie vrouwen.'

Chris stond als versteend.

'De een na de ander zakte in elkaar. En dan de gezichten van de overige klanten. Het gefluister. Ik kon er niets tegen doen. Die bij elkaar gestoken hoofden, de angstige blikken. Alles kwam terug van de vorige keer.' Piens stem klonk hoog en huilend. Ze tilde haar hoofd op en Chris zag haar betraande ogen waarin de wanhoop weerspiegeld werd.

'Kom, meisje. Ga even zitten. Ik schenk iets te drinken in.' Hij duwde haar zachtjes naar de bank. Ze liet het gelaten toe. Haar vechtlust was verdwenen.

Chris gaf haar zijn zakdoek en liep naar de keuken. Een glas water? Nee, iets sterkers. Dat had hij ook nodig. Hij pakte de fles wijn die ze de dag ervoor bij het avondeten opengetrokken hadden en schonk twee glazen in.

Drie vrouwen. Het was alsof het noodlot hen achtervolgde. Elke keer kregen ze een nieuwe tegenslag te verwerken. En als ze net opgekrabbeld waren, dreunde de moker opnieuw een gat in hun leven. Ze hadden zo'n mooie positieve draai aan de vorige tegenslag gegeven. Gekeerde kansen. Maar nu werden ze opnieuw in een diepe put geduwd.

Hij kwam in de kamer terug met de twee glazen en zag dat Michael in zijn rolstoel naast zijn moeder zat. Chris had hem niet aan horen komen.

'Het komt wel goed,' hoorde hij Pien zeggen, zich groot houdend voor haar zoon.

'Maar wat kan de oorzaak zijn?' vroeg Michael.

'Ik heb geen idee. We hebben het hele centrum schoongemaakt. Alle etenswaren gecontroleerd, en de supplementen gecheckt. Alles is in orde.'

Chris gaf haar een glas.

'Het is wel heel toevallig dat het nu een tweede keer gebeurt. Toch, pap?'

Chris ging naast Pien zitten. 'Domme pech. Misschien heerst er iets hier in de omgeving.'

'Twee vriendjes van mij zijn ook ziek thuis. Maar dat is toch anders,' weifelde Michael.

'We zullen het ziekenhuis bellen voor informatie en verder af moeten wachten. Oude mensen zijn nu eenmaal zwakker. Misschien hadden we ons toch niet in ouderen moeten specialiseren,' bracht Chris voorzichtig in.

'Onzin. Het gaat er juist om dat ik mensen wil helpen om gezond oud te worden. Er zijn zoveel nieuwe ontwikkelingen die daarbij kunnen helpen.'

'Ja, pap. Jij bent daar toch ook mee bezig? Als jouw middel klaar is, kan mama dat gebruiken om veel mensen te helpen.' Michael glimlachte breed. 'Weet je, het zou mooi zijn als het middel nu al klaar zou zijn, dan kan dat mooi voor een positieve boost zorgen.' Michael zag het helemaal voor zich. Zijn ogen glansden.

Piens gezicht klaarde ook op. 'Ja, net als de vorige keer. Dat kwam zo mooi samen, een nieuw dieet en mevrouw Bentheim als stralend middelpunt. Het was direct voor iedereen duidelijk dat gezondheid bovenaan staat in ons centrum.'

'Wat doet dat middel van jou precies, pap?'

De vraag kwam onverwacht. Chris nam de tijd. Hij nam een slok wijn en dacht na hoe hij zijn uitvinding onder woorden moest brengen zonder te technisch te worden. 'Het is een middel dat vooral de aftakeling tegengaat. Als mensen ouder worden, worden hun gewrichten strammer, hun botten brozer en hun spieren zwakker. Ik heb nu iets ontwikkeld dat er kortweg voor zorgt dat die processen trager verlopen.'

'Echt antiveroudering dus,' concludeerde Michael. 'Klinkt tof. Nou, mam, ik zou pap maar een beetje onder druk zetten. Hij kan best een beetje harder werken.' Michaels stem klonk plagerig en hij reed zijn rolstoel snel achteruit.

Chris speelde mee en deed alsof hij hem een draai om zijn oren wilde geven.

'Mam, als je mijn zweepje wilt lenen?' riep Michael terwijl hij lachend de kamer uit reed.

Pien schoot in de lach. 'Ik kom het straks wel even halen!' riep ze hem na.

Ze schoof dichter naar Chris toe en zuchtte diep. 'Wat een heerlijke zoon hebben we. Hij krijgt me altijd weer aan het lachen.'

Ze zwegen, elk verdiept in hun eigen gedachten.

'Toch is het niet zo'n slecht idee, Chris. Als jouw middel echt goed aanslaat, is iedereen deze nachtmerrie zo weer vergeten.'

Chris zei nog steeds niets. Hij hield haar vast en voelde hoe ze langzaam ontspande.

23

Bestellingen plaatsen, bloemen verversen, de kassa opmaken, het waren allemaal haar taken. De dag was bijna voorbij en Pien controleerde de voorraad in de bar op het moment dat Bärbel de bar binnen kwam sloffen.

Ze pakte een barkruk en schonk voor zichzelf wat te drinken in. 'Het is zo akelig stil vandaag. Giechel en Kletskous waren er ook al niet.'

'Geen wonder dat het dan stil is.' Pien hoorde de vertrouwde bijnamen. Thomas typeerde alle klanten met een speciale naam en iedereen nam die over. Ze bestudeerde het gezicht tegenover haar. Wat verborg Bärbel achter dat onschuldige uiterlijk?

Er waren die nacht, terwijl ze slapeloos lag te woelen, allerlei gedachten op komen zetten. Het leek alsof losse stukjes zich aaneensmeedden tot een beeld. Alsof de betrokkenheid van allerlei zaken die ze eerst los van elkaar had gezien, opgehelderd werd. Haar vermoedens over Chris en Bärbel, wat opgevangen zinnen van een telefoongesprek, de aanwezigheid van Bärbel in de kelder, en direct daarna de plotselinge ziektegevallen van de drie vrouwen. Er was één naam die in al deze zaken steeds weer opdook: Bärbel.

'Bovendien waren Schaapje en Propje afwezig,' ging die echter verder, 'en natuurlijk Spijker, je weet wel, die tanige man met zijn kale hoofd.'

'Allemaal vaste klanten.' Pien praatte met haar mee, terwijl haar gedachten met andere dingen bezig waren.

'Er is niets aan als het zo stil is.' Bärbel nam een slok vruchtendrank.

Pien schonk een kop koffie in en nam haar aantekeningen mee naar het kantoortje dat naast de bar lag. Ze had geen zin meer om zogenaamd gezellig over de dag na te praten met Bärbel. Lichtelijk geïrriteerd merkte ze dat die achter haar aan kwam.

Pien ging achter haar pc zitten en negeerde Bärbel. Ze hoorde Bärbel zuchten en toen ook haar pc opstarten. Ze gluurde om haar scherm heen. Van de normale vrolijke glimlach op Bärbels gezicht was niets meer te bespeuren. Pien voelde zich voldaan en ging verder met het invoeren van de bestellijst.

'Schon wieder?' hoorde ze Bärbel mompelen.

Pien reageerde niet.

Weer hoorde ze een zucht. Bärbel staarde voor zich uit.

'Wat is er aan de hand?' Ze moest het wel vragen, de zucht was te duidelijk.

Er gleed een flauwe glimlach om Bärbels gestifte lippen. 'Misschien is het niet goed om jou ermee lastig te vallen.'

'Misschien ook wel. Bovendien, met zo'n gezicht kun jij niet naar onze klanten toe. Het is dus beter om je hart te luchten, anders maak je straks nog fouten.' De toespeling leek haar duidelijk genoeg.

Er volgden nog een paar bedachtzame momenten voordat Bärbel eraan toe was. 'Ik word bedreigd.'

Pien zette haar kop hard neer. 'Bedreigd? Hoezo dat dan?'

'Kijk maar.' Bärbel richtte zich op haar scherm, klikte met haar muis en draaide het scherm.

Pien las mee. De tekst was kort en bondig. Maar aan duidelijkheid geen gebrek.

'Is dit de eerste keer dat je een dergelijk bericht krijgt?'

'Nee, ik heb al meer mailtjes gehad. Zelfde afzender. Maar deze klinkt agressiever dan de vorige. Ik vind het toch wel beangstigend.'

'Zegt die naam je iets?'

'Nee, maar iedereen kan zomaar een e-mailadres aanmaken.'

Pien dronk van haar koffie. 'Dat is waar, maar niet iedereen stuurt een dreigmail.'

'Sommige mensen hebben wat te verbergen,' zei Bärbel. Er zat een vreemde klank in haar stem en haar ogen knepen iets samen. 'Die zijn niet blij als bepaalde zaken bekend worden. Angst drijft mensen tot vreemde dingen.'

Pien wilde Bärbel voor zijn. Haar geen mogelijkheid geven haar gif te spuien. 'Bärbel, ik denk dat het goed is als je even wat afstand neemt. Er gebeuren vervelende dingen in het centrum. En als ik zie dat jij bedreigd wordt, krijg ik daar vreemde gedachten bij.'

'Je denkt toch niet...?' Bärbel leek verbijsterd.

'Ik denk niets. Ik constateer alleen. Het enige wat ik weet is dat jij dreigmails krijgt. Dat zegt mij op dit moment genoeg. Ik moet mijn centrum weer goed laten draaien en tot die tijd heb ik je even niet nodig.'

'Maar...?'

'Nee, geen tegenwerpingen. Door die nare ziektegevallen is het nu akelig rustig. Daarom kan ik het ook best een weekje zonder je af. Daarna praten we verder.'

'Ik kan je wel wat vertellen over...'

'Dat heeft geen zin,' onderbrak Pien haar pinnig. 'Mijn besluit staat vast. Ik zie je over een week.' Ze wendde zich van haar af.

Bärbel protesteerde niet meer. Ze greep wat spullen bij elkaar en liep het kantoor uit.

Met Bärbel verdween ook de spanning in Piens schouders. Ze nam nog een kop koffie en opende haar mailbox. Ze klikte op haar verzonden berichten en grijnsde.

24

Het was al laat in de middag. Chris reed de parkeerplaats van de supermarkt af met twee volle tassen met boodschappen achterin. Op het laatste moment had hij nog een dure fles wijn in de kar gelegd. Voor vanavond. Dat hadden ze wel even nodig. De onrust was nog niet verdwenen, maar de berichten over de drie vrouwen waren gunstig. Een korte heftige reactie, dat was alles. Ze waren alweer thuis. Storm in een glas water. Hij floot mee met het bekende liedje op de radio en tevredenheid voerde de boventoon. Hij had vertrouwen in de toekomst. Zelfs de waanbeelden van Bärbel hoopte hij aan te kunnen.

Het stoplicht sprong op rood. Chris stopte en zocht een cd op. Het lied van Gerard Joling had hij in die korte tijd al drie keer gehoord, het werd tijd voor wat anders.

Hij schrok toen het portier naast hem opengetrokken werd.

'Hallo Chris. Wat ben je mooi op tijd.' Bärbel ging stralend naast hem zitten.

Hij staarde haar aan. Het blonde haar prachtig in de krul en haar ogen vakkundig opgemaakt. Maar haar blik verontrustte hem, wazig met een waanzinnige glans. 'Bärbel? Wat doe jij hier? Ik bedoel... Moet je niet...?'

'Ach, *Dummerchen*. Ik moet nie-hiets meer. Ik wil alleen jou.' Ze probeerde haar blik te richten.

Ze heeft gedronken, dacht hij. 'Ik heb geen tijd, ik moet naar huis. Je kunt maar beter uitstappen.'

'Ik wil met je mee,' pruilde ze. Haar volle lip was vochtig en ze liet de punt van haar tong er sensueel overheen glijden.

Chris voelde zich warm worden. Hij moest zich inhouden en afstand houden van die mooie mond en haar grote ogen. Ze was een verdomd lekker wijf. Maar gevaarlijk. 'Nee, Bärbel. Dat kan echt niet,' zei hij ferm. 'Ik moet naar huis. Michael kan elk moment uit school komen.' Het stoplicht sprong op groen.

'Maar...'

'Stap nou uit. Ik moet verder.' De auto achter hem toeterde. 'Kom op, eruit!' Hij reikte voor haar langs om het portier te openen. Maar ze duwde haar lichaam tegen hem aan.

'Chris, wat is nou een minuutje, voor ons samen?'

Weer getoeter.

Chris voelde dat de zenuwen de leiding overnamen. Hij had een pil nodig. Rustig blijven. Shit, hoe kreeg hij haar zonder problemen uit zijn auto? Hij gaf gas en reed door.

* * *

Een eindje verderop stopte hij aan de kant van de weg. Hij wilde haar kwijt. 'Zo, nu kun je makkelijker uitstappen.'

'Ik weet dat jij me wilt. Dat zie ik toch aan je?' Haar stem klonk lijzig, maar de woorden werkten op zijn gevoel.

'Laat me met rust, Bärbel.'

'We moeten ervoor gaan. We horen bij elkaar. Je mag Pien graag, dat weet ik. Maar iemand mogen is toch heel wat anders dan diepe liefde, hartstocht en een passie die we tot in onze tenen voelen?'

Chris was verbijsterd. Passie in zijn tenen? Een drift in de iets hogere regionen was een betere omschrijving. Dat mens had waanzinnige denkbeelden. 'Bärbel, ik moet naar huis.'

'Maar ik wil juist dat het óns thuis wordt. Je moet bij me blijven, mag me niet verlaten. Wij kunnen samen verder. We hebben Pien niet nodig, ook niet in het centrum. Ik heb alleen jou nodig. Jij en ik.' Ze schudde uitdagend met haar blonde krullen.

Hij moest van haar af. Haar stem probeerde bezit van hem te nemen. Hij wilde niet. Werd gek. Pien en Michael waren belangrijker. Hij had rust nodig om na te kunnen denken. Hij greep in zijn jaszak, waar hij het potje met rustgevende pillen uit haalde dat hij net bij de apotheek had afgehaald. Hij had geen water nodig. De pil gleed soepel door zijn keel, alsof die de weg wist.

'Wat heb je daar? Geef me nou eens een zoen.' Ze wierp zich tegen hem aan.

'Pas op, Bärbel!' Het potje gleed uit zijn handen en de pillen vlogen alle kanten op.

'Hmm. Opwindende pillen? Potentieverhogend? Dat heb jij toch niet nodig? Je hebt toch zin in me? Kom eens hier. Alleen maar een zoentje.' Ze duwde haar lippen in zijn richting, maar bukte zich plotseling en greep een handvol pillen.

'Geef hier, Bärbel. Dat is niet om mee te spelen.'

'Ach, wat maakt het uit. Een slokje hier, een pilletje daar. Als ik een zoen krijg, geef ik ze terug.' Ze stak haar hand uitdagend naar hem uit, maar in een snelle beweging stopte ze een pil in haar mond.

'Bärbel, die pillen zijn niet zo onschadelijk als je denkt.'

'Ik denk niet, ik weet het zeker. Ik wil jou.' En er verdwenen weer een paar pillen in haar mond.

'Stop daarmee! Je neemt er veel te veel.'

'Ik wil jou helemaal. Niets is me te veel.' Ze gooide haar hoofd achterover en lachte uitdagend.

'Ach, barst!' Chris had er opeens helemaal genoeg van. Wat een gezeur! Ze moest bij hem weg. Hij opende zijn portier en stapte uit de auto. In een paar passen was hij bij haar portier. 'En nou eruit!' riep hij, terwijl hij haar bij haar arm greep. Een paar omstanders keken verbaasd toe.

'Nee, je mag me hier niet achterlaten,' begon ze opeens te huilen.

Mensen bleven staan en Chris voelde zich opgelaten. Waren er bekenden bij?

'Ik zal het nooit meer doen. Neem me mee naar huis, schat. Je weet dat ik lief voor je zal zijn.' Ze voerde het dramatische toneelstuk verder op. Gemompel om hem heen.

Chris zag in dat hij het anders moest aanpakken. Hij gooide de deur weer dicht en schoof achter het stuur. Zo snel mogelijk reed hij met haar weg.

Hij reed kriskras door de buurt. Waar moest hij heen? Hoe kon hij haar kwijtraken? Hij wierp steeds weer een blik naast zich. Bärbel werd stiller, maar de grijns die om haar volle lippen lag, was nog steeds eisend. Bij een druk kruispunt klampte ze zich opeens aan hem vast.

'Pas op, Bärbel!' Hij sloeg opzij. Hij greep het stuur stevig beet en sloeg af. Eindelijk werd ze rustiger. Hij zou haar naar huis brengen. Daar zou ze haar roes uit kunnen slapen. Maar toen hij weer opzij keek, zag hij dat ze slap naast hem in de stoel zat met haar ogen gesloten.

Was ze flauwgevallen? Waarom had ze dan ook zoveel pillen geslikt? Wat moest hij nu doen?

De paniek greep hem bij de keel en hij gaf gas. In volle vaart reed hij de stad uit. Weg van al die ogen die hem leken te achtervolgen.

* * *

In een noodvaart reed Chris naar huis. Panische gedachten schoten door zijn hoofd. Wat had hij gedaan? Had hij haar niet beter naar een dokter kunnen brengen? Hij zag het beeld weer voor zich zoals hij haar achtergelaten had. Volledig slap op het bankje, net iets van de weg af. Dronken of bedwelmd door zijn pillen. Of de combinatie?

Wat had hij anders moeten doen? Hij wilde niet bij haar aangetroffen worden. Hij wilde geen vragen beantwoorden. De angst had hem stevig in de greep.

Thuisgekomen rende hij het huis in, rechtstreeks naar de telefoon. Ronald bellen, was het enige wat hem te binnen schoot. Die zou hem wel helpen. Pien mocht niets weten.

Hij was bang. Niet alleen voor Bärbel, maar ook voor een afwijzing van zijn vriend. Hij had hem eerder om hulp gevraagd en dat had slecht uitgepakt. Hij wist echter niemand anders en zag geen andere uitweg. Hij kon zelf niet terug naar die vreselijke plek.

'Ronald, ik zit diep in de shit.' Chris voelde zijn hart bonken. Er klonk een vloek aan de andere kant van de lijn nadat hij het verhaal had verteld. Chris wachtte af terwijl hij een paar zweetdruppels over zijn rug voelde lopen. Hij voelde zich volledig wanhopig.

'Alleen maar dronken?'

'Nee, ze heeft ook mijn pillen geslikt. Ik heb het gezien. Ik kon haar niet tegenhouden. En ze was ladderzat.' Hij woelde vertwijfeld door zijn haren. Zijn ademhaling zat boven in zijn keel, schrapend en beklemmend.

'Dan had je haar niet alleen moeten laten. Als er wat met haar gebeurt, ben je de lul.'

Op dat moment kwam Pien binnen. Ze had de gieter bij zich en begon de planten water te geven. Even keek ze hem vragend aan. Hij gebaarde dat alles in orde was en liep met de telefoon naar de andere kant van de kamer.

'Ik kon niet anders. Ze maakte me helemaal gek,' zei hij zacht. 'Eerst tegenover al die omstanders. En daarna bleef ze zeiken in de auto, over het centrum, een toekomst samen. En opeens zakte ze opzij. Ik wist niet wat ik moest doen. Ik heb haar op een bankje neergelegd. Het is bij dat natuurgebied.' Hij zag dat Pien binnen gehoorsafstand kwam. 'Je moet me helpen,' fluisterde Chris terwijl hij zich van haar af draaide.

'Shit, man. Wat wil je van me? De vorige keer was dat helpen ook geen succes.'

'Ik was in paniek. Ik ben weggereden, maar later besefte ik dat...' Hij slikte de rest in. 'Stel dat ze nog steeds bewusteloos is? Of nog erger, stel dat ze...'

'Dood is?' vulde Ronald aan. 'Dat loopt niet zo'n vaart. Ze is jong en sterk, die kan wel tegen een stootje. Laat haar maar rustig haar roes uitslapen.'

'Maar alcohol samen met mijn pillen...'

De ene krachtterm na de andere klonk uit de telefoon. Chris keek naar Pien, die wat dorre blaadjes weghaalde. Hij hield de hoorn strak tegen zijn oor. Hij trilde van de spanning en wist dat hij gigantisch in de problemen zat. Die meid was totaal geschift. Stel dat ze met haar zatte kop nog meer pillen had ingenomen. Hij had het niet gezien, maar het was wel mogelijk. Dat stond gelijk aan zelfmoord. Of moord als ze haar vonden en de politie erachter kwam dat hij ook dat soort pillen slikte.

'Waar is ze precies?' hoorde hij Ronald opeens zeggen.

Chris legde exact uit waar hij haar kon vinden.

'Ik kan er nu niet direct heen. Ik moet Tom ophalen van voetbal. Ik zal over een uurtje gaan kijken.'

'Over een uurtje? Maar misschien is het dan al te laat!'

'Ga dan zelf! Ik kan echt niet eerder. Doe rustig, neem een biertje. Ik ga erheen. Je hoort van me.'

De verbinding werd verbroken. Chris legde de hoorn neer. Pien gooide de bladeren in de vuilnisbak en zette de gieter weg.

Ze kwam glimlachend naar hem toe lopen. 'Wie was dat? Wat is er allemaal aan de hand?'

'Niets... Eh, nou ja, ik kwam een vriend van ons tegen. Hij voelde zich niet zo goed. Ik heb Ronald even gebeld. Hij zou er over een uurtje even langsgaan.'

'Een vriend?' Ze keek hem glimlachend aan. Het irriteerde hem. Hij wilde met rust gelaten worden. Hij moest nadenken. 'Oké, goed dat je Ronald gebeld hebt,' antwoordde Pien rustig. 'Ik moet namelijk even weg. Je hebt de auto dus niet meer nodig?'

'Auto? O, nee, neem maar mee.' Chris was alleen maar blij dat ze wegging. Hij moest de zaken op een rijtje zetten en een oplossing bedenken.

'Ik ben niet lang weg.' Pien liep met strakke passen de deur uit. Chris bleef vertwijfeld achter. Hij hoopte dat Ronald niet te laat zou komen. Dan zou hij pas echt goed in de shit zitten.

25

Vaag drong een geluid tot Bärbel door. Ze kreunde. Haar hoofd voelde zwaar.

'Chris? Ben je daar?' Ze probeerde haar hoofd op te tillen, maar alles begon te draaien. Lichtflitsen schoten heen en weer. Ze sloot haar ogen weer, haar oogleden waren veel te zwaar. Zoveel had ze toch niet gedronken?

Er werd een portier dichtgeslagen en voetstappen kwamen dichterbij.

'Chris?' Hij komt terug, dacht ze blij.

Ze lag stil en voelde de loomheid die haar spieren belemmerde. Ze had het geweten. Hij had er spijt van dat hij haar achtergelaten had. Ze ontspande en wachtte op zijn lippen die de hare zouden omsluiten.

Het geluid verstomde. Hij moest nu naast haar staan. Ze voelde zijn aanwezigheid. Ze tuitte haar lippen om hem tegemoet te komen. Vaag voelde ze de bank onder zich deinen. Of was het haar hoofd? Heerlijk om je zo te laten gaan. Alcohol verzachtte de pijn. Die zorgde voor trage bewegingen en grootse dromen. Die dempte het gevoel in haar hele lijf. Heerlijke loomheid. Of hadden de pillen deze zalige rust verzorgd? Ze zou het Chris vragen.

Op dat moment voelde ze twee handen onder haar oksels die haar ruw omhoogtrokken. Ze voelde haar lichaam als in een slowmotion omhooggaan. Haar hoofd knakte naar voren en haar kin viel opzij. Te zwaar.

'Hé, doe eens wat rustiger,' protesteerde ze. Maar ze merkte dat de woorden er moeizaam uit kwamen.

Ze opende haar ogen, maar zag alleen vage contouren met kleurige randen.

'Chris?'

Er kwam geen antwoord.

De persoon stond nu achter haar en trok haar van de bank af. Ze probeerde haar voeten op de grond te zetten, maar haar spieren weigerden dienst. Ze viel achterover en voelde hoe ze meegetrokken werd.

'Hé, nied-doen.'

Het drong langzaam tot haar door dat het misschien Chris niet was. Geen zachte zoen, maar een hardhandige behandeling.

Lichtflitsen knalden door haar hoofd terwijl ze de controle probeerde terug te krijgen. Ze gooide haar lichaam heen en weer, maar de belager had haar stevig in de tang. Ze werd weggesleept. Langzaam drong tot haar benevelde brein door dat ze dit niet wilde. Waar werd ze heen gebracht?

Ze sloeg haar ogen open en zag het onscherpe beeld van een auto. Daarna belemmerden takken haar zicht. Waarom werd ze niet naar die auto gebracht? De angst die nu doordrong gaf haar plotseling kracht en ze begon zich te verzetten. Ze kreeg het echter niet voor elkaar om zich los te maken. De krachtige armen lagen als klemmen om haar schouders. Onwrikbaar.

Eindelijk stopte de vernederende sleeppartij en ze zette haar hakken in het zand. Maar voordat ze zich op kon richten, kreeg ze een duw. Ze rolde om en voelde hoe ze in het water belandde. Haar knie stootte op een steen en ze kromp in elkaar van de pijn. Proestend stak ze haar hoofd boven het water uit en schudde haar haren opzij.

De plotselinge beweging zorgde voor een pijnlijke steek in

haar hoofd. De vochtige slierten hingen in haar gezicht. Vanuit een ooghoek zag ze iets bewegen en ze zette zich schrap. Maar ze was niet berekend op de pijn die volgde op de smerige trap in haar zij. Ze gilde het uit. Ze draaide om haar as en verdween onder water. Haar kin belandde hard op een boomstronk. Als een mes sneed de pijn naar binnen. Even was ze bedwelmd, maar het koude water zorgde ervoor dat ze snel bijkwam. Ze realiseerde zich dat ze terug moest vechten. Ze verkeerde in levensgevaar.

Met haar handen als klauwen voor zich uit gestrekt, zette ze af van de bodem en sprong blind naar voren. Ze schampte langs een been en kreeg een trap na. Weer die verlammende pijn. Ze snakte naar adem en steunde op haar handen om zichzelf boven het water uit te duwen. Ze moest hier weg. Ze begon te kruipen, weg van de pijn en weg van de aanvaller die het op haar leven gemunt had. Haar handen klauwden door de modder. De weerstand van het water was groter dan ze had gedacht en slechts langzaam verwijderde ze zich van de doodsbedreiging.

Net toen ze dacht dat ze met rust gelaten werd, kreeg ze een harde duw in haar rug. Haar lichaam klapte plat op de bodem. Haar hoofd onder water. Verdomme! Ze duwde zich omhoog om lucht te happen. Maar net toen haar gezicht bovenkwam, kreeg ze een nieuwe duw. Er kwam modder in haar mond en haar neus liep vol water.

Met alle kracht die ze in zich had, worstelde ze zich onder de krachtige handen uit. Lucht! Ze kwam proestend boven en spuugde de modderresten uit, terwijl ze pompend lucht in haar longen zoog. Weg moest ze! Ze voelde de zuigende modder onder haar handen. Vertwijfeld krabde ze door de blubber om houvast te vinden. Ze moest opstaan. De levensreddende lucht was bereikbaar.

Een lichaam belandde met kracht tegen het hare. Ze klapte opzij. Ze voelde het loden gewicht op zich, waartegen ze wanhopig begon te vechten. Ze kronkelde zich door de modder. Voelde het zand onder haar lichaam schuren. Ze kreeg geen tijd om te ademen. Lucht! Ze stikte. Ze sloeg wanhopig met haar armen en trapte met haar benen. Het had nauwelijks effect. Twee handen klauwden zich nu om haar hals en drukten haar luchtpijp dicht. Nee! Ze wilde leven! Lucht. De pijn klemde zich vast. Lichtflitsen schoten voor haar ogen langs. Ze opende haar mond om te gillen. Om lucht te vinden. Om haar te redden uit de klauwen van deze duivel. Verstikkende benauwdheid. Haar longen schreeuwden. In een laatste stuiptrekking kromp ze samen. Ze zette haar voeten op de bodem en duwde zich uit alle macht af. Haar lichaam trachtte te strekken. Maar het gewicht was te zwaar. Haar hoofd leek te barsten. Haar ogen puilden uit. Het enige wat ze nu nog voelde, was de verlammende kracht van haar moordenaar. Haar mond hapte nog naar lucht. Wanhopig pompte haar borst op en neer. Ze voelde zich wegzakken in de omringende duisternis. Haar pijn verzachtte en een donkere mist ving haar op toen ze zacht weggleed.

26

Chris keek naar het strakke silhouet van zijn vriend, die zijn snelle auto gecontroleerd door het verkeer stuurde. Volkomen rustig en volledig meester over zijn functioneren. Zijn eigen lichaam reageerde heel anders. Zijn vingers trilden en zijn maag kon al het zuur niet verwerken. De krampen waren pijnlijk, maar beter dan de radeloosheid in zijn hoofd.

'Ze was er niet meer?' Dom herhaalde hij Ronalds woorden voor de zoveelste keer. 'Hoe kan dat? Ze was diep in slaap. Ze móét daar nog liggen!'

'Je zult het zo zelf zien.'

Met slippende banden zette Ronald de auto neer. Chris rilde. Exact de plek waar hij zelf een paar uur geleden had gestaan, alsof Ronald zijn bandensporen wilde bedekken.

Het bankje stond iets naar achteren, afgeschermd van de weg door wat lage struiken.

'Ze is weg,' stamelde hij. 'Je hebt gelijk.'

'Dat had ik je al verteld,' bromde Ronald. 'Misschien is ze gewoon wakker geworden en naar huis gegaan. Maar we kunnen beter even rondkijken. Is dit de goede plek?' Ronald liep voor hem uit.

'Ja, hier op dit bankje. Denk je dat ze is gaan lopen? Hoe kan dat? Ze kon bijna niet op haar benen staan.' Chris voelde zich niet in staat om beslissingen te nemen en bouwde volledig op Ronald. 'Maar waar is ze dan? Moeten we haar gaan zoeken? We kunnen haar toch niet aan haar lot overlaten?'

'Laten we maar even de omgeving verkennen. Je weet het nooit.' Ronald begon te lopen. Chris volgde, angstig om zich heen kijkend. Het leek alsof Bärbel elk moment tevoorschijn kon springen om hem opnieuw lastig te vallen.

'Misschien is ze hier langsgekomen.' Ronald wees op een smal pad dat tussen wat wilgenbomen door liep. Er waren veel afgebroken takken, die als een mikadospel aan weerszijden van het pad neergegooid leken.

Chris knikte en volgde als een robot. Hoge populieren staken hun takken in de lucht. Als wanhopige vangarmen. Zou Bärbel zich hierdoor hebben laten lokken?

'Waar nu heen?' vroeg Ronald. Hij stopte en keek rond. 'We kunnen haar inderdaad niet aan haar lot overlaten. Je had haar beter naar huis kunnen brengen. Hopelijk zijn we niet te laat.'

'Denk je dat ze...'

'Ik hoop het niet voor je. Kom, we zoeken nog even verder, hoewel er natuurlijk een kans is dat ze een lift heeft gekregen.'

Chris besefte dat Ronald hem gerust probeerde te stellen. Maar daarvoor was wel wat meer nodig. Hij kreeg steeds meer in de gaten dat hij behoorlijk in de problemen zat. 'Ik had haar nooit alleen achter moeten laten. Stel dat haar iets is overkomen.' Zijn ogen zochten wanhopig de omgeving af. 'Ze was echt volkomen lam. En dan die pillen... We moeten verder zoeken zodat we zeker weten dat ze hier niet is achtergebleven.'

Ze liepen verder langs een waterpartij waar lage wilgenbosjes overheen hingen. Hun takken hingen treurig in het water. Ronald bleef staan en keek over het water uit. Iets verderop stonden een paar koniks. De paarden graasden van het korte gras dat langs het water stond. Hun donkere manen staken scherp af tegen hun lichtere vacht. Twee van hen snuffelden tussen wat takkenbossen.

'Wat is dat?' vroeg Ronald opeens.

Chris stopte abrupt.

'Moet je kijken.'

Chris zag een van de koppen omhoogkomen. Het dier keek met grote ogen in hun richting, de donkere neus was nat en zijn manen lagen in een prachtige middenscheiding over zijn voorhoofd. 'Die paarden?'

'Nee, daaronder, in het water.'

Chris keek beter en zijn hart sloeg over. 'Verdomme, Ronald.' Hij deed een paar passen achteruit, bleef hangen in wat takken en viel opzij.

Ronald bedacht zich geen moment. Hij stapte het water in en waadde naar de aangewezen plek. De paarden stoven verschrikt opzij en draafden weg. Chris zag zijn vriend struikelen en krabbelde zelf op. Hij moest hem helpen. Als dat Bärbel was...

Hij stapte nu ook het water in en voelde de stugge grasprieten die zijn voeten tegenhielden. Hoe dichter hij bij het lichaam kwam, hoe duidelijker het werd. Haast was niet nodig. Hij waadde de laatste meters naar Ronald toe. Ze waren te laat. Bärbel lag met haar gezicht naar beneden in het water. Blonde lokken dreven als waaiers om haar hoofd, deels verstrikt in de takken van de wilg, die haar op die manier leek vast te houden.

Chris voelde het bloed door zijn lichaam razen, de adrenaline door zijn lichaam verspreidend. Zijn mond was kurkdroog. Hij keek opzij en zag dat ook Ronald zijn zekere houding was kwijtgeraakt. Een zenuwtrekje had zich meester gemaakt van zijn mondhoek en vertrok zijn gezicht in een beweeglijke grijns.

'Ronald, wat moeten we doen?' Het was wel overduidelijk dat er voor Bärbel geen redding meer mogelijk was.

Ronald boog zich over haar lichaam en tilde haar op. Hij draaide haar om en legde haar op een paar graspollen. Het water gleed zacht over haar bleke gezicht. Plukken haar, waarin wat takjes hingen, bedekten haar open ogen.

Chris boog zich over haar heen en streek de plukken opzij.

De koude huid was afschuwelijk. 'Wat moeten we doen?' vroeg hij opnieuw.

'Laat me nadenken.'

Chris probeerde zijn gedachten te ordenen. Bärbel was dood. Het deed hem pijn, maar gaf ook een opluchting die hij liever niet wilde voelen. Hij wist dat hij in de problemen zou kunnen komen als Bärbel gevonden werd. Waarom had ze zo moeilijk gedaan? Ze was ook zo verdomd aantrekkelijk. Hij was ook maar een man van vlees en bloed. Niet bestand tegen haar verleidingstechnieken. En nu was ze dood. En hij zat diep in de shit!

'We moeten haar begraven,' zei Ronald. Zijn stem klonk star en laag. 'We moeten haar verbergen.' Het spiertje bij zijn mondhoek was nog steeds actief.

Er begon iets van hoop te gloeien bij Chris. Natuurlijk, dat moesten ze doen.

'Maar als ze gevonden wordt zijn we de pineut,' hoorde hij zijn vriend eraan toevoegen.

'Dan moeten we ervoor zorgen dat ze niet gevonden wordt. We kunnen alleen maar hopen dat de natuur haar werk doet. Dit is een ideale plek. Ze laten de natuur hier haar gang gaan. Er is nauwelijks onderhoud. Misschien wordt ze wel nooit gevonden.' De hoop trilde. Altijd blijven hopen, nooit de moed opgeven, hoorde hij de stem van Pien in zijn achterhoofd.

27

'Kom, Chris. We hebben een borrel nodig.' Ronald stapte uit zijn auto. Ze waren langs Ronalds huis gegaan om schone kleren aan te trekken. Edith en Tom waren bij het voetballen blijven hangen, had Ronald uitgelegd. Eindelijk iets wat meezat.

Chris voelde zich ellendig. Alsof hij zich de vorige avond lam gezopen had. Was het maar zo. De echte oorzaak was zo anders. Als een wankel wrak sjokte hij achter Ronald aan, het Groesbeekse café in.

Ze hadden Bärbel in de modder begraven, half onder water, verzwaard met keien. Het graf bedekt met half verrotte takken. Met een beetje mazzel zou het lang duren voor ze gevonden werd. De tijd zou de sporen uitwissen. Hopelijk.

'Even de zinnen verzetten. Jij ook een Palmpje?'

Chris knikte. Hij was blij dat hij niet alleen was. De geluiden van het café hielpen hem de afschuwelijke gebeurtenis wat weg te drukken. Hij zag steeds de witte huid voor zich, zoals die steeds verder verdween onder de donkere grond.

'Kom op, Chris. Je ziet eruit als een doodgraver.' De lach klonk gemaakt.

'Niet leuk,' mompelde Chris.

'Als je zo thuiskomt, weet je zeker dat er vragen komen. Raap jezelf bij elkaar. Doe alsof er niets gebeurd is. Heel belangrijk. Zelfs tegenover Pien.'

'Ze zal toch wel vragen waarom ik jouw kleren aanheb.'

'Dan moet je haar voor zijn en je thuis meteen verkleden. Denk na, Chris. Wees alle vragen voor.'

'Je hebt gelijk, maar het blijft mijn verstand volledig belemmeren.' Hij nam een slok bier. Koud en pittig. 'Ah, dat is lekker.'

Ze dronken zwijgend het ene biertje na het andere. Het beeld van Bärbel vervaagde. Ze kletsten over hun zonen. Gewoon om hun gedachten op andere zaken te richten. De tijd laten verstrijken.

'Ik wil je al een tijdje wat vragen,' zei Ronald opeens. 'Gewoon een kleine dienst.'

'Zeg het maar,' zei Chris. Hij had het gevoel alsof Ronald en hij nu vrienden voor het leven waren. Ze deelden een geheim. Hun wederzijdse afhankelijkheid was zwaarder geworden. Als een van hen ging kletsen, was hun beider leven getekend. Ze waren tot elkaar veroordeeld.

'Je kent Maud. Die traint nu al een tijdje bij jullie in het centrum.'

'Hmm.' Chris nam nog een slok.

'Is er misschien wat te regelen dat ze ook financieel een beetje gesteund wordt door jullie?'

Chris zuchtte. Ronald bleef zelfs in deze situatie met zijn werk bezig. Misschien wel de enige methode om te overleven. 'Echte sponsoring, bedoel je? Ik kan het eens overleggen met Pien.' Hij kon nog geen beslissingen nemen en hield zich dus op de vlakte. Het centrum leek zo ver weg.

'Maud heeft het financieel moeilijk. Maar ze is echt een belofte op de sprint. Als die er goed tegenaan gaat, kan ze heel groot worden.'

'Mogen ze op de Olympische Spelen met sponsornamen lopen?' Chris merkte dat hij zich begon te ontspannen. Denken over andere zaken hielp inderdaad.

'Nee, dat niet, maar ze hebben wel geld nodig. Ze moeten zich volledig op de trainingen kunnen richten. Stel dat ze daar lekker presteert, dan is jullie naam bij volgende wedstrijden natuurlijk mooi in het nieuws. Zo kunnen wij elkaar als vrienden steunen.'

Chris voelde zich meegesleept in de gedachten van Ronald. Toch merkte hij dat hij zich enigszins onder druk gezet voelde. Zijn eerdere gedachten kwamen terug. Tot elkaar veroordeeld. Levenslange afhankelijkheid. Dus hij knikte. 'Ik denk dat we dat wel kunnen doen. Elkaar helpen. Wij kunnen ook wel wat extra reclame voor ons centrum gebruiken.'

'Dat is echt top van je, maat!' Ronalds gezicht leefde op.

Chris bleef serieus. 'Ik sta behoorlijk bij je in het krijt, dus ik ben blij dat ik wat kan terugdoen.'

'Zo moet je het niet zien. Je hoeft mij niet te betalen. Dit is van een andere orde.' Ronald leegde zijn glas in een grote teug. Hij stak weer twee vingers op. De barman knikte.

Chris hoopte dat Pien er geen probleem van zou maken dat hij iets aangeschoten zou zijn. Het hielp hem de herinneringen aan Bärbel te verdringen. 'Hoe lang zou het duren?'

'Die sponsoring?'

'Nee, voordat ze haar gevonden hebben.'

28

Voor de zesde keer schudde Fenna de kussens op en opnieuw verschoof ze de witleren stoel een paar centimeter. Eindelijk zou ze kennismaken met Henk. Tara had haar de hele middag gepest met haar bedrijvigheid, gesteund door haar broer Mike, die het weekend ook thuis was. Mike was bijna eenentwintig jaar, studeerde biologie in Wageningen en bleef daar meestal ook in de weekenden. Stappen bij Unitas, een swingende jongerenvereniging, waar hij als vrijwilliger de handen uit de mouwen stak.

Fenna genoot ervan als ze alle drie haar kinderen om zich heen had. Maar Toine, haar oudste zoon, had sinds een tijdje een vaste vriendin die al zijn aandacht opeiste. Ze begreep het wel, moederliefde was gebouwd op loslaten.

Op dat moment klonk het vrolijke deuntje van de bel. Fenna liep naar de hal en wierp een snelle blik in de spiegel. Rode koontjes in een verder bleek gezicht, jachtige ogen achter de ronde brillenglazen. Ze voelde de zenuwen overal in haar lichaam.

'Ha, mam. Kom binnen,' zei ze overdreven vrolijk. Achter haar stond een iets gebogen man met golvend grijs haar. Vreemd om iemand anders naast haar moeder te zien. Alsof haar vader vervangen was. Direct drong ze de nare gedachte weg.

'Dag Fenna. Ik ben Henk. Wat leuk dat je ons uitgenodigd hebt.'

Ons, kon ze alleen maar denken. Maar ze glimlachte dapper en ging hun voor naar de kamer.

Haar moeder drukte drie vochtige zoenen op haar wangen. 'Kijk niet zo bezorgd,' fluisterde ze Fenna toe. 'Hij is echt aardig, hoor.'

'Ik heb buiten gedekt, maar misschien willen jullie eerst wat drinken?'

'Lekker buiten eten,' zei Henk enthousiast. Hij had een zware stem, die niet leek te passen bij zijn iele lijf. 'Heb je rode wijn open?'

Fenna liep bedrijvig rond in de keuken. Tussendoor waarschuwde ze haar kinderen. 'Jongens, oma Els is er... met Henk.' De naam klonk onwennig.

'We komen zo. Even dit spel afmaken,' zei Tara, haar ogen gericht op het televisiescherm.

Fenna bracht het drinken naar het terras, waar Henk haar uitzicht bewonderde. 'Je hebt hier een heerlijk stekkie, Fenna. Kun je hier ook zwemmen?'

Maar voordat Fenna kon antwoorden, kwam Mike het terras op lopen. 'O ja, vroeger was het een gewoonte dat we na de barbecue naakt het water in doken. Hè, mam?'

Waarom kwamen kinderen altijd op ongewenste momenten met dit soort opmerkingen, vroeg Fenna zich lichtelijk geërgerd af. 'Pakken jullie zelf wat te drinken?' gaf ze subtiel aan.

'Dag, ik ben Mike,' stelde hij zich eerst aan Henk voor.

'Gaan we barbecuen?' reageerde Henk direct. 'En daarna zwemmen?'

Fenna keek hem verward aan. Zijn bruine ogen fonkelden ondeugend in de richting van haar moeder. Het deed Fenna meer goed dan ze gedacht had.

'Nee,' antwoordde ze toen lachend. 'We eten vis.'

'Vis moet ook zwemmen,' zei hij met een knipoog.

* * *

'Hoe vind je Henk?' vroeg haar moeder toen ze na het eten met z'n tweeën waren achtergebleven op het terras. Henk had een zwembroek van Toine gekregen en hij was inderdaad samen met Mike en Tara het water in gesprongen. Ze hadden een bal, waarmee ze zich als een stel jonge kinderen vermaakten.

'Leuke vent. Het klikt prima met de kinderen.'

'Het is zo'n alleraardigste man. Hij is gezellig, galant en, zoals je ziet, veel vitaler dan ik.'

Fenna zag de blik waarmee haar moeder naar het spelende drietal keek. Geen matte lege ogen die moe leken van het leven. Ze moest blij zijn voor haar moeder. Was het zo moeilijk om te accepteren dat er nu echt afscheid van haar vader genomen was?

'Fenna, ik vergeet Krijn heus niet,' bracht haar moeder haar angst onder woorden. 'Die zal altijd een deel van me blijven. Maar ik geniet van de gezelligheid die Henk meebrengt.'

'Je hebt gelijk, mam,' gaf Fenna toe. 'Het valt me op hoe fit hij is. Onvoorstelbaar.'

'Ja, hij schijnt een geheim wapen te hebben. Komende maandag neemt hij me mee op een verrassingsuitje. Dan zal hij me laten zien wat dat is. Ik ben erg benieuwd.'

'Een geheim wapen, toe maar. Fijn dat het zo goed met je gaat.' Ze merkte dat er tranen in haar ogen verschenen.

'Ja, meisje, de tijd staat niet stil.' Haar moeder legde een hand op Fenna's knie. 'We moeten door. En dan kunnen we het maar beter zo gezellig mogelijk maken.'

29

De ringtone van haar mobiel klonk luid door de kleine kamer. Maud duwde zich omhoog uit de kussens van haar bed en keek op de display.

'Ha, Luus. Hoe is het?'

'Prima.' Haar stem klonk enigszins vervormd door de telefoon. 'Ik kreeg een mailtje van die journaliste. Je weet wel, die vrouw van *Ogen-blik*. Ze wilde weten wanneer we naar China vertrekken en in welke plaats we zitten.'

'Ja, die heb ik ook gehad. Ik heb gewoon niet geantwoord. Ik heb totaal geen behoefte aan nieuwsgierige journalisten.'

'Dan zitten we weer op één lijn. Ik wil even ongedwongen trainen voor we ons in de heksenketel van het olympisch dorp storten.'

'Ja, daar krijgen we nog genoeg met de media te maken, ben ik bang.'

Ze hoorde Lucindes lach aan de andere kant. 'Ik hoorde dat jouw anti-agingcentrum je gaat sponsoren?'

'Ja, dat is wel een opluchting. Geeft me wat financiële ruimte. En zij zijn er ook heel tevreden over. Ronald heeft afgesproken dat ik een clinic ga verzorgen, maar dat hoeft pas na China.' Maud verschikte het kussen in haar rug.

'Lachen, man. Een les over topsport voor die oude mensen.'

'Ben je al klaar voor China?' vroeg Maud.

'Ja, ik heb er zin in. Mijn koffer is gepakt.'

'De mijne ook. Vanaf nu verstand op nul en blik op de sport. Ik ga zo meteen nog even de duinen in.'

'Even bikkelen?'

'Ja, lekker. Ik zie je morgen op Schiphol!' Maud drukte het contact weg. Ze staarde voor zich uit.

Langzaam kwam haar oude stabiliteit terug. Ze dacht aan Don. Nu ze in haar oude tienerkamer lag in haar moeders huis, vroeg ze zich af hoe het met hem was. Zou hij al gehoord hebben dat ze mee mocht doen met de Olympische Spelen? Zou hij trots op haar zijn? Durf te leven, dat zei hij altijd. Sommige dingen zijn het risico waard. Ze keek naar haar tas, die al klaarstond voor China. Daar moest het gebeuren. Ze pakte de toilettas en het doosje met de buisjes. Het versterkende vocht. Daarnaast het pakje met de injectienaalden om het toe te kunnen dienen. De beslissing was genomen. Nu begon de strijd om de winst.

30

Het was altijd gezellig als ze op bezoek kwam. Fenna bekeek haar moeder, die tegenover haar in de luie stoel zat. Haar zwarte bloesje stak net zo hard af tegen de witleren bekleding als tegen haar bleke huid, maar op haar gerimpelde wangen lagen blosjes.

'Het was een fantastische dag,' zei haar moeder. 'We hebben er echt een dagje uit van gemaakt.'

'Waar zit dat geheime wapen van Henk eigenlijk?' Fenna zakte eens lekker onderuit.

'In Kleef.'

'Een Duits geheim wapen?'

De lach van haar moeder was hartverwarmend. Fenna genoot ervan te merken dat haar moeder weer leefde. De gedeprimeerde stemming was volledig verdrongen en ingenomen door een hernieuwde levenslust.

'We zijn bij een centrum net over de Duitse grens geweest. Het Holland Anti-aging Centrum,' zei haar moeder plechtig.

'Een Hollands centrum in Duitsland. Meesterlijk bedacht. Wat hebben jullie daar gedaan?'

'We vielen met onze neus in de boter. Het was *Detoxmontag*. Op maandag is er een speciale sessie waarbij je je lichaam kunt ontgiften van alle slechte dingen die je in het weekend gegeten hebt.' Ze nam een slok van de koffie.

'Nou, zo slecht hebben jullie hier toch niet gegeten? Vis is heel gezond.'

'Vis, rode wijn, amandelen. Allemaal gezond. En zelfs die eeuwige chocola van je. De eigenaresse heeft een compleet dieet uitgedokterd dat je gezond oud laat worden.'

'Ha, chocola, ik wist het. Mijn lichaam reageert er ook heel gezond op,' zei Fenna tevreden.

'Maar met mate.' Haar moeder hief een kromme wijsvinger ter waarschuwing op.

'Ja, mam,' reageerde Fenna te gehoorzaam.

Op dat moment hoorde Fenna de sleutel in de voordeur. Tara kwam binnen. Haar gezicht begon te stralen toen ze haar oma zag. 'Ha, oma Els, leuk dat u er bent.'

'Ha, meisje, geef me eerst eens een knuffel.' Moeizaam kwam ze uit haar stoel omhoog en knuffelde haar kleindochter. Tara liep daarna naar de keuken om wat te drinken in te schenken.

'Het is echt een prachtig centrum,' ging haar moeder verder met haar verhaal. 'De eigenaresse is Nederlandse. Ik heb heel gezellig met haar zitten kletsen. We hadden het over de pubers van tegenwoordig.'

Fenna keek naar haar dochter, die over het aanrecht naar buiten staarde.

'Ze heeft een zoon van Tara's leeftijd. Die twee hebben ontzettend veel overeenkomsten. Dezelfde bezigheden en interesses, terwijl hun toekomst zo verschillend is. Die jongen heeft veel beperkingen. Hij is ziek, een erfelijke afwijking. Niemand kan er iets aan doen. Hij zal niet oud worden. Zijn moeder vecht voor hem. Ze doet alles wat in haar macht ligt om hem te helpen en om zijn leven zo leuk mogelijk te maken.'

Tara kwam de kamer in en ging bij haar oma op de leuning zitten. 'Wat heeft die jongen?'

'Michael zit in een rolstoel. Maar dat is nauwelijks een probleem. Hij redt zich, en dat is voldoende. Verder doet hij precies de dingen die jij ook doet. Ik vond dat zo opvallend. Hij zit op school, spreekt met vrienden af, gaat naar feestjes en zit ook veel op msn. Ik herkende zoveel in de verhalen van zijn moeder. Het lijkt alsof hij exact dezelfde mogelijkheden heeft als jij. Alleen kost het iets meer moeite.' Ze legde haar hand even op Tara's knie. 'Ik heb zijn msn-adres gekregen. Misschien vind je het leuk om eens met hem te chatten.'

'Bent u aan het koppelen?' vroeg Tara op plagerige toon.

'Nee, hoor, maar ik begreep altijd van jou dat internet juist belangrijk is omdat je dan veel internationale contacten krijgt. Ach, ik dacht daar op mijn ouderwetse manier een steentje aan bij te dragen. Hier, kijk maar wat je doet.' Ze pakte haar tasje en diepte er een briefje uit op.

'Komt hij niet uit Nederland?'

'Hij woont in Duitsland, maar spreekt Nederlands.'

'O, gelukkig,' zuchtte Tara.

'Tara is allergisch voor Duitse woordjes,' legde Fenna lachend uit.

'Duits, afschuwelijk. Stompzinnig woordjes stampen. En mijn leraar is helemaal erg. Ik zal deze eh...' Tara keek op het briefje. '... Michael wel even contacten. Misschien kan hij me helpen als ik dat Duitse werkstuk moet maken.' Tara trok een gezicht en ging naar haar kamer.

'Haar gedachten draaien alleen maar om haar eigen leventje,' zuchtte Fenna.

'Gaat vanzelf over. En wie weet leert ze nog wat van de instelling van Michael. Ik was echt onder de indruk van de mensen in dat centrum. Ze laten je nadenken over het leven en de veroudering, zonder direct dure crèmes te willen verkopen. Ze geven vooral ondersteuning.'

'Ik kan me er iets bij voorstellen, mam.'

Fenna stond op en schonk nieuwe koffie in.

'Henk is daar al jaren kind aan huis. Ik had het gevoel alsof ik aan zijn familie werd voorgesteld. We zullen er dan ook vaak heen gaan,' vervolgde haar moeder toen Fenna weer binnen gehoorsafstand was. 'Hij is er zo enthousiast over. Het dieet en dan binnenkort een totalbodyscan.'

'Een wat?' Fenna zette de kopjes neer.

'Henk heeft ons al opgegeven. In Duitsland kun je een preventieve MRI-scan laten maken, als een soort check-up van je lichaam.'

'Is dat niet alleen als je een medische indicatie hebt?'

'Ja, in Nederland wel. Maar in Duitsland schijnen ze niet zo moeilijk te doen. We krijgen eerst een speciale anti-agingbehandeling in het centrum en de dag erna laten we de scan maken.' De gerimpelde oogjes van haar moeder twinkelden.

Fenna bekeek het met gemengde gevoelens. De gedreven manier waarmee Henk de veroudering te lijf ging, vond ze een beetje te veel van het goede. Gelukkig was haar moeder gezegend met een gezond verstand en enige medische achtergrondkennis door haar jarenlange huwelijk met een arts.

'Wanneer vertrek je naar China?'

'Eind van de week. O, dat wilde ik je nog vragen. Wat zou je ervan vinden om in die tijd hier op de boot te wonen?'

'Toezicht houden op Tara? Of juist andersom.'

Fenna schoot in de lach. Haar hield je niet voor de gek. 'Meer voor mijn gemoedsrust. En voor jullie allebei gezelliger.'

'Ik vind het goed, hoor, kind. Ik krijg altijd een vakantiegevoel hier op de boot. Het is zo'n heerlijk plekje. Maar nu moet ik weg, want Henk staat zo voor mijn deur.'

'Ik zal je naar huis brengen.'

Fenna keek hoe haar moeder zich met enige moeite uit de leren fauteuil hees. Anti-aging of niet, de tijd kon je toch echt niet tegenhouden.

31

Het lawaai van de straat drong door in haar hotelkamer. Maud lag op bed, rekte zich uit en voelde hoe de energie begon te stromen. Ze was in China. Hier had ze zo lang van gedroomd, zo hard voor getraind. De Olympische Spelen.

De vermoeidheid van de reis zat echter nog in haar spieren. De urenlange vliegreis via Beijing naar Chengdu was slopend. Ze was blij dat ze haar compressiesokken gedragen had, anders waren haar voeten enorm opgezet geweest. En dat kon ze natuurlijk niet hebben. Toch voelde ze zich stijf en moe en haar kuiten waren strammer dan anders. Nu was het zaak om snel te wennen aan de nieuwe tijdzone, het klimaat en vooral het land. Fijn dat ze de eerste tijd in Chengdu zaten. De stad in het midden van China was net wat kleiner dan Beijing, met toch de goede trainingsvoorzieningen, waardoor ze in alle rust konden acclimatiseren.

Ze keek op haar horloge en zag dat ze nog een uurtje had voordat ze met Lucinde naar het stadion zou gaan. Ze liet zich van het kingsize bed af glijden en liep naar de badkamer. Het zag er allemaal prima uit. Een stapel handdoeken alleen voor haar. Zeepjes, shampoo, een naaisetje en een kammetje. Allemaal met onbegrijpelijke tekens. Ze draaide de kraan open en friste zich op.

Voordat ze zich in haar sportkleding stak, pakte ze haar toilettas. Alleen al het gevoel dat ze het niet alleen hoefde te doen maakte haar sterker. Het was verbazingwekkend wat voor effect de kleine injecties al hadden gehad. Het was alsof haar spiermassa nu al was toegenomen.

Ze pakte een klein glazen buisje en een injectienaald. Ze vulde de spuit met het voorgeschreven volume. Ze moest zich aan de regels van het spel houden, ook al was het spel niet eerlijk meer. Het belangrijkste was dat niemand erachter zou komen. Alles ontkennen, altijd, had ze zich voorgenomen. Je bent schoon zolang je niet betrapt bent, zo werkt het in de sportwereld. Als het inderdaad klopte wat haar was verteld, kon gendoping niet gedetecteerd worden. Bij de controles liep ze dus geen risico. Als het goed was.

Nadat ze haar kuiten en haar bovenbeenspieren op de haar geleerde manier behandeld had, streek ze met haar hand over haar huid. Dat was het enige risico. De injectiesporen waren nu nog duidelijk zichtbaar. Stom van haar om net voordat ze ging trainen het middel te injecteren. Daar moest ze de volgende keer aan denken.

Ze schoot een lange trainingsbroek aan en haastte zich de kamer uit.

* * *

'Ni hao,' begroette Lucinde haar in de lobby.

Maud plofte naast haar op de rode fluwelen bank. 'Je voelt je al aardig thuis, merk ik.'

'Nou, veel verder kom ik niet, ben ik bang. Ik heb net even een mail naar huis gestuurd om te melden dat we goed zijn aangekomen. Weet je wie ook hier in Chengdu is?'

Maud zag de ondeugende twinkeling in de groene ogen.

'Als het goed is, de Engelse atletiekgroep. Nog meer?'

Lucinde zei niets, maar bleef haar afwachtend aankijken.

Op dat moment drong het tot Maud door. 'Echt? Hoe weet je dat?'

'Ja, de atletiekgroep uit Roemenië.'

Maud voelde een blos over haar gezicht trekken. Natuurlijk had ze aan hem gedacht. Andrei, de hoogblonde atletische god. Er was al jaren een speciaal contact tussen haar en de Roemeense kogelstoter. Beperkt rond internationale wedstrijden. Andrei wist van Don. En ze was al die tijd dankbaar geweest dat hij geen toenadering had gezocht. Volledig respect voor haar keuze voor Don. En dus geen enkel contact tussendoor.

Lucinde schoot in de lach. 'Ik dacht wel dat je er blij mee zou zijn. Het maakt de training een stuk leuker. Ik kijk er ook naar uit om iedereen weer te zien. Het is een tijd geleden.'

'Ja, bijna een jaar. Het WK in Osaka, om precies te zijn.'

'Weet Andrei dat je Don niet meer hebt?'

'Nee.'

'Ik zal jou nooit begrijpen. Zo'n heerlijke krachtpatser laat je toch niet lopen?'

'Ik had Don.'

'Ja, maar nu niet meer.'

'Misschien heeft hij...'

'Of misschien wel niet. Hij wacht al jaren op jou,' riep Lucinde uit. 'Kom, laten we maar gauw gaan.' Ze sprong op van de bank en liep naar de uitgang.

* * *

Even voelde Maud zich overdonderd. Ze stonden voor een vierbaansweg, in het midden gescheiden door een hoge richel. Auto's reden met hoge snelheid langs. Bussen braakten zwarte rook uit hun dieselmotoren, en elektrische scootertjes tuften milieuvriendelijk over de fietspaden. Chengdu lag in al zijn glorie voor haar.

'Kom, we steken daar over,' wees Lucinde.

Maud keek naar het kruispunt met zwaar overhangende stoplichten. Op de vier hoeken stonden kleurige parasols. Eronder stonden jonge vrouwen met een oranje hesje en dito pet fanatiek op een fluitje te blazen. Een brede rij fietsers stond te wachten op het groene licht. Een scooter drong handig tussen de rij fietsers door, zigzagde verder, hopend op een vrije doorgang. Niemand lette op de verkeersregelaars. Ondanks de felle gebaren, het gezwaai met het rode vlaggetje, de schrille fluittoon en de Chinese kreten. Nutteloos werk dat toch gedaan moest worden. Zelfs geen frustratie op de strakke gezichten. Ze gingen onverminderd door met het uitvoeren van hun zinloze taak.

Maud was volledig in beslag genomen door al het gekrioel en wilde keurig wachten tot het mannetje op het stoplicht groen zou worden.

'Kom,' zei Lucinde, 'we pakken daar een taxi.' Ze volgde een paar Chinezen die gewoon aan de oversteek begonnen, het rode stoplicht negerend.

Maud aarzelde, hoorde het indringende gefluit naast zich, maar liep toen als een haas achter Lucinde aan. Hoewel de auto's met een rotgang op hen afkwamen, liep Lucinde onverstoorbaar door, achter de Chinezen aan. Maud voelde het zweet over haar rug lopen. Midden op de weg bleven ze staan. Lucinde keek op het plattegrondje dat ze bij de balie hadden gekregen en gaf een visitekaartje aan Maud. 'Hier, dan komen we tenminste altijd weer bij het hotel terug.'

Maud keek op het kaartje. Een kleurig plaatje van het hotel was omringd door Chinese tekens. Geen touw aan vast te knopen.

Op dat moment werd het voetgangerslicht groen en het afgebeelde mannetje zette een sprint in. Niet gewoon een stilstaande afbeelding, maar een heftig bewegend poppetje. Maud keek met open mond naar het voetgangerslicht. Was dat een hint? Rennen voor je leven in deze drukke stad? Daarna volgde ze het voorbeeld en liep in hoog tempo naar de overkant, haar ogen naar beide richtingen flitsend.

'Mens, ik zweet me kapot,' zuchtte Maud toen ze veilig de overkant bereikt had.

'Waarom heb je dan ook een lange broek aangetrokken. Niet slim met dit warme weer.'

Maud aarzelde. 'Ik moet nog wennen aan het klimaat.'

'Je mag straks wel een sportbroekje van mij lenen. Ik heb nog een reserve bij me.' Lucinde stak haar arm op. Direct stopte er een taxi. De chauffeur vuurde onbegrijpelijke vragen op hen af. Lucinde liet de plattegrond zien, wees het stadion aan en de man knikte. Ze stapten achter in. De leren bank was gescheurd, maar wat nog meer opviel was het versierde traliewerk rondom de chauffeur.

'Lekker veilig,' grinnikte Lucinde.

De taxi reed de weg op, begeleid door getoeter. Een metalen vrouwenstem heette hen in het Engels van harte welkom in de taxi van Chengdu.

* * *

Rusten was in deze periode net zo belangrijk als trainen. Zeker als je net naar het andere eind van de wereld was gereisd. Maud lag languit op bed, maar de slaap wilde niet komen. Haar spieren voelden zwaar en haar hoofd licht. Zou de andere tijdzone haar parten spelen? Of was vooral de verziekte atmosfeer de oorzaak? De luchtvervuiling in de grote steden van China was verschrikkelijk. En dat terwijl dit nog maar een middelgrote stad was van slechts dertien miljoen inwoners. Hoe moest dat dan straks in Beijing zijn? Iedereen wist dat de hoofdstad erg vervuild was, hoewel de Chinezen het laatste jaar hard gewerkt hadden om dit vooroordeel kwijt te raken. Maar nog steeds stond een dag in het verkeer van Beijing gelijk aan het roken van twee pakjes sigaretten.

Op het moment dat ze Chengdu binnen waren gereden was de smog haar al opgevallen. Gebouwen omhuld met een waas van verontreiniging. Langs de drukke kruispunten stonden openbare fitnessapparaten opgesteld voor de dagelijkse workout. Sporten in de dieselwalm. Het was zo anders dan de schone zeelucht die ze uit Noordwijk kende. Heldere zilte lucht die haar bloed met zuurstof vulde, nodig om haar spieren optimaal te kunnen laten werken.

Ze dacht aan de harde woorden van de voorzitter van het IOC, Jacques Rogge, dat bepaalde wedstrijden misschien zelfs uitgesteld moesten worden. Onmogelijk om nieuwe records te breken in dergelijk slechte luchtomstandigheden.

Ze stond op en liep stijf naar de badkamer. Daar bekeek ze minutieus haar benen. Gelukkig waren de injectiesporen niet opvallend meer. Een nachtje slapen en ze waren onzichtbaar.

Zou het misschien door de injecties komen dat haar spieren zo zwaar voelden? Dat kon natuurlijk ook. Haar lichaam vormde extra eiwit en dus nieuw spierweefsel door het middel dat ze rechtstreeks in haar spieren spoot. Dat kostte energie.

Ze opende haar toilettas om te zien hoeveel buisjes ze nog had. Nog acht van die fantastische capsules. Ze dacht terug aan het moment dat het haar was aangeboden. 'Het is een genetisch middel dat je spiermassa vergroot. Bij ratten verdubbelde het zelfs de spierkracht. En allemaal lichaamseigen weefsel, dus niet aan te tonen.' Het was alsof ze de wervende tekst elke keer weer hoorde. Niet detecteerbaar, dat was voor haar het belangrijkste. Ze had de verleiding niet meer kunnen weerstaan en met enige aarzeling toegestemd. Ze had vertrouwen gehad dat het goed zat. Een overgave aan het onbekende. Don zou trots op haar geweest zijn, dat wist ze zeker. Ze zocht nog steeds zijn goedkeuring. Eindelijk loskomen van de extreme controle. Risico durven nemen in het leven, dan kwam je verder. Het was alsof ze hem in haar oor hoorde fluisteren. 'Durf te leven, Maud. Beheersing is macht, maar risico kan vrijheid geven.' Had hij gelijk?

Nu ze in China was, kneep ze 'm. Was het inderdaad niet aantoonbaar? Of had ze zich ingelaten met iemand die haar gouden bergen beloofde? Had Kim zich ook laten verleiden door dit soort beloften? Ging ze het lot van Kim achterna? Er was haar verzekerd dat Kim dit middel niet had gebruikt. Geen valse beloften. Ze moest afwachten. Als het toch aantoonbaar zou blijken, was ze nu al de lul. Ze kon er alleen maar dieper in duiken. Een terugweg was er niet.

Nog acht buisjes. Die had ze misschien niet eens nodig. Ze legde de steriel verpakte injectienaalden op haar nachtkastje. Hygiëne was belangrijk. Elke keer een nieuwe naald. Ze had er voldoende.

Ze schrok toen er op de deur geklopt werd.

'Wie is daar?' riep ze terwijl ze de verdachte spullen razendsnel bij elkaar graaide.

'Lucinde. Kom op, doe eens open!'

'Ik kom eraan.' Maud greep haar toilettas en ritste hem dicht. Ze wierp hem in haar koffer en liep naar de deur. Snel liet ze haar ogen over haar spullen schieten. Was alles weg? Op dat moment zag ze de naalden op haar nachtkastje. Ze griste ze weg en stopte ze onder haar kussen.

'Hé, doe eens open!' klonk het ongeduldig.

Maud vloog naar de deur. 'Kom erin,' deed ze uitgelaten.

'Waarom duurde het zo lang?' mopperde Lucinde.

'Ik... was op het toilet.'

'Heb jij ook dat stomme toiletpapier? Mooie perforaties, maar scheuren doen ze bij voorkeur ergens anders. Echt lekker Chinees.'

'Ja, en dan het doortreksysteem,' mopperde Maud automatisch mee. 'De ene keer trekt hij direct door, de andere keer klinkt er zoveel gerommel dat je bang bent dat de hele shitzooi omhoog zal komen.'

Lucinde schoot in de lach. 'Ik weet precies wat je bedoelt. Maar kom, zullen we nog even wat rondjes lopen voor we gaan eten?'

* * *

In een rustig tempo liep Maud haar rondjes over de atletiekbaan. De smog hing als een klamme doek langs de tribunes naar beneden. Toch leken alleen haar longen er last van te hebben. Haar benen draaiden lekker, zelfs met een gebrek aan zuurstof.

Ze zag Lucinde een eindje verderop staan. Twee afgetrainde mannen stonden naast haar. Een glimlach trok over Mauds gezicht. Aandacht was als een drug voor haar trainingsmaatje.

Verderop kwam een wandelende spierbundel aanlopen. Mauds hart maakte een sprongetje. Daar was Andrei. Die ochtend hadden ze kort bijgepraat. Een warme ontmoeting na een veel te lange tijd. Ze had nog niets verteld over Don. De training ging voor. Eigenlijk was dit soort afleiding funest. Ze moest zich volledig concentreren op de komende wedstrijden. Verliefdheden hoorden daar niet bij. Maar je hart kon je niet trainen. Dat ging op de loop als het daar zelf zin in had. En Andrei maakte dat het sneller ging kloppen. Zijn aanwezigheid was als een niet-aantoonbare doping, met een duidelijk effect.

'Hi, Maud, finished training?' begroette Andrei haar, toen ze bij het groepje aankwam.

'Ik moet alleen nog wat krachttraining doen.' Ze hoopte dat hij haar zou vergezellen. En prompt voldeed hij aan haar verwachting door voor te stellen samen naar de fitnesszaal te gaan.

'Ga je ook mee, Luus?' voelde Maud zich verplicht om te vragen.

'Nee, ik moet mijn trainingsschema afwerken. Bovendien ben ik opgeroepen voor een dopingtest. Ze komen zo langs. Ze zeggen dat ze in China nog strenger zijn dan de vorige keer in Athene. Vaker controleren en lagere detectiegrens. Dat is natuurlijk altijd weer spannend.' Lucinde tekende met de punt van haar schoen in het gravel.

'Ach, iedereen wordt toch gecontroleerd? Bovendien, als je niets neemt, kunnen ze ook niets vinden,' probeerde Maud luchtig te antwoorden.

'Was het maar zo simpel,' antwoordde Andrei. 'Een landgenoot van mij kan al op het vliegtuig naar huis stappen. Positief. Als er eentje is die schoon loopt, dan is hij het wel. Die Chinezen zijn giga angstig. Ze willen alles perfect doen, maar daarin lijken ze zichzelf voorbij te streven.'

'De controles zijn aangescherpt. Rogge wil zelfs dat je nooit meer met olympische wedstrijden mee mag doen als je ooit gepakt bent,' zei een van de anderen.

Er viel een stilte. Iedereen wist hoe onduidelijk de uitkomsten van een test konden zijn. Als ze ook maar een spoortje vonden, sloegen ze op tilt. Sporters waren schuldig totdat ze hun onschuld hadden bewezen. Voedingssupplementen, medicatie, iets in het eten, misschien zelfs iets in de lucht, als de wijzer ook maar in de richting van rood wees, klonk er een alarm.

'Heb jij al een oproep gehad, Maud?' vroeg Lucinde.

Maud schudde haar hoofd. Haar tong was kurkdroog. Waar was ze aan begonnen?

32

Na een korte aarzeling liep hij de kamer in. Pien zat opgekruld in het hoekje van de bank, met een tijdschrift in haar handen. Chris zette de koffie voor haar neer.

'Lekker, dank je wel.'

Hij ging naast haar zitten en nam gulzig een grote slok. Shit, dat was heet. Op zijn tong leken de blaartjes direct op te komen.

Hij keek rond in de kamer. Zijn thuis. Het lichte parket onder de grijze muren. Het abstracte schilderij, bestaande uit twee symmetrische delen, toonde zijn rode accenten tegen een zwartwit geblokte achtergrond. Rode strepen, net zo strak als het hele interieur. Het enige wat afweek van de sober gekleurde inrichting waren de planten. Maar zelfs daarin had Pien een symmetrie doorgevoerd. Was dit wel zijn thuis? Of was het Piens thuis waarin hij ook mocht leven?

Hij moest praten om zijn gedachten tot stilstand te brengen. De angst maakte hem gek. Hij was bang dat ontdekt werd wat er gebeurd was. Hij moest een net van leugens om zich heen spannen en voor zichzelf bepalen hoe de zaken ervoor stonden. Leven met een geheim.

'Heb je al wat van Bärbel gehoord?' informeerde hij nonchalant. De aanval was de beste verdediging. 'Je hebt haar toch een paar dagen vrij gegeven?'

'Ja.' Ze las verder.

'Dus je hebt wat gehoord?'

'Nee, ik heb haar inderdaad vrij gegeven. Ik denk zelfs dat het wat langer gaat duren.' Het klonk ongeïnteresseerd. Chris dacht aan het lichaam dat ze zo goed mogelijk in de modder hadden begraven.

'Is ze op vakantie?' Gewoon vragen stellen, geen vragen oproepen.

'Nee, ik heb haar ontslagen. Ik was niet meer tevreden over haar.'

Chris voelde een onrust door zijn lichaam jagen. Hij nam een voorzichtige slok om de rust terug te krijgen. Ontslagen? Hoe kon je iemand ontslaan die niet meer leefde? 'Niet tevreden?' vroeg hij echter.

'Nou ja, ik heb haar niet meer nodig. Het loopt allemaal prima zonder haar. Bovendien is ze toch een beetje een extreem type. Dus heb ik haar ontslagen.'

'Heb je haar opgebeld?'

'Nee, gewoon een brief gestuurd. Hoezo?' Ze sloeg de bladzijde om. Ze verwachtte geen antwoord.

Chris keek naar het restje koffie in zijn kopje. Ze had haar ontslagen, dacht hij verbouwereerd. Bärbel zou dus in het centrum niet gemist worden. Het geluk leek hem een handje te helpen.

Hij keek naar Pien, zoals ze op de bank geplooid zat. Het was duidelijk dat ze zich op haar plek voelde. Zachte muziek kringelde om haar heen. De klok boven haar gaf het ritme aan, een ritme dat bij haar paste. Hij kon zich voorstellen dat ze op deze manier de drukte en zorgen van het centrum kon vergeten. Hij was blij dat de berichten uit het ziekenhuis optimistisch waren. Dat had een positieve uitwerking op haar. Ze kon zich weer wat ontspannen. Ze hoorde daar in die hoek van de bank.

Hij dacht terug aan Bärbel, die op diezelfde bank had gelegen, naakt en mooi. Jong en sterk. Verleden tijd. Of misschien nog gevolgen voor zijn toekomst? Hij drukte de gedachten weg.

De muziek stopte maar Pien reageerde niet. Geen beweging. Geen contact. Waar was ze in haar hoofd mee bezig? Waar maakte ze zich druk om? Wist hij dat nog? Was er nog een echte toekomst voor hen samen?

'Heb je een fijne dag gehad?' vroeg hij voorzichtig.

Pien richtte zich verbaasd op. 'Ik?'

'Ja. Wat heb je allemaal gedaan?' Hij moest het contact terugwinnen.

'Gewoon onze wekelijkse *Detoxmontag*.'

'Druk?'

'Ja, gelukkig wel. Dat trekt altijd veel klanten.' Ze legde het tijdschrift naast zich neer.

'Dus de vervelende affaire met die drie vrouwen is naar de achtergrond verschoven?'

'Het lijkt alsof mensen de slechte berichten snel vergeten.'

'Dus toch een voordeel dat het oudere mensen zijn.'

Hij zag een glimlach om haar lippen krullen. 'Het hielp dat ik door kon geven dat de vrouwen alweer thuis zijn. Griepje, overgevoeligheid, het was volgens het ziekenhuis niet helemaal duidelijk wat de oorzaak was.'

'Het was in elk geval een lichte reactie,' zei Chris. 'Een hele opluchting. Gewoon toeval dat het bij jou gebeurde. Dat moet je flink benadrukken als andere klanten ernaar vragen.'

Pien ging rechtop zitten en schoof haar benen van de bank. 'Over toeval gesproken. Ik had eigenlijk wel een apart contact vandaag. Een vaste klant van ons uit Nederland nam zijn nieuwe vriendin mee. Aardige vrouw. Ze zag de foto van Michael.'

Chris aarzelde even. 'Is dat apart?'

'Wel zoals ze het benaderde. De meeste mensen vinden een rolstoel eng. Praten er liever niet over, alsof het probleem er dan niet is. Maar zij vroeg honderduit toen ze in de gaten kreeg dat het mijn zoon was.' Ze zweeg even. 'Onze zoon.'

Chris zei niets.

'Ze heeft een kleindochter van ongeveer dezelfde leeftijd. Mooi meisje. Ik kreeg natuurlijk trots een foto te zien. We hebben wat ervaringen uitgewisseld.'

'Die zullen wel heel anders zijn geweest.'

'Dat viel me dus mee. Dat meisje zat ook veel achter de computer, telefoneerde veel, msn, feestjes, allemaal overeenkomsten. Dat was dus ook het mooie. Allebei waren we trots en op de een of andere manier was Michaels handicap ondergeschikt.'

Ze reikten bijna tegelijkertijd naar hun koffie. Chris schoot in de lach en stond op om een nieuwe cd op te zetten. Pien praatte enthousiast verder. En als vanzelf ging ze over op nieuwe mogelijkheden en de kansen om het centrum nog meer op de kaart te zetten. Hij voelde zich opeens tevreden. Zo was het goed. Ervaringen uitwisselen. Aandacht voor elkaar en bouwen aan een gezamenlijke toekomst.

'De afspraak met die atlete is nu definitief,' zei hij, en schoof weer naast haar. 'Ze zal een clinic verzorgen als ze terug is van de Olympische Spelen. Ronald gaat binnenkort ook naar China.' Chris sloeg zijn benen over elkaar en wreef met beide handen door zijn haren.

'Les van echte topatletes in het centrum. Dat zullen mijn klanten wel prachtig vinden.' Pien zette haar kopje op het glazen tafelblad. 'Chris Pauw,' zei Pien opeens liefkozend terwijl ze door zijn haren streek. 'Kom eens hier, ik vind het fijn dat je zo helpt met het centrum. Dank je wel. Ik hoop dat jouw middel ook snel geïntroduceerd kan worden.'

33

De volle borsten werden strak omsloten door een witkanten beha. Zijn ogen werden naar Bärbels prachtige glimlach getrokken. Er lag een belofte in verborgen. Ze was gigantisch sexy. Chris had een stijve, al vanaf het moment dat hij haar zag. Ze trok hem zacht naar haar toe. Hij was naakt. Direct huidcontact. Zijn gespannenheid vroeg om actie. Haar borsten drukten tegen zijn huid, maar het minuscule stukje stof irriteerde. Hij schoof zijn handen naar haar rug en maakte met een handig gebaar de sluiting los. Geilheid dreef zijn verlangen op.

De zachtroze tepels stonden hard overeind. Groter en stijver dan hij ooit bij een vrouw had gezien. Vol begeerte omvatte hij haar borsten, de tepels staken tussen zijn vingers door. Bärbel kreunde toen hij zijn vingers bewoog en haar tepels prikkelde. Hij zag haar volle lippen, vochtig en een beetje gezwollen. Zijn mond schoof op de hare. Zijn tong voelde de warmte en draaide rondjes in haar mondholte. Speeksel liep over zijn kin. Hij werd gek van verlangen. Zijn lid stond ongelooflijk strak. Ontlading eisend.

Zacht maar dwingend schoof hij haar benen uit elkaar. Hij boog over haar heen en rook haar vrouwelijkheid. Fris maar bedwelmend. Met zijn ogen dicht liet hij zijn handen over haar naakte lichaam glijden.

Een kreun deed hem ontwaken. 'Jeetje, Chris. Ik was diep in slaap.'

Hij deed zijn ogen open en zag de schemerige contouren van Piens gezicht. Het steile haar, de strakke kaaklijn. Hij kneep zijn ogen weer dicht. Bärbel? Ze was dood, drong opeens keihard tot hem door.

Zijn handen lagen nu strak en stijf op het lichaam van Pien. De naakte huid van zijn vrouw was warm. Weg waren de soepele bewegingen, de vochtige warmte van Bärbels mond en de geur die hem ontvoerd had. Zijn onderbewuste verlangen hield hem voor de gek. Haar lichaam was koud en begraven.

Met een zachte kreun draaide Pien zich nu naar hem toe en ze klemde zich aan hem vast. Chris had moeite om zijn zinnen te verzetten.

'O-o,' kreunde Pien echter naast hem. Automatisch begon hij haar te strelen.

* * *

'Hmm, Chris, dat was heerlijk,' zuchtte Pien zacht. Het kwam niet vaak voor dat hij haar verleidde, en al helemaal niet als ze nog diep in slaap was. Vroeger was dat vaker voorgekomen. Dat lekker onverwachte. Langzaam elkaar opjagen en wild maken, tot ze het allebei niet meer volhielden en de drang te groot werd. Dan was het de kunst om het zo te timen dat ze tegelijkertijd klaarkwamen. Beiden schokkend van genot, nat van zweet en geilheid.

Maar toen Michael geboren was, de nachten gebroken, en haar borsten gevuld met voeding, kwam seks op een tweede plaats. Energie kon je maar één keer besteden en baby's waren berucht om hun energieslurpende vermogen.

Nadat bekend werd waardoor Michaels ontwikkeling stagneerde en het noodlot over hun levens was uitgesproken, was er zelfs een tijd geweest waarop seks nog niet eens op de laatste plaats kwam. Michael kwam als eerste, en als tweede en ook nog eens als laatste. Daarna was het potje energie leeg.

Tegenwoordig vreeën ze nog maar sporadisch, als een zakelijke bijeenkomst waarin ze de SMART-afspraken van hun huwelijk nakwamen en elkaar wederzijdse bevrediging gaven. Maar soms was een nachtzoen al te veel. Alles was zakelijk geworden en zonder enig gevoel. Ze hadden elkaar nodig, voor hun zakelijke belangen, en met name om als één ouderblok de medische wetenschap tot actie te dwingen. Medicijnen bestonden er niet voor Michael. Maar ze bleven proberen artsen ervan te overtuigen dat hij gekozen moest worden voor een medische trial, hoe klein de kans op genezing ook was. Ooit zouden ze bewijzen dat je nooit de hoop op moest geven. Vechten tot het einde. Altijd blijven hopen op de ultieme winst. En heel af en toe konden ze elkaar helpen hun frustratie kwijt te raken door hun seksuele driften te bevredigen.

Pien draaide zich loom om en duwde haar billen in de warme lendenen van Chris. Slap maar nog overduidelijk aanwezig. Een gevoel van totale ontspanning was het resultaat van hun vrijpartij. Chris legde zijn arm om haar heen en pakte een borst beet. Een klein kneepje gaf nog een nastoot door haar onderbuik.

'Chris, ga jij er nog even uit om Michael te draaien?'

'Zo meteen. Even recupereren,' hoorde ze Chris achter zich mompelen.

Ze voelde een glimlach over haar gezicht trekken. Het was vroeger een vaste term na hun liefdesspel geweest. Maar nu de zwarte geest van die afschuwelijke ziekte door hun gezin waarde, was ze hem bijna vergeten.

Stil lag hij naar het plafond te staren. Pien was in slaap gevallen en had zich van hem af gedraaid. Net als anders.

Zijn droom was pijnlijk echt geweest. Het was vreemd hoe zijn geest hem voor de gek kon houden. Was Bärbel dan zo belangrijk voor hem geweest? Een jonge frisse Duitse bloem, ontluikend voor hem. Als hij zijn ogen sloot, zag hij weer die vrolijke blauwe ogen glanzen. Hoe kon iemand van het ene op het andere moment zo veranderen? Hem verafgoden, maar tegelijkertijd onder druk zetten. Waarom had ze haar oog op hem laten vallen? Hij was niet spannend. Een saaie lul, dat was hij. Geen goddelijk lichaam, hij had alleen maar zijn intellect. Was dat zijn aantrekkingskracht? Zag ze in hem het brein van het centrum? De anti-agingman van Kleef. Wilde ze eeuwig jong blijven? Had ze dan toch iets over zijn anti-agingexperimenten in de kelder opgevangen? Nee toch? Hij had haar nooit iets verteld.

Niemand mocht daar iets over te weten komen. De ontwikkeling die hem zijn ultieme winst zou brengen, moest geheim blijven. Het was allemaal nog zo onzeker. Hij moest verder met zijn proefnemingen. Tot die tijd was de kelder zijn heiligdom. Niemand mocht daar komen. Daar was hij koning. Geen vreemde vingers aan zijn spullen. Hij bepaalde wat daar gebeurde. En daar had hij niemand bij nodig.

De onrust kwam weer in volle hevigheid opzetten. Zoals elke dag. Onrust die hij weg moest slikken met pillen. Rustgevende middelen. Hij kon niet meer zonder. Hij schoof uit bed en sloop naar de badkamer. Het potje was bijna leeg. Hij had weer nieuwe nodig. Gekochte rust. Hij slikte de pillen door. Nu kon hij slapen. Hoopte hij.

34

Het vliegtuig was al uren onderweg en haar spieren voelden stijf. Fenna klikte haar veiligheidsgordel los en stapte het gangpad op. Ruud stond verderop te kletsen met wat medereizigers. Ze had toch wel wat medelijden met hem. Hij hield het niet uit in de smalle vliegtuigstoel. Noodgedwongen bracht hij een groot deel van de reis staande door.

Fenna deed de deur van het toilet open en ging naar binnen. In deze kleine ruimte zou hij zich vast als een prop in een afvoerbuis voelen. Ze veegde de toiletbril af met een papiertje en ging zitten. Een vreemd idee dat ze nu op kilometers hoogte zat te plassen.

Fenna haastte zich naar haar stoel en zag Ruud al op haar wachten. De stewardessen waren begonnen om een maaltijd te serveren.

'We krijgen ons ontbijt,' gaf hij aan.

Het enige wat hem interesseert, dacht Fenna wrang.

'Ik ben blij dat de vlucht er bijna op zit,' steunde Ruud.

'We moeten nog een stukje verder,' waarschuwde Fenna hem.

'Ja, ik weet het. Wel goed van je dat je te weten bent gekomen waar die twee atletes zitten.'

'Het mooiste is dat er in die plaats weinig andere journalisten zullen zitten. Bijna iedereen zit in Beijing.'

'En dat terwijl veel sporters pas later naar het olympisch dorp komen. Ze hebben geen zin om nu al in die heksenketel te zitten. Bovendien hebben ze een gezonde argwaan tegenover journalisten. Pas als ze euforisch kunnen vertellen over hun fantastisch gelopen race staan ze weer open voor contact.'

'Ach, het was niet zo moeilijk te achterhalen. Ronald praatte zijn mond voorbij en ik hoorde dat toevallig.'

'Vrouwen eigen,' oordeelde Ruud lachend. 'Toevallig dingen opvangen. Heb je misschien ook nog wat opgevangen over die atlete die betrapt was op doping?'

'Je bedoelt Kim? Ja, die heb ik nog aan de telefoon gehad. Ze was vooral kwaad. Ze had duidelijk niet veel zin om te praten. Ze leek iedereen de schuld te geven, behalve zichzelf.'

'Ook dat is vrouwen eigen. Ze geven altijd iemand anders de schuld. Maar als je van doping wordt beschuldigd, zul je het toch echt zelf ingenomen moeten hebben.'

'Goodmorning, your breakfast.' De stewardess gaf een ontbijtpakket door.

Fenna boog naar achteren. De man naast haar grijnsde zijn vullingen bloot. Een knoflookwalm vermengde zich met de koffie die ze op dat moment aangereikt kreeg. Ze haalde het plastic van haar broodje af en deed wat suiker in haar koffie.

'Hoe gaan we het straks aanpakken?' vroeg Ruud.

'Eerst maar eens doorvliegen naar Chengdu, lijkt me.'

'Ja, ja, natuurlijk. Maar daarna? Heb jij al ideeën?'

'We zoeken de meiden op en maken een reportage van hun dagelijkse training. Ik wil er wel een speciaal Chinees sausje overheen gieten.'

Ruud roerde iets te wild en de koffie liep over het blad heen. 'Natuurlijk, er zijn genoeg specifiek Chinese zaken.'

'Het éénkindregime is al erg uitgemolken, maar er is op dit moment heel wat te doen over de misstanden bij het produceren van de olympische gadgets. Kinderen die vijftien uur per dag werken voor een schijntje. En dat is in heel China zo. Gedwongen overwerken en zwijgen tegenover de buitenwereld.'

'Dat is ook nog sportgerelateerd. Maar hoe denk je ze aan het praten te krijgen?'

'Dat zal niet makkelijk zijn. Ten eerste zijn ze continu aan het werk, en ten tweede is de vrijheid van meningsuiting ook nog altijd een groot probleem. De Chinese regering heeft er zelf wel de mond van vol dat die nu verbeterd is, maar dat is alleen om China in een goed daglicht te plaatsen met de Olympische Spelen op de stoep.'

'Ik las ook een stukje over verdwenen jongens in het noorden van China,' gaf Ruud aan.

'O ja, vreselijk. Die knullen waren als slaven in een mijn aan het werk. Slavernij. Kun je je dat voorstellen? Een wereldmacht als China die de slavernij weer invoert?' Fenna dacht aan de chocola die ze laatst gekocht had. Slavenvrije chocola. Kennelijk kwam slavernij in een aantal landen nog steeds voor. Afschuwelijk. 'We kijken wel even wat mogelijk is. Maar die couleur locale is belangrijk. Er moet een Chinees smaakje aan het artikel zitten. Wat dacht je van de kop SPORTEN MET STOKJES?'

'Jeetje, daar zeg je me wat. Stokjes, dat zal wel even wennen worden,' zei Ruud met een volle mond. 'Hoe moeten we ooit genoeg eten binnenkrijgen als we alleen maar twee stokjes kunnen gebruiken? Daar heb ik echt geen kaas van gegeten.'

'Die krijg je ook niet.'

In zijn bakkebaarden hingen talloze kruimels. 'Wat bedoel je?'

'Kaas,' verduidelijkte ze. 'In China krijg je geen kaas. Rijst, noodles en vooral veel groenten, hoop ik. Ik zie het wel zitten. De keuken van Sichuan moet erg goed zijn. Scherp, gezond en smakelijk.'

'De meisjes ook.' Ruud nam een slok koffie voor hij verderging. 'Ik heb in mijn reisgids gelezen dat de meisjes van Chengdu de mooiste van China moeten zijn. Kijk, en dat hoeft niet met stokjes. Daar kun je gewoon je vingers bij aflikken.'

35

Op het moment dat ze hun hotel verlieten was Fenna voor het eerst blij met de aanwezigheid van Ruud. De drukte was overweldigend. Mensen haastten zich door het verkeer, dat zijn uitlaatgassen ongestoord het milieu in blies. Fietsriksja's wrongen zich overal moedig tussendoor.

Ruud was een opvallende verschijning. Een stel stevige witte kuiten onder zijn halflange broek en een T-shirt dat verre van wit was. Voeg daar een bijna kaal blank hoofd bij en het beeld was compleet. Alsof de oppergod door de straten liep. Fenna voelde zich als een mier naast een kever van formaat en alle mieren om haar heen staarden hem ongegeneerd aan.

Het viel haar op dat ze een totaal verkeerd beeld van China had. Geen vrouwen in saaie grijze maojasjes, maar moderne poppetjes gekleed in strakke jeans, natuurlijk zonder uitzondering uit de goedkope kledingmagazijnen die China in overvloed had. Verder had iedere Chinees een mobiele telefoon. Iedereen leek met iedereen te bellen.

Toch kwamen ze ook al snel de eerste bedelaar tegen. Zijn handen klemden een nap vast waarin hij hoopte geld te vangen. Het waren uitersten, de modebewuste jeugd tegenover de kansarmen van de samenleving.

Ook het beeld van uitsluitend platte meisjes en pezige mannen was totaal verkeerd. De obesitas bloeide in China even hard op als de economie.

'Het valt wel een beetje tegen,' mopperde Ruud tegen haar.

'China?'

'Als dit de mooiste meisjes van China zijn...'

Fenna zei niets. Ze probeerde de grote passen van Ruud bij te houden.

'De Chinese lingeriezaken verkopen vast veel hoezen.'

'Hoezen?' Fenna kon de vraag niet binnenhouden.

'Strijkplankhoezen,' mopperde hij verder. 'Voor bh's hebben ze toch enige vulling nodig.'

'Wat ben je toch een beest. Het viel mij juist op dat...' Een harde toeter klonk opeens vlak naast haar. Fenna schrok zich rot en greep Ruuds arm.

'Let maar liever op die beesten in het verkeer,' zei Ruud lachend. 'Blijf maar lekker dicht bij me. Ik lust die Chinezen rauw.'

Fenna zei niets meer. Ze merkte dat de auto's vol ontzag hun vaart inhielden als ze Ruud zagen oversteken. Ze zorgde er dus noodgedwongen voor vlak naast Ruud te blijven lopen, ervan overtuigd dat ze dan zonder problemen de overkant van de weg zou bereiken.

Twee taxi's stopten naast hen toen ze aan de andere kant van de brede verkeersader waren. Ruud hing al door het raampje en hield daarna galant het portier voor haar open.

'Ga jij maar voorin. Ik duik wel op de achterbank, daar is ruimte zat.'

Fenna schoof naast de chauffeur. Een mooi gekruld traliewerk omringde hem volledig. Fenna voelde zich als in een vogelkooi en vroeg zich af voor wie die veiligheidsmaatregel bedoeld was. Ze durfde hem nauwelijks aan te kijken, maar de man glimlachte en ratelde in een aaneenschakeling van klinkers tegen haar. Er viel niets van te maken.

De auto stoof weg. Fenna was nu blij met haar kooi, die wat haar betrof zelfs naar de voorkant uitgebreid had mogen worden.

Een vierbaansweg vol haantjes, die allemaal als eerste het kruispunt wilden oversteken. Een kwestie van doorduwen, bumper aan bumper, om vooruit te komen. Daartussendoor waagden voetgangers in groepjes de oversteek, rekenend op de kracht van de groep.

Fenna keek haar ogen uit. Kolossale gebouwen, waarbij meerdere bewakers toezicht hielden, of wolkenkrabbers in aanbouw, de bouwkranen werkend op grote hoogte. Dat was de kracht van China, een land vol harde werkers. Op elk gebouw stonden Chinese tekens, sierlijk maar volstrekt onleesbaar voor westerlingen zoals zij.

Fenna hield haar tas dicht bij zich. Een notitieboekje, een kleine digitale camera en het zakwoordenboekje Chinees waren vanaf vandaag vaste prik. Daarnaast had ze op advies van Harry de nieuwe regelgeving voor journalisten uitgeprint, in het Chinees wel te verstaan. Sinds vorig jaar waren de beperkingen voor buitenlandse journalisten in China geschrapt, ze mochten er nu vrij reizen en werken. Maar de lokale autoriteiten waren niet altijd op de hoogte van de nieuwste regels. Er was dus altijd een kans om opgepakt te worden als je in de provincie mensen op straat ging interviewen. Dan kon je maar beter bewapend zijn met officiële reglementen en handige telefoonnummers.

Fenna greep zich vast aan het gescheurde handvat van het portier toen de chauffeur opeens moest remmen. Een vloeiende uitleg volgde. Fenna keek naar rechts en zag het stadion. Hier moesten ze proberen de atletes te vinden.

* * *

Ze stonden al zeker een uur tegenover het immense stadion. Ze hadden geen idee in welk hotel de atletes zaten, dus dit was hun enige kans om hen te vinden. Fenna zag dat de zweetdruppels van Ruuds gezicht dropen. 'Nog langer wachten heeft geen zin. Tijd voor actie. Zin om naar binnen te gaan?'

Zijn ogen begonnen te glimmen. Hij streek met zijn tong

over zijn lippen. Hij opende zijn mond om te antwoorden, toen Fenna haar foute verwoording inzag. 'Laat maar, we gaan het stadion in,' zei ze kortaf. Ze voegde de daad bij het woord en begon naar de ingang te lopen.

'Ik zei helemaal niets,' hoorde ze gemaakt verontwaardigd achter zich.

Fenna reageerde niet en liep stug door. Op dat moment kwam een jonge vrouw uit het sportcomplex. Een soepele tred en de vlammende haren boven het bleke gezicht waren bekend.

'Lucinde!' Fenna hief haar arm op.

De vrouw stopte en keek in haar richting. Het was voor Fenna direct duidelijk dat er van een enthousiast weerzien geen sprake was.

'Fijn je weer te zien,' begroette Fenna haar echter.

'Ook welkom in de Chinese drukte.'

'Wij wilden graag een afspraak met jullie maken.' Fenna knikte naar Ruud, die hijgend aan kwam lopen.

'En een mooie foto in deze omgeving.'

'Sorry, we moeten trainen.'

'Misschien kunnen we een keer samen gaan eten,' stelde Fenna voor. 'Of gaan jullie niet naar plaatselijke restaurantjes vanwege jullie uitgebalanceerde dieet?'

'Geen tijd om uitgebreid te gaan eten,' antwoordde Lucinde.

Het was Fenna duidelijk dat Lucinde geen zin had in een praatje. 'Waar is Maud eigenlijk? Nog aan het trainen?'

'Ja, ik zal wel met haar overleggen.'

Fenna gaf haar het kaartje van hun hotel en haar eigen visitekaartje. 'Hier, ook eentje voor Maud. Neem contact op.'

'Goed, jullie horen van me.' Lucinde draaide zich met een ruk om en liep weg.

Fenna keek verbouwereerd naar Ruud, die een dikke grijns om zijn lippen had liggen.

'Wat heb ik je gezegd? Allergisch voor journalisten. Kom, we duiken eerst een park in en beginnen met die couleur locale van jou.'

* * *

De taxi had hen in de buurt van het Volkspark afgezet. Fenna genoot met volle teugen van de Chinese sfeer. De tempel naast het park straalde mystieke rust uit en de wierookgeur prikkelde haar neus. De kleur rood gaf een warme gloed aan de gehele ambiance.

Het park was een rustpunt in de chaos van het verkeer. Breed opgezet met waterpartijen en groen. De naam Volkspark leek goed gekozen. Geen toerist te bekennen. Wat oudere Chinezen schuifelden op hun slofjes, steunend op een stok, over de lommerrijke paden.

Terrasjes met bamboemeubilair waren overal. Mahjong spelen was populair. Fenna kende het spel wel, maar de mate waarin het hier werd beoefend verbaasde haar. Op elk tafeltje stonden muurtjes witte stenen met gekleurde Chinese afbeeldingen. Fanatiek werden de stenen op tafel gegooid. Harde stemmen en een vrolijke lach wisselden elkaar af, afhankelijk van de kansen die ze hadden.

'Moet je die fanatieke blik in hun ogen zien. En dat vanwege een spelletje in het park,' zei Fenna bijna fluisterend.

'Gokken, bedoel je. Hoewel het waarschijnlijk niet om grote bedragen zal gaan.' Ruud ging door zijn knieën om een betere beelduitsnede te krijgen. Hij knipte de ene foto na de andere.

'En iedereen heeft zijn eigen thermosflesje met thee bij zich. Moet je kijken. Als dit geen couleur locale is, weet ik het niet meer. Maar ik ben bang dat een gesprek aanknopen hier lastig is,' zuchtte Fenna. Ze keek rond en zag een tengere vrouw staan. Een jongen van een jaar of zeven schurkte tegen haar aan. Haar zwarte ogen priemden in Fenna's gezicht.

Op dat moment klonk heldere fluitmuziek. Op typisch Chinese tonen oefenden vrouwen een dans met waaiers. Natuurlijk felrood gekleurd. De vrouwen bewogen sierlijk en glimlachten verlegen toen ze de aandacht bemerkten. Iets verderop zag Fenna een grote groep vrouwen strak in de houding, roffelend met kleine houten stokjes op trommeltjes die aan hun heupen waren gebonden. Het had iets weg van een communistische manifestatie. Strak en in rechte rijen.

Ze liepen verder en genoten van de typische Chinese sfeer, ze glimlachten vriendelijk terug bij gebrek aan een andere manier van communiceren. Fenna zag een gebouwtje met de twee Chinese karakters die ze als eerste in haar geheugen had geprent. Toilet. Prettig dat hier een openbare gelegenheid was. Ze excuseerde zich bij Ruud en liep achterom. De haar tegemoetkomende lucht gaf aan dat ze goed zat. Binnen was een smalle betonnen goot die over de gehele lengte was uitgestrekt, slechts onderbroken door lage schotten. Hierdoor ontstonden hokjes zonder deur. De penetrante lucht die uit de ruimte kwam benam Fenna bijna de adem, maar haar blaas was sterker. Ze keek naar de vloer, die duidelijk maakte waar die lucht vandaan kwam.

In het eerste hokje zat een vrouw gehurkt boven de goot. Ze lachte haar vrolijk toe, geen schaamte te bespeuren. Fenna koos het achterste hokje en ging wijdbeens over de goot staan. Ze liet net haar urine lopen, toen er een golf water onder haar door spoelde. Ze begreep meteen haar foute keuze toen de behoeftes van haar voorgangers regelrecht onder haar door spoelden. De bruingrijze klonters gaven een verbijsterende lucht af. Welke gore bacteriën ademde ze hier in? Fenna concentreerde zich op haar blaas en begreep opeens waarom er geen deur in de hokjes zat. Afgaande op de lucht zou het besmettingsgevaar gigantisch zijn.

Fenna trok haar neus op en hield haar adem in. Zo snel mogelijk liep ze het toilet weer uit. Daar ademde ze snel in en uit om de walgelijke lucht kwijt te raken.

Voor de ingang ontdekte ze de jonge vrouw weer die ze eerder ook gezien had. Haar ogen bleven Fenna volgen terwijl ze naar Ruud toe liep. Hij stond bij een vijver samen met drie jonge mannen die over de reling hingen. Hun vingers speelden in het water, dat krioelde van de goudvissen. Kinderen renden om hen heen.

'Ruud, ik ga daar op dat bankje zitten. Besteed maar even geen aandacht aan me. Ik leg het later wel uit.' Ze negeerde zijn vragende blik. Ze ging zitten, ademde de frisse parklucht in en hield ondertussen de tengere vrouw in de gaten. Simpele zwarte kleding, slank figuur, haar donkere haren vastgebonden in een lange staart. Fenna wachtte af.

Het duurde niet lang. Schuifelende onzekere pasjes, schichtige blikken, maar ze kwam op Fenna aflopen. Een aarzelende glimlach brak door op het moment dat ze naast haar ging zitten. De jongen stuurde ze met wat zachte woorden weg. Fenna keek hem glimlachend na, toen hij in een looppas naar de andere kinderen liep.

'*Ni hao*,' groette Fenna vriendelijk. De jonge vrouw groette terug. 'Leuke knul. Hoe heet je zoon?' probeerde ze in het Engels.

Het was de opening die de vrouw nodig bleek te hebben. Ze vertelde zacht over haar zoon, en noemde een naam die Fenna met de beste wil van de wereld niet kon herhalen. 'Waar komt u vandaan?'

'Ik kom uit Nederland. Ik werk voor een tijdschrift.'

De vrouw knikte en weer liet ze haar ogen over de mensen in hun nabijheid glijden, nu onopvallender.

Fenna zweeg. Ze voelde de spanning in haar buik. Deze vrouw verborg iets. Dit kon wel eens hun verhaal worden.

De vrouw zweeg echter ook. Haar gezicht stond strak en ondoorgrondelijk.

Er gingen minuten voorbij terwijl ze beiden naar de personen bij de vijver staarden. Ze begon een vreemde verwantschap met de vrouw te voelen. Het jongetje wierp af en toe een blik op zijn moeder, alsof hij bang was dat ze weg zou gaan.

'U bent journaliste in het Westen?'

Fenna knikte slechts. Ze kreeg het warm en schoof wat dichter naar haar toe.

'U bent opgegroeid met de vrijheid van denken,' zuchtte de vrouw. 'Wij niet. Er worden mensen opgepakt die daarvoor uitkomen.' Haar ogen bleven alert rondkijken.

'Wilt u daarover praten? Natuurlijk alleen als u daardoor niet in de problemen kunt komen.'

'Hier is het relatief veilig. Ongemerkt afluisteren is moeilijk in een park. Tenzij...' Haar ogen bleven rusten op de drie jonge mannen bij de vijver. Ruud had hun onverdeelde aandacht, doordat hij op zijn eigen manier met zijn hele lichaam praatte. Klaterende lachsalvo's schoten over de goudvissen in hun richting.

'Dat is mijn collega,' verduidelijkte Fenna.

'Ja, dat weet ik. Maar die andere mannen? Ik denk wel dat ze in orde zijn. Soms is het moeilijk CCP-politie te herkennen. De Chinese Communistische Partij is overal.'

Fenna wachtte rustig af. Praten kon dodelijk zijn in China.

'Kunt u zorgen dat mijn verhaal in de westerse kranten komt?'

'Ja, daar kunt u op vertrouwen,' knikte Fenna. Ze voelde de verantwoordelijkheid drukken. Ze moest inderdaad zorgen dat mensen die durfden te praten in dit onderdrukte land, een luisterend oor kregen. Er was al veel over geschreven, maar zolang de onderdrukking doorging, was het nooit genoeg.

'Kent u Falun Gong?'

Falun Gong! Natuurlijk kende Fenna die naam. 'Ja, een religieuze beweging. Zij gaan uit van verdraagzaamheid om een betere persoon te worden,' bracht ze onder woorden wat ze erover gelezen had.

'Inderdaad. We willen wijsheid en prediken de waarheid. Maar de regering is bang voor ons. Ze verbieden elke religie. China is communistisch en dus atheïstisch. Alles wat lijkt op spiritualiteit of geloof wordt verdacht gevonden. En dus staan ze het niet toe. Als aanhanger van Falun Gong loop je gevaar. Mijn zusje en ik...' Ze stopte abrupt. Haar zoon kwam naar haar toe rennen. Hij riep wat enthousiaste zinnen en ging toen verlegen naast zijn moeders knie staan. Fenna glimlachte naar hem. De vrouw aaide hem over zijn korte stekelhaar en gaf hem een duwtje tegen zijn billen. De knul schoot weg als een flipperbal en rende, hoge tonen uitstotend, terug naar zijn nieuwe vriendjes.

'Door hem ben ik er nog,' zei ze met een glimlach waarin zoveel verdriet lag, dat Fenna zich afvroeg of ze wel wilde weten wat er gebeurd was.

'Bent u opgepakt?'

'Ja, samen met mijn zus. We deden mee met een manifestatie om de problemen rondom de mensenrechten aan de kaak te stellen. Als iedereen zwijgt en zijn ogen sluit, gebeurt er niets en zal de generatie van mijn zoon ook in onderdrukking moeten leven. Het regime martelt gevangenen op een gruwelijke manier. De doodstraf wordt uitgevoerd zonder een eerlijk proces. Wist u dat organen van Falun Gong-aanhangers gebruikt worden voor transplantaties? Niet openlijk, maar iedereen weet het. En niemand zal zo'n orgaan weigeren, zelfs de hoge bazen van de regering niet als ze zelf op het randje van de dood liggen.' Haar stem kneep cynisch.

'Wat gebeurde er met u en uw zusje?'

De vrouw sloot haar ogen. Haar gezicht werd zichtbaar bleker, maar toen ze haar ogen weer opende, drukten ze intense haat uit. 'We werden naar een verhoorkamer gebracht. Ze eisten dat we ons geloof opgaven. Natuurlijk weigerden we dat. Ze sleepten mijn zusje naar de gang. Ik hoorde hoe ze gilde toen ze haar met een knuppel sloegen. Drie mannen bleven bij mij, ze lachten om mijn tranen. Toen mijn zusje naar binnen werd gedragen, kon ze niet meer op haar benen staan. Ze bloedde uit verschillende wonden. Weer eisten ze overgave. En weer weigerden we. Daarna grepen ze mij en kleedden me uit.' De vrouw probeerde krampachtig te slikken en keek weer om zich heen voor ze verderging. Uit haar stem was elk gevoel verdwenen.

Fenna voelde haar maag samenkrimpen terwijl de vrouw haar verhaal deed over de gruwelijke seksuele marteling die ze had ondergaan. Stroomstoten in haar vagina, prikkeldraad door haar tepels. Haar geschreeuw om te stoppen. Het was bijna onvoorstelbaar dat dit soort martelingen echt plaatsvond.

Fenna kreeg de neiging haar armen om de vrouw heen te slaan. Maar de broosheid van de tengere vrouw hield haar tegen. Elke aanraking zou pijn doen, alsof ze haar zenuwen tot het uiterste gespannen had door het herbeleven van de gruwelijkheden.

'Daarna noemden ze de naam van mijn zoontje.'

'O, mijn god. Dreigden ze om hem...?' Fenna dacht aan haar eigen kinderen. Ze wist dat ze niet voor zichzelf zou instaan als iemand ook maar een vinger naar hen uit zou steken. Of zelfs maar zou dreigen om hun iets aan te doen. Zij leefde echter in het veilige Nederland en deze vrouw was geboren in een land dat niet vrij was. Waar je moest gehoorzamen om te blijven leven.

'Ik heb afstand gedaan van Falun Gong. Ter bescherming van mijn zoon en de rest van mijn familie. Daarom lieten ze mij met rust. In een heropvoedingskamp heb ik meer toneelgespeeld dan ooit in mijn leven. En daardoor zit ik nu hier, met mijn zoon. Ik heb nooit meer iets van mijn zusje gehoord.'

'Dit is echt afschuwelijk.'

'Het is iets wat meer mensen meemaken. Elektrische schokken, brandmerken met een heet strijkijzer, dwangvoeding en natuurlijk de waterkerker, waarbij mensen in een ijzeren kooi met spijkers worden gestopt. Daarna worden ze tot hun nek in extreem vuil water gehangen. Er zijn weinig mensen die het overleven om erover te kunnen getuigen.'

Fenna was misselijk en walgde van deze afschuwelijke getuigenissen. Ze keek om zich heen. De omgeving leek veranderd. Het park met de terrasjes leek een broedplaats van verraders. De hangplek bij de vijver was opeens een plek waar undercoveragenten argeloze mensen afluisterden. Ruud was nog steeds in gesprek met de drie mannen, die af en toe een blik op hen wierpen. Ze verafschuwde het gelach. Nepvrijheid. In iedere man zag ze een verkrachter die met zijn spleetogen de martelingen aanschouwde. Iedereen die zweeg was... Stop, Fenna, riep ze zichzelf tot de orde. Dit was waanzin. Het verhaal moest verteld worden, maar met vooroordelen schoot niemand wat op.

Ze keek opzij. De vrouw staarde voor zich uit. 'Ben je niet

bang? Wat gebeurt er als ze merken dat je dit verhaal verteld hebt?'

Een vage glimlach verzachtte haar gezicht. 'Ik mag niet zwijgen. Dan is mijn zusje voor niets gestorven.'

'Ik zorg dat het verhaal verteld wordt,' verzekerde Fenna haar. 'Maar ik denk dat het verstandig is als we nu uit elkaar gaan.'

Zonder een woord te zeggen stond de vrouw op. Ze riep een schril bevel naar haar zoontje, dat direct naar haar toe kwam, en liep weg. Ze keek geen enkele keer achterom, alsof het gesprek niet plaatsgevonden had.

* * *

'Dat is een waanzinnig verhaal. Dat moet verteld worden. Je bent een goede journaliste, Fenna,' complimenteerde Ruud haar nadat ze het verhaal verteld had. Sommige dingen had ze niet kunnen herhalen, de woorden waren te walgelijk. Het drong steeds meer tot haar door dat ze net een zeer belangrijke getuigenis had gehoord. Er waren te weinig mensen die het na konden vertellen. En al helemaal niet die het naar buiten durfden te brengen. Ze liepen het park uit, weg van de gemaakte vrolijkheid van de mahjongspelers.

'Het gekke is dat ik me het belang niet echt realiseerde toen ze het verhaal vertelde. Nog steeds heb ik niet het gevoel dat ik degene was die het voor elkaar heeft gekregen. Die vrouw maakte de keuze.'

'Jij hebt je ogen en oren open. Je hebt haar gezien en zij zag dat je ervoor openstond. Misschien ook wel vrouwelijke intuïtie, hoe erg ik dat woord ook verafschuw.'

'Misschien wel.' Ze liepen het park uit en kwamen weer in de drukte terecht.

'Weet je, Fenna, veel journalisten praten elkaar alleen maar na. De informatie blijft in een klein cirkeltje ronddraaien. Elke keer dezelfde dingen. Er wordt geen tijd meer uitgetrokken om echt onderzoek te doen. Niemand gaat zelf achter iets aan of stelt zich echt open voor een verhaal. Ze registreren alleen maar en maken er een sensatieverhaal van. Makkelijke journalistiek. Jij bent anders, juist omdat je op zoek gaat naar een nieuw verhaal.'

'Zij heeft míj gevonden. Het was zo afgrijselijk. Niet alleen de details, maar vooral de monotone manier waarop ze het zei. Zonder gevoel, zonder enige veroordeling. Alsof het een boodschappenlijstje voor Albert Heijn was. Ik durfde haar niet te onderbreken. Ik hoefde verder ook niets meer te vragen. Het cassettebandje leek gestart.'

'Ze vertrouwde je, daar gaat het om. Het gaat niet om de ondervragingstechnieken, daar heeft ze haar buik vol van. Het feit dat ze het aan jou vertelde, geeft aan dat ze voor zichzelf de zekerheid had dat je er iets mee gaat doen. Dat je je betrokken voelt.'

'Dat doe ik ook zeker. Ik ben er nu voor verantwoordelijk dat dit verhaal naar buiten komt. Dit mag niet doorgaan! Ze hebben recht op vrijheid van meningsuiting, maar zeker ook op een vrije keuze van religie.'

'Hoewel je misschien denkt dat het bij ons beter is, is daar de verdraagzaamheid soms ook ver te zoeken.' Ruud gooide zijn tas over zijn andere schouder en pakte haar arm om over te kunnen steken.

Fenna liet hem begaan. Ze merkte dat haar gedachten onrustig waren. En enige oplettendheid met oversteken was hier wel gewenst. 'Ik denk dat het hiermee niet afgelopen is. Ik moet er meer over weten. Onderzoek doen, zoals jij het noemt,' zei Fenna toen ze aan de overkant waren.

'Ben je niet bang dat je zelf in de problemen kunt komen?'

'Ik? Als journaliste, bedoel je?'

'China staat nou niet bekend als een tolerant land wat betreft de persvrijheid.' Ze liepen nu langs huizen die leken op de Chinese restaurants in Nederland. Sierlijke omhoogkrullende daken en grote aantallen rode lampions.

'Ze kunnen het niet maken om buitenlanders tegen te houden.'

'Meisje, wat ben je naïef. Denk even aan Irak, aan de Palestijnen, aan sommige Noord-Afrikaanse landen, allemaal plaatsen waar westerse journalisten verdwijnen.'

'Maar niet hier in China,' wierp Fenna tegen. 'Ze zitten vlak voor de start van het grootste spektakel in tijden, de opening van de Olympische Spelen. Alle ogen zijn gericht op China. En ze zullen dat beeld niet laten vertroebelen door het nieuws dat er een Nederlandse journaliste is opgepakt.'

'Dan moet dat wel bekend zijn.'

Fenna keek Ruud verschrikt aan. 'Je bedoelt vermissing? Ontkennen? Ik neem aan dat jij jouw goddelijke lijf dan wel in de strijd zult gooien,' zei Fenna een beetje spottend.

'En wat als ik ook opgepakt ben?'

De harde waarheid drong opeens tot haar door. Ze bevond zich op glad ijs. Het was niet zonder gevaar om op de voorgrond te treden. 'Toch wil ik naar een ziekenhuis,' zei Fenna. 'Praten met doktoren of patiënten over orgaantransplantatie. Stel dat iemand iets meer kan vertellen over de herkomst van deze organen. Wat vragen stellen aan verpleegkundigen of schoonmaakpersoneel. Die zouden wel eens kunnen praten. Dan is het een mooi compleet verhaal.'

'Oké, daar kunnen we het later over hebben; eerst moeten we terug naar onze atletes. Ik ben geen held en zie het echt niet zitten om hier in een gevangenis te belanden. Veiligheid voor alles.' Ruud keek om zich heen. 'Zo, nu dat afgehandeld is, wordt het tijd om te eten. Ik heb echt honger. Ik heb het gevoel alsof er op de plek waar mijn maag hoort te zitten, één grote, holle ruimte is. Hoor je de galm?' Ruud liet een gigantisch harde scheet. Ondanks het walgelijk onsmakelijke geluid schoot Fenna in de lach. De ellende even loslaten was wel goed. Op welke manier dan ook.

36

Enthousiast gooide Maud haar knieën omhoog bij elke pas die ze maakte. Hoger, krachtiger, sneller. Ze was bijna klaar met haar trainingsschema. Soms had ze het idee dat ze nog meer wilde, maar haar schema was heel exact samengesteld en haar trainer streng. Rust was net zo belangrijk als inspanning.

Het zweet droop van haar gezicht. Haar shirt was volledig doorweekt. Vocht aanvullen en haar lichaam laten herstellen was na een training van groot belang. Ze liep langzaam uit en al gauw kwam Lucinde naast haar lopen. Korte vochtige pieken, maar stralend groene ogen. Blakend van energie. Haar bleke gezicht roder dan anders.

'Zo, jij ziet er stralend uit. Goed gevoel over de training?'

'De test was negatief,' zei Lucinde bijna juichend.

'Ja, en? Dat is hij tot nu toe toch altijd geweest?' Een jaloers gevoel stak de kop op.

'Je weet het nooit. Het zal je toch gebeuren dat je hier vlak voor de wedstrijden nog door de mand valt.'

'Dat kan alleen als je verkeerd bezig bent.' Maud keek vreemd op van die woorden, waaruit meer kon blijken dan ze misschien doorhad.

Op dat moment struikelde Lucinde.

'Voorzichtig,' waarschuwde Maud terwijl ze haar opving. 'Gaat het?'

'Jaja, ik moet er niet aan denken juist nu een blessure op te lopen.'

'Nee, zeker niet.'

'Heb jij al een oproep gehad voor een controle?' vroeg Lucinde.

'Nee, nog steeds niet. Misschien roepen ze me pas in Beijing op.'

'Dat kan natuurlijk. Nou, mazzel. Ik moet nog even door. Zie ik je straks?'

'Ik ben over een uurtje in de bar, dan kletsen we verder. Doei!'

Maud zag Lucinde naar hun trainer rennen. Klaar om onder handen genomen te worden.

Maud jogde in een rustig tempo verder. Ze dacht aan haar eigen woorden. Pas in Beijing een controle. Ze was daar enorm bang voor. Stel dat ze dan net gespoten had, zou dat een probleem vormen? Het middel mocht dan niet detecteerbaar zijn, ze hoopte dat ze ook niets konden aantonen als ze net gespoten had. Bovendien waren de prikken dan nog te zien. Normaal hadden ze daar nog nooit op gelet, urine en bloed was het enige. Maar nu ze hoorde over de intensieve controle, kwam dit doemscenario in een noodvaart opzetten. Lichamelijk onderzoek. Huidcontrole op injectielittekens? Hoe ver ging de Chinese controle? Ze stonden bekend om hun grondige aanpak. Niets of niemand zou aan hun aandacht ontsnappen. Ze wilde dat zij de eerste controle al achter de rug had, net als Lucinde. Dan zou ze heel wat relaxter kunnen zijn.

De dwang om uit te zoeken wat de risico's waren, werd groter en groter. Juist nu ze zo vlak voor de start stond, moest ze informatie zien te krijgen. Ze kon niet door haar eigen onzekerheid haar kans op succes verspelen. Ze moest de controle terug zien te krijgen. Ze wist hoe gendoping werkte. Met behulp van virussen werden extra genen voor een groeifactor in je lichaam gebracht. Daarna maakte je eigen lichaam meer spiermassa.

Toen Maud het al lopende voor zichzelf onder woorden bracht, schrok ze. Ze stopte abrupt en legde haar handen in haar nek. Virussen? Ze wist dat die niet meer infectueus waren, maar misschien waren ze nog wel aantoonbaar. Opeens leek het helemaal niet meer zo onschuldig, waar ze mee bezig was. Ze moest contact opnemen. Ze wilde zeker weten dat die virussen niet in haar bloed gevonden konden worden. Pas dan durfde ze een volgende injectie aan.

Op dat moment zag ze dat aan het andere einde van de baan iets aan de hand was. Een groepje mensen stond bij elkaar en kreten vlogen over de baan. Maud schrok. Was Lucinde gevallen? Ze rende erheen, duwde anderen opzij en zag Lucinde liggen. Een rood gezicht, nat van het zweet. Gesloten ogen. Trillende benen.

'Wat is er gebeurd?' Maud knielde naast haar.

'Ze struikelde en viel zomaar flauw. Ze is nog steeds bewusteloos,' zei de trainer. 'Roep de arts op!'

Maud keek naar Lucinde, die volslagen van de wereld was. Geen stralende ogen meer, geen energie voor tien. 'We zorgen voor je, Lucinde. Het komt goed.' Ze legde een hand op Lucinde's been en streelde haar geruststellend. Als door een wesp gestoken trok ze haar hand terug. Haar ogen schoten naar de kuit, waar een aantal rode bultjes te zien was.

* * *

Koortsig en buiten bewustzijn was ze afgevoerd naar het ziekenhuis. Wat was er met Lucinde aan de hand? Maud was volledig in de war. Ze voelde weer de kleine bultjes. Bewijzen van injecties? Ze had geen idee gehad. In de sport was het ieder voor zich. Prestaties waren persoonsgebonden. Ze waren concurrenten, geen teamspelers. Sommige dingen deelde je niet en dit was dus een overduidelijk voorbeeld. Had Lucinde hetzelfde gebruikt? Had ze ook hetzelfde aangeboden gekregen? Ze kenden dezelfde mensen, hadden dezelfde contacten.

Maud haastte zich naar de uitgang van het stadion. Ze wilde

naar haar sportmaatje toe. Kijken of ze misschien kon helpen. Bovendien wilde ze natuurlijk te weten komen wat er met haar aan de hand was. Want als Lucinde hetzelfde had gebruikt, dan liep zijzelf ook risico.

'Hé, Maud,' hoorde ze opeens achter zich.

Maud draaide zich om en keek in de doordringende ogen van de journaliste. Verdomme, dat zou je net zien. Journalisten hadden de vervelende gewoonte om op de meest ongelegen momenten op te duiken. 'Dag. Hoe is het met u?' antwoordde ze beheerst.

'Met ons wel goed. Ik zag echter net een ziekenwagen wegrijden.'

Nou en? wilde Maud antwoorden, maar ze hield zich in. 'Lucinde was niet goed geworden. Ze is even voor controle naar het ziekenhuis. Waarschijnlijk de warmte.'

'Oei, dat is wel heel vervelend als je je moet voorbereiden op de wedstrijden.'

Maud knikte. Ze zat op hete kolen. Ze wilde weg bij dat nieuwsgierige mens. 'Ik spreek u later nog wel,' zei ze met haar vriendelijkste glimlach.

'Weet je misschien welk ziekenhuis?'

'Het spijt me, ik moet er nu vandoor. Ik zie u later.' Maud draaide zich om en liep weg.

'Daar kun je op rekenen,' hoorde ze achter zich.

* * *

'Die verbergt iets,' bracht Ruud Fenna's gedachten onder woorden. 'Naar het ziekenhuis vanwege de warmte?'

'Ja, er lijkt een luchtje aan te zitten. Verdacht genoeg om het even te controleren.' Fenna keek de atlete na. 'Ruud, ik wil achter haar aan. Misschien zit er wel een verhaal in.'

'Oké, laten we dan gaan, anders is ze al weg.'

'Nee, jij valt te veel op, ik ga alleen.' Fenna gooide de tas om haar schouder, zette haar zonnebril op en liep snel in de richting waarin Maud was verdwenen.

'Bel me als je weet waar ze ligt, dan kom ik naar je toe,' hoorde ze Ruud nog roepen.

Nu ze zonder het beschermende lichaam van Ruud over straat liep voelde Fenna zich kwetsbaar. Toch wist ze dat dit de enige optie was om de atlete enigszins ongemerkt te kunnen volgen. Ruud was als een zwembad in de woestijn.

Het was direct tot haar doorgedrongen dat er iets niet klopte. Journalistenvoelsprieten. Hoe kon Maud beweren dat het slechts de warmte was? Dat was toch geen reden om haar naar een ziekenhuis te brengen? Vreemd. De enige manier om daarachter te komen was haar volgen naar het ziekenhuis.

Maud liep in een fors tempo, maar ze was een stuk langer dan de gemiddelde Chinees en haar korte blonde haar viel duidelijk op tussen alle zwarte kopjes. Fenna bleef op veilige afstand en keek om zich heen. Balkons, met tralies afgezet, hingen tussen de airco's, die als puisten uit het beton van de flats groeiden. De meeste waren zwart uitgeslagen. Overal hingen uithangborden met Chinese tekens, waarbij rood de boventoon voerde.

Op dat moment bleef Maud staan en keek plotseling om. Fenna dook weg achter een Chinees stel dat hun enig kind tussen hen in hield. De vrouw keek Fenna lachend aan. Haar haren in een staart, die te strak leek te zitten. Haar ogen opzij getrokken. Ze tilde het jongetje op en lachte trots.

Fenna lachte terug. Ze deed alsof ze het kind bewonderde, maar hield ondertussen Maud op de achtergrond in de gaten. Het kind dook angstig weg in de armen van zijn moeder. De man begon vriendelijk tegen haar te ratelen. Fenna haalde haar schouders op en gaf met gebaren aan dat ze hem niet begreep. Het jongetje gluurde nu nieuwsgierig onder de arm van zijn moeder door. Fenna schoot in de lach.

Even was ze afgeleid van haar doel. En in die luttele seconden bleek Maud verdwenen. Verdomme, ze moest haar hoofd erbij houden. Ze wierp een snelle glimlach naar het echtpaar en liep gauw verder naar de plek waar ze de atlete het laatst had gezien. Ze keek om zich heen en zag een man met snelle passen in haar richting komen. Hij hield opeens in, duwde de krant wat verder weg onder zijn arm en stak de straat over. Fenna negeerde hem en liet haar ogen over de zwarte hoofden dwalen. Gelukkig zag ze iets verderop Maud weer lopen, doelbewust en zeker van zichzelf. Fenna stak de straat over, zich sterk bewust van de afwezigheid van stootbumper Ruud.

Als Lucinde echt ziek was, zou ze in het ziekenhuis moeten blijven. Maar een opname vanwege de warmte was vast uitgesloten. Misschien kon ze beide dames zelfs wel even rustig spreken. Want dat was nog steeds niet gelukt.

Een straatveegster schoof een nietig hoopje vuil op een blik. Een witte kap voor haar mond en een reflecterende hes om haar schouders. Grote zinken emmers stonden op een driewieler, waarvan de wielen roestig uitgeslagen waren. Het was al de zoveelste die ze in de stad tegenkwam. Properheid op straat was hier belangrijk.

Op dat moment zag ze dat Maud naar een groot gebouw liep met grote rode tekens op het dak. Dat moest het ziekenhuis zijn. Maud stopte plotseling en keek om. Ze leek Fenna recht in haar ogen te kijken. Fenna kon nergens heen en bleef dus stilstaan. Zo min mogelijk aandacht trekken was het beste. Net toen ze zich alsnog wilde afwenden, draaide Maud zich om en liep het gebouw binnen.

* * *

Fenna bleef aan de overkant van de weg staan en bekeek het ziekenhuis vanuit de verte. Goedgevulde bloembakken begeleidden de oprit. Kleine ramen in een witglazen muur. Tegen de gevel hingen twee mannen die met een emmer aan hun riem het gebouw afsopten. Ze slingerden op een soort schommel enkele tientallen meters boven de grond. Een spons in de ene hand, een zuignap in de andere, zodat ze niet als een idioot rond zouden gaan tollen. Toch nog enig houvast. De mannen hadden in de gaten dat Fenna hen bekeek en zwaaiden vrolijk naar haar.

Ze ging tegenover het ziekenhuis op een muurtje zitten en belde Ruud. Ze legde uit waar ze was en vroeg of hij die kant op kon komen.

'Dat komt nu niet zo goed uit, Fenna. Ik kan over vijf minuten terecht bij de trainer. Ik wil graag wat foto's maken in het stadion. Ik bel je later wel terug.'

'Dan ga ik zelf wel naar binnen. Misschien kan ik ook al wat info krijgen over die transplantaties. Ik ben nu toch bij het ziekenhuis.'

'Doe voorzichtig, Fenna. Eerst een artikel over de atletes, hadden we toch afgesproken? Steek je niet in een wespennest, dan ben je nog verder van huis.'

'We zijn ook ver van huis,' antwoordde Fenna ad rem.

'Juist daarom. Ik kom zo snel mogelijk naar het ziekenhuis. Hou je mobiel aan!' Hij klikte haar weg.

Ze stak de straat over. Eenmaal binnen in het immense ziekenhuis bleken alle informatieborden nutteloos. De Chinese tekens kwamen haar neus uit. Niet alleen was de spreektaal een probleem, ook richtingaanwijzers, straatnamen en uithangborden waren volledig zinloos als je de taal niet kon begrijpen.

Ze liep naar een balie, waar ze hoopte enige informatie te krijgen.

* * *

De kantine van het ziekenhuis was ruim en de vele groene planten straalden hun rust over de bezoekers uit.

Bij de balie was Fenna niet veel wijzer geworden. De vrouw was vriendelijk maar onverstaanbaar en Engels werd niet gesproken. Het had dus ook geen zin om over orgaandonoren te beginnen. Niemand zou haar begrijpen. Dus besloot ze te wachten.

Maud was al binnen een halfuur weer in de hal. Eerst was ze afwerend. Geen zin om te praten, dat was duidelijk. Maar tot Fenna's verbazing ging ze toch in op het aanbod een kop thee te drinken.

'Hoe is het met Lucinde?' vroeg Fenna.

'Ze waren nog bezig met het onderzoek,' gaf Maud aan. 'Ze zal wel een nachtje ter observatie in het ziekenhuis blijven, denk ik.'

'Kon je je verstaanbaar maken? Dat Chinees is een ramp.' Tot haar voldoening zag Fenna een aarzelend lachje.

'Het is nog erger dan Hongaars of Fins. Niets van te maken. Gelukkig sprak haar arts een beetje Engels.'

Ze spraken nog een tijdje over de typische gewoonten van de Chinezen, tot Maud opeens rechtop ging zitten. 'Mag ik wat vragen? Hebt u in uw hotel toegang tot internet?'

'Ja, natuurlijk. Ik denk zelfs dat ik hier wel bereik zal hebben. Er zijn een groot aantal hotspots in de grote steden en in een ziekenhuis heb je daar wel kans op.' Fenna opende haar tas en pakte haar notebook, die ze overal met zich meedroeg. Hotelpersoneel was niet altijd te vertrouwen. Ze startte haar pc op. 'Ja, ik heb bereik. Ik zal even inloggen.'

'Ik weet dat ik ook in het sportcentrum kan mailen, maar...' Maud aarzelde. Ze nam een slok thee. 'Nou ja, ik heb ook gehoord dat ze alle uitgaande mails controleren. Dus dat vertrouw ik niet zo.'

Fenna schoof haar notebook naar haar toe. 'Hier, ga je gang. Op kosten van *Ogen-blik*.' Ze keek toe hoe Maud de notebook naar zich toe trok. Fenna vroeg of ze nog een kop thee wilde en liep vervolgens naar de balie. Ze kon zich voorstellen dat Maud zich enigszins opgelaten zou voelen met de ogen van een journaliste op zich gericht. Ze leunde tegen de balie en wachtte tot ze de thee kreeg. Op het moment dat Fenna de thee naast Maud neerzette, zag ze dat de atlete even onzeker wachtte tot Fenna weer was gaan zitten. Daarna typte ze snel verder en al gauw sloot ze het mailprogramma af.

'Fijn, dank u wel. Even een berichtje voor het thuisfront.'

'Over Lucinde?'

'Ik wil ze even op de hoogte brengen,' was de korte reactie.

Fenna viste niet verder. Ze zag dat Maud een beetje onrustig heen en weer schoof en met kleine slokjes haar thee naar binnen werkte.

'Ik moet weer terug om te trainen,' zei ze uiteindelijk.

'Dat begrijp ik. Ik hoop dat Lucinde snel genoeg weer opgeknapt is om mee te kunnen doen aan de wedstrijden.'

'Dat hoop ik ook. Misschien komt het een beetje onvriendelijk over, maar ik zou het waarderen als u ons een beetje met rust zou willen laten.'

'Wij zijn hier om verslag te doen van de Olympische Spelen,' gaf Fenna aan.

'Ja, natuurlijk, en wij zijn hier om te presteren, en daarvoor moeten we ons honderd procent kunnen concentreren. Ik wil best met u praten, maar dat achtervolgen vind ik achterbaks.'

Fenna zweeg verbouwereerd. Duidelijke taal.

'Weet u, we zijn hier voor de wedstrijden. We hebben geen tijd om elke scheet die ons dwarszit aan de pers mee te delen. Ronald, onze sportmanager, komt over een paar dagen. Via hem kunt u wel een afspraak maken. Hij zorgt dan dat het interview binnen ons trainingsschema past zodat we rustig de tijd hebben om te praten.'

'Ik zal er rekening mee houden,' zei Fenna. 'Het hoeft ook helemaal niet veel tijd te kosten.'

'Tot ziens.' Maud stak haar hand uit. 'En nog bedankt voor de mailmogelijkheid. En let op uzelf. Wij zijn niet de enigen die niet van de pers houden. China staat er ook om bekend. Er is niet voor niets een mannetje dat u in de gaten houdt.'

Fenna keek haar onthutst na.

37

'Goedemorgen, schoonheid.' Ruuds stem donderde door de ontbijtzaal.

Fenna had net een kop koffie gepakt en stond aarzelend voor de schalen met gebakken rijst, mie en geurig gestoomde koolbladeren. Het rook heerlijk, maar Fenna hield niet van een zwaar ontbijt. Ze koos voor een gekookt ei en een paar zoete broodjes.

'Ha, Ruud,' beantwoordde ze zijn groet. Ze keek hoe hij heen en weer drentelde voor het ontbijtbuffet alsof hij moeite had met het maken van een keuze. Daarna schoof hij bij haar aan tafel. Zijn bord was volgeladen alsof hij aan een vorstelijk diner begon.

'Eet smakelijk,' zei ze sarcastisch.

'Dank je wel.' Vrolijk viel hij aan.

De koffie was lekker. Zeker voor oploskoffie. Hoe ze het deden wist Fenna niet, maar het resultaat was elke keer weer verbluffend. Pittig en sterk, alsof de Senseo zijn werk goed had gedaan.

Na een paar grote slokken, kwam ze met haar nieuwtje voor de dag. 'Ik ben gisteren achtervolgd.'

Ruud keek verbaasd op. 'Kom op, Fenna. Jíj hebt iemand

achtervolgd, bedoel je. Verder heb je alleen maar met een vrouw in het park zitten praten.' Zijn mond maalde verder.

'Ik ben zelf ook gevolgd naar het ziekenhuis. De Chinese oren blijken erg actief te zijn. Of hun ogen, natuurlijk. Misschien hebben ze ons al vanaf onze aankomst in China in de gaten gehouden. Standaardprocedure? Of ze hebben de vrouw altijd in de gaten gehouden sinds ze vrij is. Dan zijn ze na onze toevallige ontmoeting aan ons blijven hangen.'

'Jeetje, dan zit je in een wespennest.'

'Was het maar zo,' verzuchtte Fenna. 'Maar ik laat me niet intimideren. Niemand kan iets bewijzen. Ik heb geen aantekeningen en we kunnen onmogelijk afgeluisterd zijn.'

'Fenna, word wakker! Dit is China. Bewijzen? Bullshit. Ze gaan heus niet eerst eens rustig bewijzen verzamelen.' Ruuds gezicht stond ongewoon serieus. Hij schoof zelfs zijn bord opzij.

Fenna keek om zich heen. Ze zaten in het restaurant van het hotel en regelmatig liepen er mensen in en uit. Strakke gezichten, bijna zonder uitzondering Chinese nationaliteit. Het was moeilijk om iemand te herkennen. Een Chinees was een Chinees.

'Heb je in het ziekenhuis ook nog vragen gesteld over die transplantaties?' Ruud fluisterde samenzweerderig.

'Nee, niemand sprak Engels. Ik ben gewoon in de kantine gaan zitten tot Maud weer naar beneden kwam.'

'En toch ben je gevolgd. Dan moet je voorzichtig zijn, ze zullen je vanaf nu in de gaten blijven houden. Shit, die verdomde persvrijheid hier. Volkomen paranoia zijn ze. Alsof China meteen in een oorlog zou belanden als er een beladen artikel verschijnt. Ik had ook al zo'n probleem bij het stadion. Ze houden nu eenmaal niet van de pers, dat is duidelijk.'

'Er zou toch een volkomen vrijbrief zijn voor de buitenlandse pers. Vrij om te bewegen in het hele land. Nou, mooi niet. Communicatie is niet hun sterkste punt.'

'Communisme wel,' bromde Ruud.

'Ik heb nog wel zo'n mooi formulier mee vanuit Nederland. Speciaal door Harry himself geregeld.'

'Zelfs Harry kan hier niets tegen doen, ben ik bang. Maar ik ben er niet voor om op te geven. We moeten onze verantwoordelijkheid nemen. Die vrouw heeft genoeg doorstaan, nu zijn wij aan de beurt. Als ik nou eens naar het ziekenhuis ga? Mij houden ze niet in de gaten. Ik wil wel een beetje aanpappen met lekkere verpleegsters. Mijn natuurlijke charmes gebruiken.'

Fenna keek hem verschrikt aan. 'Als je dat maar laat. Het is wel de bedoeling dat we met een goed verhaal thuiskomen. Jouw natuurlijke charmes leiden tot andere topics.'

'Gewoon een dekmantel.'

'Dekmantel of dekhengst? Ruud, als jij...' Op dat moment liep een man vlak langs hun tafeltje. Fenna zweeg verschrikt. Had ze hem al eerder gezien? Onderweg naar het ziekenhuis? Of was hij gewoon een van de gasten van het hotel? 'Verdomme, ik zie allemaal potentiële afluisteraars om me heen. Al die Chinezen zijn identiek.'

'Luister, Fenna. Ik ga gewoon even babbelen bij het ziekenhuis. Als dat niet lukt stoppen we. Het heeft geen zin om de beloofde persvrijheid op de spits te drijven. Misschien dat ze zich volledig op jou concentreren en mij gewoon laten lopen. De onschuldige dikkerd.' Ruud nam nog een hap van zijn eten.

'Ze zullen heus wel in de gaten hebben dat wij bij elkaar horen,' bracht Fenna ertegen in.

'Ik zal al mijn afschudtechnieken gebruiken en via verschillende taxi's, winkelstraten en wat parken naar het ziekenhuis reizen. Het komt wel goed. Als ik terug ben in het hotel, zal ik direct verslag uit komen brengen. En ik beloof je dat we ons daarna alleen nog maar op de sport zullen richten. Hoewel we natuurlijk ondertussen best aan dit artikel kunnen werken. Eén loslippige verpleegster is voldoende om onze publicatie meer gewicht te geven.'

'Doe voorzichtig, Ruud,' was het enige wat Fenna nog zei. Ze keek hoe Ruud zich van de stoel hees en zonder om te kijken het hotel uit liep.

38

De hotelkamer was misschien niet luxe, maar wel heel comfortabel. Wat een verschil met de nogal sobere kamers die ze op Papendal hadden. Maud staarde naar het plafond. Ze zat met haar gedachten bij Lucinde. De arts kende slechts enkele Engelse woorden, maar die waren dan ook heftig blijven hangen. 'Infectie', 'koorts' en 'bewusteloos'. Hij had verder vooral zijn hoofd geschud, alsof hij zich geen raad wist. Hun eigen sportarts was vanzelfsprekend meegegaan naar het ziekenhuis, maar had Maud al snel weggestuurd met de woorden: 'Ik hou Lucinde in de gaten. Maak je geen zorgen.' En ook Ronald die net vanuit Nederland was overgekomen had aangegeven dat ze zich moest concentreren op haar eigen voorbereiding.

Ze maakte zich echter wel degelijk zorgen. De spuitplekjes waren haar zo bekend. Zelf had ze alle mogelijke moeite gedaan om die elke keer te verstoppen, maar Lucinde liep gewoon met blote benen rond. En geen haan die ernaar kraaide. Het was haar als enige opgevallen. Dacht ze.

Als ze haar injectieschema aan wilde houden, moest ze vanavond weer spuiten. Maar nu was ze bang. En niet alleen voor de controle die ze ongetwijfeld binnenkort zou krijgen. Sinds de opname van Lucinde was er een tweede angst bij gekomen.

Had zij hetzelfde middel gebruikt? Waren ze onafhankelijk van elkaar bezweken onder de zware druk die op hun schouders lag? Presteren. Winnen. Records breken. Tienden, zelfs honderdsten van seconden konden het verschil maken tussen winst of verlies. De druk was gigantisch.

Het gebruik van doping had altijd op de loer gelegen. Het leek zo gemakkelijk. Je slikte een pilletje of nam een injectie en opeens deden je spieren binnen een dag waar je anders misschien maanden keiharde training voor nodig had. Tot nu toe had ze altijd weerstand kunnen bieden. De eerlijkheid in de sport was voor haar altijd heilig geweest. Bovendien, als je gepakt werd op dopinggebruik, zou je als topsporter nooit meer serieus genomen worden. Ook al liep je, jaren na een dopingschandaal, een nieuw record en werd je volledig schoon bevonden tijdens die race, dan nog bleven de geruchten als een malariamug rondzoemen.

En nu had ze zelf gebruikt. En Lucinde waarschijnlijk ook. Wat was er bij haar misgegaan? Die vraag bleef haar kwellen. Daarom had ze een mail gestuurd naar de enige persoon die daar een antwoord op kon geven. Ze voelde een gemene grijns over haar gezicht glijden. Nota bene tegenover een journaliste had ze vragen zitten typen over het gendopingmiddel. Controle in de hoogste rang. Je moest durven bluffen. Risico's nemen. Het had haar een overweldigend gevoel gegeven tegenover de nieuwsgierige journaliste. Overheersend en sterk, net zoals ze in de sport wilde zijn.

Maar nu ze hier stil op haar kamer lag na te denken was het dilemma hard teruggekomen. Moest ze het ziekenhuis waarschuwen? Zouden ze Lucinde dan kunnen helpen? Nu waren ze op zoek naar iets wat niet traceerbaar was.

De verwarring had haar volledig in zijn greep. Als ze de artsen zou benaderen, zou ze zelf in de problemen komen. Haar eigen injectiesporen waren nog te vers. Dan zou haar sportcarrière ook ten einde zijn. Nog een weekje en dan zou ze op haar sterkst zijn. Ze twijfelde er niet aan dat ze dan eindelijk de winst binnen zou slepen. Na al die jaren beperkingen, trainen, zwoegen, zou ze eindelijk het succes kunnen oogsten. Het lag nu voor het grijpen! Zij kon toch niet haar eigen glazen ingooien, alleen maar omdat Lucinde misschien...?

Zou ze haar dilemma met Andrei bespreken? Nu ze Don niet meer had, hoefde ze haar gevoelens niet meer te verbergen. Ze zou nooit Andrei's blik vergeten toen ze vertelde dat Don bij haar weg was. Hij had niets gezegd, maar zijn ogen vertelden alles wat nodig was. Ze was enorm onder de indruk van de Roemeense kogelstoter. Gemeenschappelijke interesse. Hem zou ze nooit uit hoeven te leggen hoe belangrijk sport was. Maar ze wilde niet dezelfde fouten maken als bij Don. Ze wilde vrijer leven. Geen controlefreak. En juist daarom kon ze met hem niet over doping praten. Ze wilde zijn bewondering. Ze sloot haar ogen en zag de helderblauwe ogen van de Roemeen voor zich. Zijn gespierde borst, glad en strak. Zijn armen versierd met tatoeages. Ze wilde de trots in zijn ogen zien blinken terwijl ze haar armen juichend omhoog zou steken. Straks als de ultieme wedstrijd gelopen was. Winst. Prestatie. Daar ging het om in de sport.

Haar ogen, die onafgebroken over het plafond hadden gezworven, op zoek naar enig houvast voor een oplossing, kwamen tot rust. Ze moest nu doorgaan, ze kon niet anders. De ultieme winst lag binnen handbereik, ze hoefde hem alleen maar te grijpen. Ze kwam omhoog, deed haar koffer van het slot en pakte haar toilettas. Niet aarzelen. Handelen. Doorgaan, dat was haar altijd voorgehouden bij de sport. Altijd door blijven gaan, geen zwakte tonen.

Ze pakte een buisje uit het doosje. Vreemd. Ze dacht zeker te weten dat ze er nog meer had. Wanneer had ze er voor het laatst een genomen? Ze rekende terug. Ze twijfelde. Had ze wel goed geteld? Haar koffer zat altijd op slot. Niemand kon bij haar spullen. Toch?

Ze vulde de injectiespuit. Als ze nu een klein beetje meer injecteerde, zou het effect dan nog groter zijn? Maud keek naar de heldere vloeistof, onschuldig als water, maar sterk als rum. Hier was de grens, wist ze opeens met grote zekerheid. Hier moest ze de controle blijven houden en de grenzen die haar aangegeven waren niet overschrijden. Ze beperkte zich tot het normale volume en tikte de luchtbellen naar boven. Daarna duwde ze langzaam de naald in haar kuitspier.

Op dat moment werd er op haar deur geklopt.

39

Het duurde lang voordat ze iets van Ruud hoorde. Hij had toch allang terug kunnen zijn uit het ziekenhuis? Fenna maakte een kop thee terwijl ze in haar hotelkamer zat te wachten, verveeld starend naar de vuile vegen op de ooit witte muur. Het was geen goed idee geweest dat Ruud was gegaan. Dat viel pas echt op, die kon je bijna niet over het hoofd zien. Iedere bewaker en verpleegkundige en zelfs iedere andere bezoeker zou hem later herkennen. En het was maar de vraag of hij iemand kon vinden die iets durfde te zeggen over ontoelaatbaar donorschap. Alsof ze in China stonden te trappelen om zoiets te vertellen. De doodstraf werd wel voor minder gegeven.

Ze slurpte van de hete thee. Groene thee was een nationale drank in China. Altijd en overal liep iedereen met een eigen thermoskannetje waarin wat blaadjes dreven. Die werden gedurende de dag steeds aangevuld met heet water. Zelfs bij het diner werd altijd thee neergezet, in kleine porseleinen kommetjes. Fenna begon aan de smaak te wennen. Bovendien zou het gezonder zijn dan gewone zwarte thee. Ze moest glimlachen toen ze aan Tara dacht. Gezond en lekker waren volgens haar twee zaken die niet samengingen. Toch nam ze zich voor wat groene thee mee naar huis te nemen.

Weer keek ze op haar horloge. Het was al laat. Ze pakte de afstandsbediening en zapte wat langs de televisiekanalen. Veel typisch Chinese muziek. Hoge stemmen waarop een kat jaloers zou zijn. Toch stond de Sichuanopera erom bekend dat de stemmen beter in het westerse gehoor lagen dan die van de Pekingopera. 'Apart,' zou Marjet zeggen, of 'een hele ervaring'. Jammer dat ze er geen tijd voor had.

Fenna knalde de televisie weer uit. Thuis keek ze al bijna nooit, dus hier in China zou ze er dan ook niet aan beginnen. Ze gaapte en rekte zich uit. De thee was op en de middag voorbij. Ruud, waar blijf je? Hij hoefde niet eens foto's te maken. Zou hij in de problemen zijn gekomen? Of zou de onweerstaanbare Ruud een mooie verpleegster aan de haak hebben geslagen? Dat kon je hem wel toevertrouwen. Zelfs al sprak hij geen woord Chinees, dan nog zou het hem lukken haar met mooie praatjes te verleiden.

Ze kwam overeind en schoot een paar slippers aan. Hij was waarschijnlijk gewoon vergeten dat hij bij haar langs zou komen. Ze pakte haar sleutelkaart en liep de deur uit. De kamer van Ruud was gelukkig op dezelfde verdieping. Ze liep door de smalle gang en sloeg een paar keer een hoek om.

Ze klopte op zijn deur. 'Ruud!' Geen reactie. Weer klopte ze aan, wat harder nu. Het was haar al snel duidelijk dat hij niet op zijn kamer was. Of hij was aan de boemel gegaan, of hij was nog niet terug van het ziekenhuis. Ze keek kwaad naar de gesloten deur, zuchtte, en slofte toen terug.

Bonk, bonk, bonk! Nog iemand die ergens binnen wilde. Fenna sloeg een hoek om.

Schelle kreten klonken door de kale gang, gevolgd door luider gebonk op een deur. Fenna hield in. Was dat bij haar kamer? Opeens schoot de argwaan als een golfbeweging door haar lijf.

Weer harde kreten. Voorzichtig keek Fenna om de hoek. Een korte blik was voldoende. Drie man sterk, stijf in uniform, alle blikken gericht op haar kamerdeur. Verdomme, ze kwamen voor haar!

Ze keek om zich heen. Ruud had het verknald, en was toch in de problemen gekomen. Kwamen ze nu haar ophalen? Persvrijheid, dacht Fenna bitter. Een regime verander je niet zomaar. Zelfs niet vanwege de Olympische Spelen. China had zich nog nooit iets aangetrokken van de mening van andere grootmachten over de schending van mensenrechten. Dus waarom dan nu wel?

Maar dat was niet iets om nu mee bezig te zijn. Ze moest zich eerst in veiligheid brengen en zich even gedeisd houden. Fenna's ogen flitsten door de gang. Waar kon ze heen? Ze draaide zich om en sloop terug. Naast de kamer van Ruud bevond zich een nooduitgang. Ze hadden er nog grapjes over gemaakt, omdat zij toch wel sneller zou zijn. Nu moest ze dat laten zien.

Achter zich hoorde ze nog een paar maal gebonk, daarna stopte het.

Ze begon nu sneller te lopen. Haar passen werden gedempt door de vloerbedekking. De deur naar het trappenhuis lag plotseling voor haar. De deur was zwaar en het kostte haar behoorlijk wat kracht om hem te openen. Daarachter lag een donker gat. Slechts door enkele vuile raampjes kwam wat licht naar binnen. Geen lichtknopje te zien. Opschieten, niet zoeken maar wegwezen. Ze greep de trapleuning en haastte zich over de trap naar beneden. Haar slippers klapten met holle klanken op het beton. Niet aan denken, doorlopen.

Op dat moment hoorde ze boven zich de deur opengaan. Abrupt stopte ze. Stemmen schoten de treden af. Harde klanken. Zouden ze naar beneden komen? Waren ze naar haar op zoek?

Stemmen in overleg. Haar ademhaling ging snel terwijl ze afwachtte. Laarzen. Shit, ze kwamen naar beneden. Fenna trok snel haar slippers uit en daalde verder af in de duisternis. Waar zou ze uitkomen?

De stemmen klonken bedaard, de passen in een rustig tempo. Ze wisten niet dat ze hier was. Ze kon ontsnappen. Weg moest ze. Als ze haar maar niet zouden horen. Ze moest zich verstoppen op een andere etage. Op zoek naar een plek om deze onrust voorbij te laten gaan.

Op dat moment gleed haar voet van een trede af. Ze zocht naar de leuning. Haar slippers vielen uit haar hand en ze greep mis. Met een harde klap landde ze op de scherpe rand van de betonnen trap. Ze gaf een gil en rolde verder. Een snijdende pijn schoot door haar schouder. Wat een klap.

Kreten boven haar. Bevelen werden geroepen, laarzen kwamen in staccato van de trap af. Fenna duwde zich omhoog. Een snerpende pijn benam haar even de adem, tot ze tot het besef kwam dat ze verder moest. Ze was bij de deur van een verdieping en schoot erdoorheen. Opeens baadde ze in het licht. De vloerbedekking was welkom aan haar pijnlijke voet. Fenna keek niet om. Ze rende blindelings verder.

De lift. Ze duwde op het knopje. En meteen rende ze verder. Een paar tellen later hoorde ze *ping*. Lange seconden voor de deur weer dichtging. Gebonk op de lift. Ze waren te laat en dachten dat ze erin zat. Stemmen in verwarring. Fenna duwde tegen een deur zonder kamernummer. Hij gaf mee. Snel sloot ze de deur achter zich. Ze knipte het licht aan en zag stapels handdoeken en lakens. De linnenkamer. Geen kip te zien. Een veilige schuilplaats.

Fenna deed het licht uit en wachtte.

40

De naald schoot diep in haar vlees. Shit, dat deed gemeen pijn. Weer werd er geklopt.

'Ik kom eraan!' Maud trok de naald uit haar been. Even stond ze besluiteloos met de spuit in haar hand. Waar moest ze die nu zo snel laten? Ze mikte de spullen in haar toilettas, pakte de naald in een tissue en sloot haar koffer.

'Maud, are you okay?' De stem van Andrei klonk ongerust.

Zijn stem joeg haar hartslag omhoog. Ze liep naar de deur en voelde haar wangen gloeien. 'Andrei, wat doe jij hier?'

'Wat een welkom,' zei hij met een scheve lach.

Ze liet hem binnen en rook zijn aftershave. Zijn lichaam was fantastisch, een olympische god. Zijn spierballen leken opgepompt als de borsten van een pornoster en hij had een kont om te zoenen. Een superatleet in topvorm, dat was duidelijk.

'Ik maak me zorgen om je en jij vraagt wat ik kom doen. Nou, mooie boel.'

'Sorry, Andrei, maar ik was...'

'Ben je bij Lucinde geweest? Wat heeft ze? Is het besmettelijk? Als Lucinde iets onder de leden heeft, heb jij het straks ook te pakken. Ik liep naast haar toen ze zomaar tegen de grond klapte. Zonder enige aanleiding. Hoe is het met haar?' Hij ratelde maar door.

'Ga eerst eens rustig zitten.'

Hij keek om zich heen, zag haar stoel vol kleren liggen en wilde haar koffer opzijschuiven om op bed te gaan zitten.

'Wacht, laat mij maar,' schrok Maud. Ze schoof de koffer onder het bed en sloeg het dekbed dicht. Ze lieten zich naast elkaar op bed zakken.

Opeens hing er een spanning. Een wisselwerking tussen twee lichamen. Haar ademhaling zat hoog en ging te snel. 'Ik ben maar kort bij haar geweest in het ziekenhuis,' stootte ze uit. 'Ik heb geen idee wat er met haar aan de hand is. Ze had koorts. Bovendien stond ik daar alleen maar in de weg. Onze sportarts is nu bij haar.'

'Wat een rotmoment om ziek te worden. Vlak voor de wedstrijden. Zelfs als ze binnen een paar dagen weer opgeknapt is, zal haar conditie een knauw gekregen hebben. En daar train je dan jarenlang voor.'

'Ik hoop dat ze snel opknapt. Gelukkig hebben we nog even.' Mauds spieren ontspanden wat.

Andrei schoof wat dichter naar haar toe. 'Ik ben blij dat met jou alles in orde is,' zei hij zacht. 'Ik heb je gemist. Je was niet op de training.'

'Nee, ik eh...' Maud voelde de blos branden. 'Ik moest...'

'Het maakt niet uit, je bent er nu,' fluisterde hij. Zijn lippen naderden haar mond, die automatisch openging. Hij trok haar naar zich toe. Zijn tong bestreek haar droge lippen. Haar ademhaling stokte en de warme gloed van haar wangen verspreidde zich naar beneden. Geen fantasie meer over hoe het met hem zou zijn. De zoen werd steviger. Eisend, bijna. Hij schoof een arm onder haar knieën en legde haar languit op bed.

'O, Maud. Hier heb ik zo naar verlangd.'

Ze kon alleen maar kreunen, omdat hij met zijn lippen een antwoord tegenhield. Zijn beide handen omringden nu haar gezicht en zijn mond verkende de verschillende plekjes. Abrupt stopte hij.

'Bloed,' zei hij verbaasd. Hij keek naar zijn hand, waar een flinke rode veeg op zat. Hij bestudeerde haar gezicht en nek, en zijn ogen schoven verder naar beneden. Maud schrok en duwde haar been diep in het dekbed. Maar hij tilde om de beurt haar benen op. 'Je bloedt,' herhaalde hij toen.

Maud streek even over het wondje. 'Niets ernstigs,' zei ze luchtig. Ze leidde hem af met haar lippen.

41

Wachten vertraagde de tijd. Geen horloge, geen papieren, zelfs geen behoorlijke schoenen. Fenna was al blij dat haar bril gewoon op haar neus was blijven zitten, zodat ze voldoende kon zien. Ze was alle besef van tijd kwijt. Ze zat hier misschien al uren. Tijd genoeg om na te denken wat ze moest doen. Ruud zat in de problemen, dat kon haast niet anders. Maar wat kon ze doen? Ze kon nergens heen. Zouden die agenten nog voor haar kamer staan? Kon ze snel haar papieren pakken en wegwezen? Naar de ambassade gaan? Ze moest hulp mobiliseren voor Ruud.

Ze kwam overeind. Al haar spieren protesteerden. Haar gewonde schouder zeurde, maar zolang ze die niet gebruikte was het te doen. Ze rekte haar rug, trok even haar benen een voor een op en draaide haar enkels. Alles bewoog, maar daar was ook alles mee gezegd.

Voorzichtig opende ze de deur. Een lege gang. Ze stapte naar buiten en begon naar de lift te lopen. Was dat wel verstandig? Ze draaide om. Het trappenhuis. Op het moment dat ze vlak bij de deur was, hoorde ze stemmen. Een schok ging door haar heen. Een hoge giechel en een brommerige mannenstem. Het tweetal passeerde haar. Ze keken haar vreemd aan, betrapt leek het wel, maar Fenna glimlachte vriendelijk.

Zonder problemen kwam ze bij het trappenhuis. Alles rustig. Haar beenspieren verkrampten terwijl ze de trappen beklom. Ze snakte naar wat adrenaline om de pijn te verdrijven, maar was tegelijkertijd blij dat haar lichaam haar rust gaf. Al snel was ze boven. De gang was ook hier verlaten. Gelukkig.

Haar deur zat dicht. Er leek niets gebeurd. Fenna zuchtte. Misschien liep alles met een sisser af. Ze pakte haar sleutelkaart uit haar zak en opende de deur.

* * *

Binnen was alles stil. Opgelucht sloot ze de deur achter zich en knipte het licht aan. Meteen deinsde ze achteruit. Bij het raam zaten twee agenten. Ogen zonder uitdrukking. Een derde stond onverwachts achter haar. Hij stootte een aantal onbegrijpelijke klanken uit.

Fenna deed automatisch weer een paar passen naar voren. Ze was in hun val getrapt. Ze had er zwaar de pest in. Hoe naïef was ze geweest om te denken dat ze weg waren gegaan. Maar wat had ze anders moeten doen? Zonder schoenen en vooral zonder geld of papieren.

'Who are you?' probeerde ze.

De man die de leiding leek te hebben, greep haar bij haar bovenarm. Opgepakt en zonder proces in een cel gegooid, dreunde het door haar angstige hoofd. Ze rukte zich los, weg van de intimiderende man. Ze pakte de telefoon en duwde op elk knopje dat ze maar kon vinden. Er gebeurde niets.

Fenna liep naar haar bed en begon wat losse spullen in haar tas te stoppen. De twee mannen waren stram in de houding gaan staan, maar deden niets om haar tegen te houden. Ze zag de smalle benen, verborgen in te wijde pijpen. Uniformmannen, ze had er een hekel aan. Alsof ze belangrijker waren door dat uiterlijk vertoon. Toch voelde ze zich geïntimideerd. Ze had geen idee wat ze van plan waren. Ze keek hen om beurten aan. De smalle ogen stonden strak. Geen greintje menselijkheid scheen door de samengetrokken oogleden heen. Hun lippen waren op elkaar geknepen, gewend om zwijgend hun orders in ontvangst te nemen. Nou, zij niet, dacht Fenna opstandig.

'Get out! I want to sleep!' Fenna ging staan om groter te zijn dan haar tegenstanders. Ze zou zich niet zomaar mee laten nemen. Ze wees naar de deur en riep nog een keer dat ze weg moesten. Het had echter totaal geen effect.

De leider klaterde wat Chinese commando's en meteen kwamen de andere twee in actie. Ze kwamen aan weerszijden van haar staan en grepen ieder een arm beet. Fenna bukte snel, greep haar tas en schoot haar schoenen aan. Ze gebruikten geen geweld, alleen maar dwingende druk. Toch had ze niets in te brengen en ze kon niets anders doen dan meelopen. Maar haar mond liet zich niet dimmen. Luid protesteerde ze in de nachtelijke stilte van het hotel.

'Laat me los! Wie denken jullie wel dat jullie zijn. Ik zal de ambassade inschakelen!' Ze wist dat haar begeleiders er niets van begrepen, maar dat kon haar niets schelen. Als zij in het Chinees tegen haar zouden blijven raaskallen, dan zou zij hun wel een aardig woordje Nederlands bijbrengen. Helaas maakte het allemaal niets uit. De mannen waren misschien wel smal en klein vergeleken met haar, toch waren ze heel wat sterker. Hun vingers sloten als handboeien om haar polsen.

Onverstoorbaar stonden de drie mannen naast haar bij de lift. Geen enkele actie om haar de mond te snoeren. Het duurde even voor de lift er was en de deuren opengingen. En al die tijd bleef Fenna tekeergaan. Dat moest toch opvallen in een hotel? Maar hoe minder effect het bleek te sorteren, hoe meer Fenna ervan doordrongen raakte dat het zinloos was. Niet mee bemoeien, was het motto in China. En dat betekende voor journalisten dat ze niet mochten schrijven over politiek gevoelige onderwerpen. Zwijgen, niet opruien. Voorbeelden genoeg van opgepakte journalisten. Zeker als ze vervelende vragen gingen stellen.

Toen ze dat bedacht, sloeg de angst haar om het hart. De monotoon vertelde ervaringen van de vrouw in het park sneden door haar heen. Zou ze nu zelf opgesloten worden? Was het vanwege dat gesprek? Was alleen contact met die vrouw al voldoende om haar op te pakken? Waren ze haar inderdaad gevolgd naar het ziekenhuis? Alles hielden ze hier in de gaten. Zelfs internet werd gecensureerd. Sites waarop informatie stond die de overheid niet uitkwam werden geblokkeerd. Persvrijheid met een Chinees sausje.

De lift zoefde bijna geluidloos naar beneden. Fenna had het protesteren opgegeven. Veel schoot ze er toch niet mee op. Bovendien herinnerde ze zich het document dat Harry aan haar had meegegeven, waarin duidelijk stond dat er een nieuwe regelgeving was. Misschien was die informatie vanuit de regering hier nog niet doorgedrongen. Ze hoopte maar dat de Chinese vertaling slechts voor één uitleg vatbaar was. Zelf had ze het uiteraard niet kunnen controleren. En het feit dat ze nu van een papiertje met vreemde Chinese tekens afhankelijk was, was niet hoopgevend.

De balie in de hal van het hotel was leeg. Natuurlijk, dacht Fenna cynisch. Horen, zien en spreken was hier levensgevaarlijk. Het was beter om je uit de voeten te maken.

Buiten was het donker, maar op de weg voor het hotel stroomde het verkeer gewoon door. Fenna struikelde over een losse straattegel, maar werd keurig overeind gehouden door haar handboeibegeleiders. Een pijnlijke steek schoot door haar schouder. Een zwarte auto stond langs de stoep en de fietsers reden er allemaal met een respectvolle boog omheen. Hun blik op oneindig.

Het portier ging open en Fenna werd op de achterbank gezet met aan elke kant een agent naast zich. Even had Fenna gehoopt dat Ruud al in de auto zou zitten. Maar dat bleek niet zo te zijn. Ze wist niet of ze daar blij mee moest zijn of niet. De chauffeur gaf gas en Fenna stoof weg in de drukte van het nachtelijke Chengdu. Vol, vreemd en opeens bedreigend.

* * *

Het was een kale ruimte, schel verlicht door tl-lampen. De brits waarop Fenna zat was het enige meubelstuk, als je daarvan mocht spreken. De harde bank bestond uit kale planken, uitgeslagen door lichaamsvuil. Hoe lang ze hier zat, wist ze niet. Alles was haar afgepakt. Ze had niet meer geprotesteerd, dat was toch zinloos.

Er was haar niets verteld. Zonder pardon was ze in dit politiebureau terechtgekomen en weggestopt. Het beangstigende aan de hele zaak was dat niemand wist dat ze opgepakt was. Ze had niemand kunnen waarschuwen, niemand had het gezien en een telefoon ter beschikking stellen was er natuurlijk al helemaal niet bij. Haar eigen mobieltje zat in haar tas. Boven, bij hen. Geen bereik. Ze dacht aan Tara en haar moeder. Ze wisten van niets. Maar wat hadden ze kunnen doen? De afstand was een barrière en de taal maakte het nog erger. Ze hoopte maar dat deze nachtmerrie snel voorbij zou zijn.

In de verte hoorde ze een schreeuw. Schel en angstig. Ze probeerde de opkomende paniek weg te drukken. De beschreven martelpraktijken. Het kon toch niet echt waar zijn? Hoe kwam ze in vredesnaam in deze situatie terecht? Opgepakt en weggestopt. Als een crimineel, niet de moeite waard om gehoord te worden. Opnieuw een schorre kreet, zachter nu, met minder weerstand. Maar de onderliggende pijn was gruwelijk duidelijk.

De tijd deed er niet meer toe. In deze omgeving bestond geen dag of nacht. Alleen maar tijd voor verhoor en tijd voor rust. Zij werd voorlopig met rust gelaten. Maar van enige ontspanning was geen sprake. Hoe kon ze ook. Al haar zenuwen waren tot het uiterste gespannen. En slapen in deze huiveringwekkende omgeving was godsonmogelijk. Ze verborg haar handen tussen haar bovenbenen en wiegde heen en weer om zichzelf te troosten. Ze had niets gedaan wat niet door de beugel kon. Waarom dan toch deze ruimte, waarin alle ellende in de schijnwerpers werd gezet?

Waarom hadden ze in dit communistische regime ooit bedacht dat het een oplossing was om opruiende mensen de mond te snoeren en op te sluiten? Fenna zag de televisiebeelden weer voor zich die een storm van protest over de hele wereld hadden opgewekt. De studentenopstand eind jaren tachtig. Het Plein van de Hemelse Vrede in Beijing. De jonge student die in zijn eentje een tank tegenhield. De hele wereld hield zijn adem in op dat ene moment. Zou de tank voor het oog van de camera doorrijden en de dappere student vermorzelen? De Tankman, werd hij sindsdien genoemd. Zijn verblijfplaats was nog steeds onbekend. Een goed bewaard geheim in China. Hij had het communisme even tot stilstand gebracht. Maar het bloedige neerslaan van de democratische beweging mocht niemand meer noemen. De datum 4 juni 1989 werd sindsdien volkomen verzwegen en de jeugd heeft zelfs geen weet van de beladen datum. Buiten China had deze gebeurtenis echter een onuitwisbare indruk achtergelaten bij iedere wereldburger. Dit had niets meer te maken met persvrijheid, maar met mensenrechten.

Een schrille kreet. Fenna spande haar spieren. Een lange uithaal volgde. Een vrouwenstem in onmenselijke pijn. Fenna duwde haar vingers in haar oren. Ze wilde dit niet horen. Ze kon niet nadenken over wat er boven met die vrouw gebeurde. Naakt, vastgebonden, een stroomstok in haar vagina? Mannen die haar besprongen als onmenselijke bruten. Hete strijkijzers die hun merkteken achterlieten.

'Nee, nee!' gilde Fenna. Ze wilde niets horen. Alleen al de krijsende stemmen waren huiveringwekkend. Beelden opgewekt door het vreselijke verhaal in het park. En juist daarom zat ze hier. Juist omdat ze nu wist dat dit soort zaken echt plaatsvonden. Een getuige die het naar buiten kon brengen.

Fenna ging staan en begon te lopen. Bewegen om tot rust te komen. Het oude recept. Twee meter heen. Twee meter terug. Elke keer opnieuw. Haar handen tegen haar oren gedrukt. Afgemeten passen. Iets doen om niet te hoeven denken. Twee passen, draai, twee passen, draai.

Ze had het als een uitdaging gezien om naar China te gaan.

Zeker als journaliste. De vrijheid voor de buitenlandse pers zou verbeterd zijn door de organisatie van de Spelen. Nu wist ze dat alles gelogen was. Een voorgehouden worst, verlokkelijk voor de westerse wereld. Maar als je te dichtbij kwam, werd die weggetrokken. Niets meer waard. Hoe wilde China ooit politiek gezien communistisch blijven en tegelijkertijd de economie op een kapitalistische manier leiden? En dan ook nog vrijheid van meningsuiting najagen. Een onmogelijke opgave. Gevangen tussen hun eigen strenge regels.

Twee passen heen, twee passen terug. Niet nadenken.

Een sleutel in het slot. De deur ging krakend open. Kippenvel kroop over Fenna's ruggengraat omhoog. Ze kwamen haar halen.

De bewaker schreeuwde een bevel en Fenna volgde hem gedwee. Haar knieën trilden. De paniek schoot door haar buik. Met elke stap kwam ze dichter bij de verhoorkamer.

* * *

'Press?' Een wat oudere agent stond tegenover haar. Ze had wat water gekregen, dat ze naar binnen had geslokt, bang dat ze het weer af zouden nemen. De verhoorkamer deed haar denken aan vooroorlogse filmbeelden. Kaal en sfeerloos. Er was nog net geen lichtspot op haar gericht. De agent had glad geplakt haar en de aangeboren toegeknepen ogen, die haar fel aanstaarden. Zijn gezicht was onnatuurlijk glad.

Wat moest ze antwoorden? Kon ze niet beter doen alsof ze toerist was? Wat deden ze met journalisten in dit land? Het Chinese document van Harry. 'Mag ik mijn tas?' durfde ze te vragen.

De man gaf een seintje en de bewaker die haar had opgehaald, overhandigde haar tas. Ze voelde opluchting dat de agent Engels bleek te verstaan.

'Press?' vroeg de man opnieuw. Hij kwam dichterbij en boog zich zo dicht over haar heen dat ze zijn zure adem rook.

Ze ritste haar tas open en zocht naar het document. Haar enige redding.

'Mistel de Heel?'

Ruud, dacht Fenna, Ruud de Heer. Ze wist niet wat hij had uitgespookt. Ruud kon iemand met zijn robuuste uitspraken voor het hoofd stoten. 'Wat is er met hem?' stelde ze een wedervraag. De truc om niet te hoeven antwoorden.

'Mistel de Heel, collega van u?' De agent beheerste de techniek ook.

'Fotograaf,' zei Fenna dus alleen maar.

De man was niet meer te stoppen. Hij vuurde de ene na de andere vraag op haar af. Hij torende boven haar uit en wilde weten wat ze kwamen doen. De zinnen donderden als een bombardement op haar hoofd. Waarvandaan? Waarom in Chengdu? Met wie gepraat? Geschreven artikel? Welke krant?

Fenna duwde haar handen voor haar oren om het Engelse geknauw te doven. Maar met een ijzeren greep werden haar handen naar beneden geduwd. Haar tas viel bijna van haar schoot. Terwijl ze die maar net kon opvangen, werd ze hardhandig rechtop gezet.

'Au!' schreeuwde ze. 'Shit,' kwam er zachter achteraan. 'Ik wil de ambassade bellen.' Ze zou zich niet laten intimideren.

'Waarvandaan? Met wie gepraat?' Herhaling op herhaling. De harde vragen knetterden om haar oren.

'Stop!' riep Fenna uiteindelijk. 'We maken een portret van onze Nederlandse atletes in uw stad Chengdu.'

'Sport?'

'Ja, sport.'

'Waarom ziekenhuis? Geen sport!' De man greep haar pols en hield hem in een ijzeren greep.

'Een van de atletes werd ziek. Ze ligt in het ziekenhuis.' Tranen van machteloosheid drongen omhoog. De overheersende manier van haar ondervrager kweekte onmacht.

'Ziek? Waardoor ziek? Niet door China!' Hij kneep zijn ogen gemeen toe.

'Nee, nee. Ze weten niet wat er aan de hand is. Mijn collega ging alleen maar op bezoek.'

'Collega fotograaf?'

Fenna knikte. 'We zijn natuurlijk bezorgd om haar.' Fenna voelde de greep om haar pols afnemen.

'Buitenlanders begrijpen China niet,' zei hij. Hij kwam weer voor haar staan. 'Journalisten partijdig. China is veranderd.'

Fenna zweeg. Was dit een excuus?

'Meer rechten.'

'Als China democratischer is, begrijp ik niet waarom ik hier ben. Ik heb niets misdaan en mijn collega ook niet. Wij zijn bezorgd om een atlete uit ons land. We willen schrijven over de Olympische Spelen.'

'Olympische Spelen?' Zijn ogen gingen open.

'Natuurlijk.' Fenna ging opnieuw op zoek naar het belangrijke document.

'Waarom dan niet Beijing? Mooie stad. Daar sport.' Zijn stem klonk rustiger. Zijn Engels hield niet over, maar was te volgen.

'De sporters zijn nu hier.'

'Olympische Spelen in Beijing, niet in Chengdu.'

Fenna zuchtte. Ze hield zich in en antwoordde beheerst. Ze zocht verder.

'Boekje inleveren,' zei de man, die meekeek. Hij hield zijn hand op en bewoog zijn vingers bevelend op en neer.

Fenna pakte haar notitieboekje en zag toen het document uit het boekje steken. 'Hier, leest u dit maar. Uit Beijing,' voegde ze eraan toe. Wie weet maakte dat indruk.

De man vouwde het document open en liep bij haar vandaan. Fenna voelde de spanning in haar spieren. Opeens voelde ze zich moe. Dit moest helpen. Ze wist niet wat er anders zou gaan gebeuren, maar terug naar de kale cel wilde ze niet.

Een bevel zorgde ervoor dat de bewaker in de houding sprong en op haar toe kwam lopen. Dezelfde dwingende hand. Meekomen.

Wat gebeurde er nu? Wat stond er in het document? Zou ze vrijgelaten worden? Fenna moest de kille hakken volgen. Ze passeerde de bekende gang en gesloten deuren. Haar cel. De kale houten planken. Daar was haar antwoord. Het document was waardeloos. Alle hoop was in één klap weggeslagen. Ze was volslagen machteloos tegen dit dominante regime. Weggestopt in een kerker, ergens in een miljoenenstad in China.

42

'Moet je luisteren.' Buiten adem stond Chris voor haar. Normaal hield Pien er niet van als Chris onaangekondigd kwam binnenvallen, maar ze zag dat zijn ogen onder zijn borstelige wenkbrauwen opgewonden flikkerden.

'Ik zag net op internet dat er misschien een nieuwe therapie is voor Michael.' Chris leunde met beide handen zwaar op haar bureau.

Hoop borrelde op. Een nieuwe therapie! 'Hoe kom je daaraan?'

'Het wetenschapsforum. Af en toe plaats ik daar een berichtje, je weet wel, beetje babbelen, contacten leggen, netwerken. En dit antwoord bleek er al een paar dagen op te staan.' Hij kwam weer een beetje op adem, maar zijn ogen waren nog volop in actie.

'Een nieuwe therapie op een forum? Klinkt niet echt betrouwbaar.' De hoop zakte met een rotvaart weg. 'Is het wel een officiële medische trial?'

'Niet zo sceptisch, Pien. Dit is een betrouwbaar forum. Anders was ik er ook niet mee in zee gegaan. Sinds kort hebben ze ingesteld dat de forumleden hun achtergrondinformatie beschikbaar moeten stellen. Je kunt dus meteen zien of er een student of een professor achter het bericht zit.'

'Dus jij denkt dat die informatie wel correct is?'

'Dat heb ik al gecontroleerd. Ik laat Michael heus niet zomaar ergens aan meedoen.'

'Wat is het voor therapie?'

'Het heet exon-skippen. Kort gezegd gaat het erom dat ze de ziekte van Michael omzetten in een minder ernstige vorm.'

'Geen volledige genezing dus,' zei Pien. Toch nam haar opwinding toe.

'Maar wel een hele verbetering. Tijdwinst is voor Michael enorm belangrijk. Dat weet jij ook. Ik heb dan ook direct gebeld en ik kan vanmiddag al langskomen.'

'Vanmiddag al?' Pien was onder de indruk van zijn voortvarendheid. 'Neem je Michael mee?'

'Nee, ik ga eerst praten. Ik wil er wat meer over horen voordat we Michael inlichten. Kun jij Michael opvangen?'

Ze greep naar haar agenda. 'Ik heb een afspraak staan,' weifelde ze.

'Het is belangrijk, Pien.' Zijn blauwe ogen waren donker en keken haar doordringend aan. Zijn oneffen huid werd vlekkerig en ze dacht zelfs een lichte trilling onder zijn ene oog te zien.

'Ik zal thuis zijn.'

'Oké, ik hou je op de hoogte.' Hij leek te aarzelen. Hij boog zich naar haar toe en gaf haar een warme zoen. 'Ik hou van je, Pien. Onthou dat goed.' En weg was hij.

* * *

Lusteloos staarde Pien voor zich uit. Ze had Michael geholpen met drinken en daarna was hij achter zijn computer gegaan. Contact met vrienden, dankzij de hulpmiddelen die Microsoft bood. Zelf kon ze zich er niet toe zetten om iets te ondernemen. Het wachten op de uitslag of hij mocht deelnemen nam haar hele denken in beslag. Opeens leek ze weer hoop te kunnen koesteren. Slopende onzekerheid. Maar ook het zich indekken tegen de teleurstelling. De uren schoven traag voorbij. En in die tijd passeerde alles de revue. Hoop en verwachtingen. Chris en Bärbel. Maar vooral de slechte levensverwachting voor Michael.

Tranen welden op. Ze drupten traag naar beneden. Ze zochten hun weg over de rondingen van haar gezicht en bleven hangen aan haar kin. Pas op het moment dat een snik doordrong, vielen ze naar beneden, op haar handen, die werkeloos in haar schoot lagen. Zou Michael eindelijk de kans krijgen die hij verdiende? Of zou de mogelijkheid om mee te doen aan een medisch experiment hem weer ontzegd worden? Hij zou niet oud worden, dat wist ze. Maar zou ze dan ook Chris kwijt zijn?

Haar hoofd knakte en ze verborg haar gezicht in haar handen. Ziekte, verwarring, wanhoop, verlies. De hoop die te vaak was afgepakt. Alles kwam er op dat moment uit. Nu ze haar aandacht niet bij de organisatie van het centrum hoefde te houden, de grote stiller van alle verdriet, werd ze slachtoffer van een radeloze pijn.

Hoe gering waren haar problemen in vergelijking met wat Michael te verhapstukken kreeg? Elke keer zijn lat weer lager leggen. Steeds meer beperkingen. Ze wist dat de ziekte van Michael onomkeerbare schade toebracht aan zijn lichaam.

Tranen liepen stil over haar wangen. Het was geen heftig verdriet meer. Het was stil geworden, een verdriet zonder verzet. Het zinloze protest had ze jaren geleden al opgegeven. Verspilde energie. De wanhoop was in het begin bijna niet te verdragen geweest, maar hoop had die plaats ingenomen. Ze wist dat ze geduld moesten hebben. En geluk. Michael moest de mazzel hebben dat hij uitverkoren zou worden om mee te doen met een trial. De enige kans om de aftakeling in zijn lichaam een halt toe te roepen. Ze zou zich nooit neerleggen bij dat zwarte vooruitzicht dat al jaren boven hun hoofden hing. Nooit. Elke kans zou ze met beide handen aangrijpen. Want hoe zou ze ooit het onvermijdbare kunnen accepteren? Hoe kon een moeder ooit die gedachte verdragen?

Een geluid drong tot haar door. De elektrische motor van de

rolstoel, afgewisseld door zacht gepiep van de rubberen banden op het parket.

'Mam, wat is er?' Michaels stem was opeens naast haar.

Pien veegde met haar handen over haar gezicht en toverde een glimlach om haar mond.

'Ach, niets. Het is alweer weg,' zei ze te monter.

'Ja, en ik kan lopen. Hou me niet voor de gek, mam. Je hebt verdriet.' Hij reed zijn stoel tot vlak bij haar en pakte haar hand. 'Komt het door mij?'

'Hm-mm,' humde Pien. Ze wist dat ze Michael niet voor de gek kon houden.

'Heb ik iets verkeerds gedaan?' Zijn donkere ogen vroegen meer dan dat.

'Nee, Michael!' Fel ineens. Hoe kon hij de schuld van haar verdriet op zijn kapotte schouders leggen? 'Ik wilde alleen dat ik je kon helpen. Dat ik die ziekte tot stilstand kon brengen. Ik gun je een normaal leven, dat weet je. Al die dingen die je niet meer kunt doordat...' Ze had alweer te veel gezegd. Ze wilde al zijn beperkingen niet onder woorden brengen. Hij kende ze als geen ander.

'Mam, kijk eens niet alleen maar naar de beperkingen. Ik kan toch nog heel veel! Ik heb écht een leuk leven. Ik geniet veel meer dan je denkt.'

'Maar Michael...'

'Nee, mam. Echt. Ik heb het je al vaker proberen te zeggen. Ik denk dat het voor jullie erger is dan voor mij. Ik weet niet beter. Ik rol automatisch in al die dingen, en dan leer ik er ook snel mee omgaan. Vooral omdat ik geen keuze heb. Maar ik heb er ook niet veel problemen mee. Ik kan nog achter msn, ik lach me rot om allerlei opmerkingen. Ik wil er graag zijn voor andere mensen.'

'Maar hoe...?'

'Mam, ik was laatst aan het surfen op internet en toen zag ik dat er op een forum allerlei vragen stonden over mijn ziekte. Iemand die er meer over wilde weten voor een project op school, of ouders die het pas gehoord hadden en die vol met vragen zaten. En ik had de antwoorden. Ik kon ze helpen. Dat voelde zo goed!'

Zijn enthousiasme droogde haar tranen. De glimlach was weer echt.

'Ik moet zelf zo vaak mensen om hulp vragen,' ging Michael verder. 'Daarom vind ik het klasse dat ík nu eens iemand kan helpen. Bovendien, als je weet dat je minder lang de tijd hebt, geniet je veel intenser. Dat geloof ik tenminste. Denk je ook niet dat dat zo is?'

'Ik denk dat je daar wel gelijk in hebt. Je bent een prachtzoon. Kom hier.' Ze omhelsde Michael, tot ze merkte dat hij zich probeerde los te maken.

'Mam, zullen we samen de honden uitlaten?' De normale afleiding.

Pien zag twee koppen omhooggaan. 'Gezellig. Kom, jongens. Uit?'

43

'Ik heb mijn best gedaan,' zei Chris.

'Alweer niet geaccepteerd. Waarom niet?' Pien keek hem wanhopig aan.

'We waren te laat. Michael kon niet meer toegevoegd worden. Alle voorbereidingen waren al getroffen. Gewoon domweg te laat.' Chris gaf zichzelf de schuld. Als hij wat alerter was geweest, was hij misschien op tijd geweest.

'Te laat. Ik haat die woorden. Ik heb een hekel aan alles en iedereen die ons tegenwerkt.'

Chris zag een enkele traan over haar wang lopen. Geen dramatische huilbui. Beheerst en zakelijk, zo was Pien. Zelfs in haar verdriet. Hij legde zijn arm om haar schouders. 'We moeten de hoop niet opgeven. Het is nog niet te laat, dat weet jij ook wel.' Hij voelde dat Pien dichterbij schoof. Haar lichaam schikte zich naar het zijne. Ze pasten bij elkaar. Hoe lang waren ze nu al samen? Was het een sleur geworden of was er nog steeds sprake van liefde? Hij legde zijn lippen op haar strakke haar en snoof haar luchtje op. Het was vertrouwd.

'Ik weet het ook wel, maar ik voel het nu even anders,' zuchtte Pien. 'Ik heb soms het idee dat we meedoen aan een loterij. Elke keer weer hoop op de hoofdprijs. Elke keer weer het verkeerde lotnummer. Het is iets waar we niets aan kunnen doen. Een machteloos gevoel dat we afhankelijk zijn van anderen.'

Haar hand lag op zijn borst en hij voelde haar warmte. Hij wist dat Pien haar hele leven had moeten vechten. Ze had knetterhard gewerkt om aan de hoge verwachtingen van haar vader te voldoen. Vandaar de eeuwige stress, die diep in haar lichaam zat gebakken. Ze was een type dat nooit zou gokken. Niet zou dromen van een hoofdprijs. Ze zou werken voor de winst in plaats van te gokken op geluk. Zelfs de liefde van haar vader moest verworven worden. Maar nu viel er niets te verdienen.

'We blijven vechten. Die afhankelijkheid moeten we niet accepteren. We zoeken zelf verder tot we ons doel bereiken. Eerder rusten we niet.' Chris duwde haar iets omhoog, waardoor hij in haar ogen kon kijken. Ze wist wat hij bedoelde. Hij streek een losse pluk haar naar achteren. Tot zijn verbazing trok ze de haarspeld los. Ze schudde met haar hoofd, waardoor haar haren glanzend over haar schouders golfden. Hij glimlachte. '*That's the spirit*. We laten ons niet vastspelden.'

Hij zag een glimlach op haar gezicht verschijnen. De omlijsting van haar sluike haren verzachtte haar strakke trekken. Hij voelde een verbondenheid die lang beneveld was geweest. Hij had wroeging over zijn verhouding met Bärbel. Hoe stom was hij geweest. Verblind door een jong lichaam en verleid door zijn opwinding.

'Natuurlijk vechten we door, Chris. Dat hebben we ons hele leven samen al gedaan. Dit dal klimmen we weer uit, het wordt tijd dat we een top gaan vinden. Misschien wel de hoogste top die er te behalen valt.' Ze drukte haar lippen tegen de zijne.

'Wij volgen ons eigen pad. Dat moet uiteindelijk naar die top van jou leiden.'

Er volgde een stilte na zijn opmerking. Gelukkig was die dit keer niet zwaar; er was een saamhorigheid in verweven. De zinnen kregen een andere betekenis. Tussen de regels door hadden ze het niet alleen over Michael, maar ook over hun huwelijk gehad, realiseerde Chris zich. Ze hadden elkaar een belofte gedaan, die zich nu begon te nestelen. Alles hing met elkaar samen: hun zorgen om Michael, hun gedrevenheid om een oplossing te vinden, en ook de onderlinge band die daarvoor nodig was. Ze hadden elkaar tijdelijk uit het oog verloren. Hij had zelf de afstand nog vergroot. Maar in dit gesprek hadden ze het gat gedicht. Nu moest het nog uitharden. Ze moesten weer werken aan een gezamenlijke toekomst. En daarin speelde het centrum een grote rol. Hij moest door blijven gaan.

Op dat moment ging de bel.

* * *

Samen keken ze de politieagenten na. Pien sloot de voordeur. Chris stond achter haar, volkomen versteend.

'Bärbel, vermist,' zei Pien. Ze had het woord tijdens het bezoek van de politie meerdere keren verbaasd herhaald. Ze liepen samen terug naar de woonkamer.

'Kom even naast me zitten,' zei Chris.

Pien deed wat hij vroeg. 'Ik heb haar weggestuurd.'

'Jij kunt er niets aan doen. Ze hebben de ontslagbrief bij haar ongeopende post gevonden. Ze heeft hem niet eens gelezen. Ze wist niet dat ze ontslagen was,' bracht Chris de boodschap van de politie in haar herinnering.

'Ik heb haar wel weggestuurd.' Pien staarde voor zich uit. 'En sindsdien wordt ze vermist.'

Chris voelde zich afschuwelijk. Hij wilde haar vertellen dat hij wist waar Bärbel was. En dat hij schuldig was aan haar dood. Ongewild, maar toch. Hij wilde weglopen. Zich vol laten lopen in de kroeg met Ronald, maar die was onbereikbaar. Ver weg in China. Hij wilde een rustgevende pil, maar juist die waren de oorzaak van de hele ellende. Als hij die pillen niet nodig had gehad...

'Misschien is ze gewoon een paar weken op vakantie gegaan en heeft ze het verder aan niemand gezegd,' opperde Chris. Het voelde niet goed om te liegen.

Ze zwegen. Niets bewoog in de kamer. Zelfs de oplichtende cijfers van de stereo stonden stil. De cd was al een tijdje geleden gestopt met spelen en geen van tweeën nam de moeite om een nieuwe op te zetten. De klok tikte te luid in de leegte van de kamer. Ze waren niet in staat te bewegen in de roerloze kamer, slechts gevuld met gedachten.

'Zouden ze haar mailbox willen bekijken?' vroeg Pien opeens.

Chris schrok. Hij had toch alleen maar sms'jes gestuurd? Hij wist het niet zeker. 'Waarom haar mailbox? Weet je haar password?'

'Ja, dat kan ik zo achterhalen. Ik moet...' Pien zweeg. Ze streek een denkbeeldige pluk weg. Ze was zenuwachtig, niets voor Pien. Zou ze een vermoeden hebben van hun verhouding? Zou ze daarom Bärbel hebben weggestuurd? Chris had het zich de afgelopen tijd vaak afgevraagd. Het maakte niet uit. Bärbel was weg, de dreiging voor zijn huwelijk was verdwenen, begraven in de moerassige vlakte.

'Chris, ik moet je wat vertellen. Ik heb Bärbel doelbewust weggejaagd,' begon Pien.

Het klonk als een boetedoening, maar Chris begreep het niet. Pien had haar ontslagen. Dat wist hij toch al. Zelfs de politie wist dat.

'Ik heb Bärbel via de mail bedreigd,' vervolgde ze zacht.

Chris was perplex. 'Bedreigd? Je hebt haar toch gewoon op vakantie gestuurd?'

'Ja, maar eerst heb ik haar wat bang gemaakt. Ik wilde haar weg hebben.'

'Maar waarom...? Je zei dat je niet tevreden was, en dat je haar niet meer nodig had.' Er had veel meer gespeeld dan hij had geweten.

'Dat niet alleen, Chris. Ik dacht dat zij... dat jullie... Chris, ik had het gevoel alsof Bärbel tussen ons in was komen te staan. Ik dacht dat jullie een verhouding hadden.' De donkere ogen van Pien keken hem nu strak aan.

Bärbel is dood, dacht Chris. En verder wist niemand er iets

van. Behalve natuurlijk Ronald, maar die zou zijn maat niet verraden. Hij kon Pien niet de waarheid vertellen. Hij wilde met haar verder. En als Pien wist... Nee, dat mocht niet. Stel dat Pien het niet zou accepteren? 'Nee, Pien. Ik heb niets met Bärbel.'

Tranen blonken opeens in haar ogen. 'Ik wilde haar weg hebben. Bij jou uit de buurt. Ik heb haar weggejaagd. En nu is ze vermist. Wat zou er gebeurd zijn?'

'Wees maar niet bang, Pien. Die mail kun je zo verwijderen. Niemand die dat ooit te weten zal komen.'

'Bärbel houdt zich vast schuil, uit angst voor die dreigementen. Maar als ze haar vinden? Dan komt alles uit.'

'Voorlopig hebben ze haar nog niet gevonden,' zei Chris uit volle overtuiging. 'Misschien vinden ze haar wel nooit.'

Pien kroop tegen hem aan. Hij voelde zich gesterkt in zijn beslissing. Hij zou alles geheimhouden. Hier hoorde hij thuis. Hij verdrong het beeld dat nu met hernieuwde kracht in zijn herinnering was gekomen. De dode Bärbel in de zwarte modder.

44

De vermoeidheid was slopend. Het felle licht in haar cel brandde continu. Fenna had geen enkel tijdsbesef meer, haar lichaam vertelde haar alleen maar dat ze uitgeput was. Ze stond op om haar stramme spieren te strekken. Alles deed zeer. Haar schouder voelde beurs.

De kleine ruimte was benauwend en het idee dat ze niet weg kon was afschuwelijk. Ze probeerde zichzelf af te leiden, te voorkomen dat ze weg zou zinken in haar ellende. De lucht in de ruimte was muf en de urinelucht penetrant. Ze voelde zich smerig.

Ze was blij dat het geschreeuw opgehouden was. Misschien door het besef dat er buitenlandse oren in de cel zaten? Getuigenissen die naar buiten konden komen?

Op dat moment hoorde ze de bekende hakken.

Fenna wilde zich verbergen. Ze wilde niet weer meegenomen worden.

Het geluid van de wegschuivende grendel galmde door de kale gang.

'You come,' zei de agent. *'Follow!'*

Niet weer naar die nare verhoorkamer, was het enige wat Fenna kon denken. Ze liep echter willoos achter de venijnige hakken aan. Ze moest wel.

* * *

'Ruud!' Fenna herkende haar collega uit duizenden. 'Ruud!' Haar begeleiders hielden haar tegen.

De fotograaf draaide zich om en zwaaide. Ook bij hem stonden twee agenten. Ze grepen zijn polsen vast, zodat hij niet naar haar toe kon komen. Fenna was nog nooit zo blij geweest om Ruud te zien. Hij zag er moe uit. Dikke wallen tekenden zijn gezicht en zijn ogen keken haar uitgeblust aan.

'Fenna, hebben ze jou ook opgepakt?'

'Is alles goed met jou?' vroeg ze. Hij zag eruit alsof hij heel wat te verduren had gehad.

'Ja, ja. Ik ben blij dat we hier weggaan.'

'Weggaan? Ik begrijp er helemaal niets van. Waar gaan we dan naartoe?' Niemand had haar iets gezegd. Ze had alleen maar de korte bevelen opgevolgd. Ze was te moe en afgestompt om energie in verzet te stoppen. Ze zou het wel merken. Tijdens de rit door de stad had ze alleen maar stil op de achterbank gezeten. Het leven in Chengdu ging gewoon door. Net zoals het ook door was gegaan terwijl talloze mensen in kale ruimten gemarteld werden. Buiten was alles anders. Vrolijke mensen. Mensen die gehoorzaamden, die meedraaiden in het vereiste leven.

En nu was ze opeens op het vliegveld. Ze kreeg haar tas terug, inclusief haar notebook. En Ruud stond naast haar en had antwoorden. Zo simpel was het.

'We gaan naar Beijing. Onze bagage is al ingecheckt.'

Fenna moest het even verwerken. Ze gingen naar de hoofdstad? Ze konden naar de Olympische Spelen. 'Zijn we vrij? Geen verhoor meer? Bagage? Hoe komen ze aan onze spullen?'

'Laat dat maar aan de Chinese politie over. Die kunnen overal bij. Onze vlucht gaat al over een halfuur, dus met een beetje mazzel zijn we onze kontruikers zo kwijt.'

Alsof ze hun naam hoorden noemen, kwam het viertal in actie. Ze wezen naar een gang en gaven Ruud een duidelijk duwtje in zijn rug.

'Kontruikers? Nou, ruiken zullen we in elk geval. Ik voel me zo vies.'

'Ik ook. Maakt niet uit. We wassen ons wel in het vliegtuig. Kom, Fenna. Hoe eerder we in het vliegtuig zitten, hoe beter. Ik heb echt mijn buik vol van die knapen.'

Ondanks de situatie schoot er een glimlach over haar gezicht. Volle buik, dacht ze. Ze was juist blij die weer te zien en ze zorgde ervoor dat ze vlak bij hem bleef. Aan elke kant liep een agent en achter hen sloot het andere tweetal de optocht. De deuren werden netjes geopend en steeds was er een nieuwe gang die leeg voor hen lag.

'Wat een moeite voor twee journalisten,' zuchtte Fenna. Haar voeten deden pijn. Weer een nieuwe deur. Nu lag er een trap achter. Beneden aangekomen zag Fenna een lange rij. De agent naast haar wees dat ze aan moest sluiten.

'Beijing!' riep een meisje dat de rij probeerde te versnellen. Ze deelde formulieren uit. Fenna en Ruud vulden het formulier in en wachtten. De agenten wachtten ook. 'Beijing! Beijing!'

Eindelijk waren ze door de controle, het formulier werd nauwelijks bekeken. Fenna had het gevoel dat ze een uur in de wind moesten stinken, maar er werd geen enkele aandacht besteed aan hun verwaarloosde uiterlijk.

'Beijing! Beijing!' Een volgend meisje jutte de wachtenden op en een nieuwe rij vormde zich. Weer een formulier om in te vullen.

Fenna had er normaal gesproken een hekel aan om in de rij te staan, maar nu was ze blij met de mensen om zich heen, met de veiligheid van de groep en de warme aanwezigheid van Ruud.

Vlak voor de volgende controle overhandigde een van de agenten hun een ticket.

'Beijing!' riep het meisje ten overvloede.

'Gratis ticket,' zei Ruud cynisch. Fenna had geen energie meer om zich druk te maken. Als ze hier maar wegkwamen.

'Passport!' Een ander uniform, dezelfde bevelende toon. Fenna liet haar paspoort zien en overhandigde het nieuwe formu-

lier. Het ticket werd genegeerd. De formaliteit was snel verricht. Een paar stempels knalden op het papier en Fenna was erdoorheen. Ruud volgde al snel.

Op dat moment zag Fenna dat de vier agenten achterbleven. Ze salueerden, draaiden zich op hun hakken om en liepen in strakke formatie weg.

'Einde escorte.' Fenna keek de agenten na. Was dit het? Konden ze nu weer gewoon hun gang gaan?

'Kom, Fenna, Beijing wacht op ons.'

'Beijing! Beijing!' zei Fenna zacht. Ze merkte nu pas hoe moe ze was.

45

Het hotel was groot en vorstelijk. Een lift die zweefde en die geen enkele hapering vertoonde. Een heel verschil met Chengdu. De luxe was overweldigend. In de hal stonden een paar wegzakbanken en er hingen grote rode lampions boven een glanzende marmeren vloer. Achter de balie een paar mooie vrouwen en natuurlijk een bewaker bij de ingang.

Ze waren hier nu een paar dagen en Fenna had zich urenlang schoongeschrobd en daarna vol gegeten. De nachten waren echter vol dromen met ijzingwekkend geschreeuw.

Ruud had haar in het vliegtuig verteld over zijn bezoek aan het ziekenhuis, de vragen aan het verplegend personeel. De arts die geprobeerd had hem te waarschuwen. Hij was echter zo stom geweest om niet naar hem te luisteren. Op de afdeling Chirurgie ging hij op zoek naar een praatgrage patiënt. Hij wilde een getuigenis over een onbekend donorschap. Een verpleegkundige was zonder iets te zeggen weggelopen en een drietal bewakers was ervoor in de plaats gekomen. Daarna de plotseling lege gangen. Geen ogen, geen oren, niemand die reageerde. Hij werd in een ijzeren greep door een paar schrielkippen meegenomen en had niets kunnen doen, vertelde hij, nóg kwaad.

Op het politiebureau had hij alles moeten inleveren, van zijn camera tot zelfs zijn geheugenkaartjes. Daar baalde hij nog het meest van, want hij was nu alle foto's kwijt. Gewist. En ze hadden het visitekaartje van het hotel gevonden.

Daarna kwamen de repeterende vragen. Over het ziekenhuis. De foto's. En of hij alleen in Chengdu was. Steeds dezelfde vragen, uren achter elkaar. Nooit agressief, wel dwingend. Ruud had elke keer hetzelfde antwoord gegeven. De zieke atlete. Zijn bezoek aan haar.

Uren later was een agent binnengekomen, met een bericht. Daarna was hij opeens met rust gelaten en opgesloten.

Achteraf konden ze samen concluderen dat Fenna op dat moment opgepakt was, verraden door het kaartje van het hotel. Ze wisten niets van de jonge vrouw in het park. Gelukkig niet. De agressie was ontstaan door hun bezoek aan het ziekenhuis, door de vragen die daar gesteld waren, niet alleen maar over sport. Over zijn tijd in de cel wilde Ruud niets zeggen. 'Dat komt wel,' zei hij afwijzend. Hij gaf wel aan dat hij opgelucht was dat ze zijn camera hadden teruggegeven, al was hij zijn foto's kwijt.

Fenna was alleen maar blij dat het allemaal achter de rug was. Ze voelde zich geïntimideerd, maar wilde zich hierdoor niet laten beïnvloeden. Het artikel over de schending van de mensenrechten zou er komen, al zou ze met schrijven wachten tot ze in Nederland terug was. Angst beheerste nu haar handelen, net als dat van miljoenen Chinezen.

* * *

De bewakers van het hotel stonden met veel uiterlijk vertoon naast de ingang waar Fenna stond te wachten op haar taxi. Ze had weer zin in haar opdracht, een reportage over de Olympische Spelen. En het gaf helemaal een goed gevoel dat ze eindelijk een afspraak had met Maud. De topsport, daarvoor was ze hier. En dat was hier in Beijing allemaal prima geregeld.

Chinezen lieten niets aan het toeval over. De verschillende

sportlocaties waren tot in de puntjes verzorgd. Alles was al ruim voor de openingsceremonie van de Spelen in orde. Toch begreep Fenna na de gebeurtenissen in Chengdu dat het een wonder was dat de Olympische Spelen niet waren geboycot. De schending van de mensenrechten, veelvuldige executies, de zogenaamde vrijheid van meningsuiting, de bezetting van Tibet, de luchtverontreiniging... zoveel redenen om tot een boycot te besluiten. Net als de door de Amerikanen geleide boycot van de Spelen in Moskou en later de Spelen in Los Angeles door de Oostbloklanden. Ook hier was de smog een probleem geweest. Maar door de uitmuntende organisatie en de Chinese beloften tot verbetering was het nooit tot een boycot gekomen.

Al een jaar geleden had Fenna in de krant gelezen over de extreme manier waarop China de controle wilde houden over alles. Muizen werden gebruikt als olympische proefdieren, om het eten voor te proeven. Alles om de tienduizend atleten veilig eten voor te kunnen zetten. Ze had zelfs gelezen dat ze een paar dagen voor de ceremoniële opening speciale chemicaliën in de wolken wilden schieten zodat er flink wat regen zou gaan vallen. Op die manier hoopten ze de vervuilde lucht te klaren, met als resultaat een helderblauwe lucht tijdens de opening van dit belangrijke evenement.

Fenna keek omhoog, maar de lucht was grauw en de zon versluierd door de uitlaatgassen. Als ze al die troep met een regenbuitje weg wilden wassen, moesten ze wel voor een tropische hoosbui zorgen. En aan de chemicaliën die daarvoor gebruikt moesten worden, wilde Fenna al helemaal niet denken.

Er stopte een groene taxi voor het hotel. Even verdacht ze de overheid ervan dat ze de taxi's groen hadden laten spuiten om ze gezonder te doen lijken. De dieseldamp was echter zwart.

* * *

De ontmoeting met de journaliste hoefde niet lang te duren. Net voldoende om wat korte vragen te beantwoorden. Maud had haar weer nodig, dus moest ze de vrouw te vriend houden. Ze hadden afgesproken in het Beihaipark, vlak bij de Verboden Stad. Het park was redelijk druk. Overal liepen mensen hardop pratend, een mobiele telefoon aan het oor. Het leek wel of iedereen hier met een gsm aan zijn oor geboren werd.

'Het is hier mooi, hè? Je merkt haast niets meer van de drukte van Beijing. Ik heb dit park ontdekt nadat ik de Verboden Stad had bezocht,' vertelde de journaliste haar. Het was goed te zien dat de vrouw de vijftig al in het vizier had. Ze droeg een kittig uilenbrilletje, dat haar doordringende blik niet kon verbergen. Nieuwsgierigheid drong uit elke porie.

Maud keek om zich heen. Echt rustig vond ze het niet, maar ze liet de journaliste in de waan.

'Heb je al tijd gehad om Beijing te bekijken?' De journaliste pakte haar notitieboekje.

'Gaat u dat opschrijven?' vroeg Maud. Ze bond echter snel in, agressiviteit bracht haar niet verder. Maar dat elk woord van haar genoteerd zou worden, beangstigde haar. Ze zou continu op haar qui-vive moeten zijn.

'Noem me alsjeblieft gewoon Fenna,' zei de vrouw terwijl ze haar boekje opborg. 'Ik ben gewoon benieuwd hoe je je dag indeelt zo vlak voor een groot evenement. Hoe is het in het olympisch dorp? En kom je verder ook wel in de stad?'

'Ik heb geen tijd om de stad te bekijken. Ik ben elke dag aan het trainen, maar moet mijn lichaam vooral ook rust geven. De normale voorbereidingen op de grote wedstrijden. Als die achter de rug zijn, zal ik alle attracties in Beijing wel bezoeken. Maar eerst moet er gepresteerd worden. Er worden toptijden verwacht en het liefst natuurlijk een nieuw record.' Het lukte haar vriendelijk te klinken.

'En sponsors tevredenstellen,' vulde Fenna aan.

'Dat ook, hoewel we niet met reclame mogen lopen op de Olympische Spelen. Maar als we hier goed presteren, kan een sponsor er later natuurlijk wel profijt van hebben.'

'We? Bedoel je Lucinde en jij? Is ze weer opgeknapt?'

Maud schrok. Altijd op je hoede zijn, bleek maar weer. Het was gewoon een normale manier van spreken geweest. Het was altijd 'we' geweest. Totdat Kim uitviel en Lucinde ziek werd. 'Ik weet niet hoe het met haar is. Ze is achtergebleven in Chengdu. Onze sportarts is bij haar.'

'Is het zo ernstig?'

'Ze ligt op de intensive care, in coma. Ze schijnt een immense afweerreactie tegen het een of ander te hebben. Niemand weet hoe het komt.' Maud dacht aan het bericht dat ze net die ochtend had gekregen. Ze kon zich niet voorstellen dat haar maatje er zo ernstig aan toe was.

'Vreselijk,' mompelde Fenna. 'Het is te hopen dat ze snel opknapt. Een afweerreactie? Afweer tegen wat?'

'Ze zal wel wat verkeerds binnengekregen hebben,' zei Maud. Ze keek naar het meer, waarop verliefde stelletjes op waterfietsen rondtoerden. Iedereen keek vrolijk. Toch hing de spanning opeens als een onverkwikkelijke mist tussen hen in.

Maud probeerde zich te concentreren op het doel van haar afspraak. Ze wilde haar mail bekijken zonder dat er iemand meekeek. Mailen vanuit het olympisch dorp was vragen om problemen. Een opeenstapeling van sporters, in de gaten gehouden door alle ogen van de wereld. Nooit zou ze daar een woord loslaten over een verboden middel. Geen gesproken woord en ook geen mailtje. Alles was traceerbaar.

'Zou ik misschien nog een keer gebruik mogen maken van je notebook?' Maud was blij dat de vraag eruit was. 'Ik vertrouw het systeem hier niet helemaal.'

'Natuurlijk mag dat. Ik ben er zelf ook achter gekomen dat je voorzichtig moet zijn. Je kunt niet iedereen vertrouwen. China is een vreemd land. Hier, ga je gang. Ik loop wel even een stukje langs deze galerij.'

Journalisten bleven haar verbazen. De ene keer leken het gieren, de andere keer waren ze meelevend tot op het bot. China een vreemd land, het zal wel. Journalisten waren net zo vreemd. Ze zag Fenna weglopen en al gauw gleden de lichamen van tientallen Chinezen tussen haar en de journaliste. Snel logde ze in op haar mail. Gelukkig, er was een antwoord.

> Je spierkracht moet nu duidelijk vergroot zijn. Het middel is goed getest in de dosering die ik heb doorgegeven. Maak je geen zorgen. Als je je aan de regels houdt, is er geen enkel gevaar. Je spieren moeten hiermee om kunnen gaan. Het virus is kreupel gemaakt, dus dat kan geen infectie veroorzaken. En het is volstrekt onaantoonbaar.
> Veel succes en breng een medaille mee naar huis!

De zucht van verlichting was diep. Geen gevaar. Gelukkig was ze zo verstandig geweest om zich niet te laten verleiden tot een hogere dosering. Enige controle moest ze blijven houden. Ze miste alleen nog het antwoord op haar vraag of zij de enige was die het middel had gekregen.

'Wat een prachtig park is dit toch,' hoorde ze opeens achter zich.

Snel klikte Maud de mail weg; ze logde uit en sloot alle programma's.

'Ik heb een restaurantje ontdekt, iets verderop aan het water. Mag ik je op wat drinken trakteren?' Fenna keek haar vrolijk aan.

Maud sloeg het aanbod af. Ze wilde weg. Ze had bereikt wat ze wilde. Het was tijd om afscheid te nemen.

'Fijn dat je even tijd had, Maud. Ik wens je heel veel succes bij de wedstrijden. Ik hoop dat je wint.'

46

De sfeer in het restaurant was beladen. Fenna zweeg en speelde met de rijst in het kommetje. Eten lukte niet best, haar stokjes waren net zo warrig als zijzelf. Zelfs de smaakvolle broccoli, die met veel knoflook en ve-tsin knapperig gewokt was, bleef bijna onaangeroerd op haar bord liggen.

'Zeg het maar,' zei Ruud, die van dit alles geen last had. Hij had een onnavolgbare stokjestechniek ontwikkeld en schoof en slurpte als een geboren en getogen Chinees zijn eten naar binnen.

'Hoe bedoel je?'

'Nou, je zit met een gezicht als een Chinese draak aan tafel, speelt met de broccoli die zo gezond moet zijn, als ik jou mag geloven, en kauwt zelfs op de weinige rijstkorrels die lang genoeg aan jouw stokjes blijven plakken om je mond te bereiken. Dan is er iets, dat is zelfs voor deze ongevoelige boerenlul duidelijk.'

Fenna keek het restaurant rond. Groepen mensen, die om de vele ronde tafels geschaard zaten, genoten luid van hun eten.

'Heb je met Ronald gepraat?'

'Ja, en? Is dat het probleem?'

'Nee, natuurlijk niet.' Fenna legde de stokjes nu definitief neer en dronk de koud geworden thee op. 'Lucinde ligt in coma,' zei ze toen plompverloren.

Ruuds mond bleef openhangen. De laatste slierten mie hingen er nog half uit. Hij slurpte ze haastig naar binnen. 'In coma? Daar heeft Ronald niets over gezegd. Is het zo ernstig met haar? Ik dacht dat ze te veel van haar lichaam had gevergd, een soort oververmoeidheid of zo. Even op krachten komen en er dan weer vol tegenaan.'

Fenna vertelde wat ze van Maud had gehoord.

'Een afweerreactie? Dan moet ze iets binnen hebben gekregen. Iets waar haar lichaam tegen in verzet is gekomen.'

Fenna dacht aan Maud. Die had hetzelfde gezegd. 'Je zou daarmee wel eens precies de spijker op de kop kunnen slaan.'

'Bedoel je doping? Zou Lucinde iets genomen hebben?'

'Daar moest ik meteen aan denken. Maar sporters zijn zo gesloten als wat. Ze zullen nooit toegeven dat ze iets gebruiken.'

'Daarom zijn de controles ook strenger dan ooit,' zei Ruud. Hij schonk de rest van het bier in zijn glas.

'Dat is maar goed ook. Er zijn toch niet voor niets regels? Sport moet eerlijk blijven!'

'Eerlijk? Kom op, Fenna, dat meen je niet. Sport is nooit eerlijk geweest. Kijk alleen al naar trainingsmogelijkheden, medische begeleiding, kapitaal of bijvoorbeeld genetische aanleg. Het leven is niet eerlijk. Als er middelen zouden bestaan die het menselijke vermogen tot leidinggeven konden verbeteren, zou zelfs Balkenende ze slikken. Neem dat maar van mij aan. En de maatschappij zou dat nog toejuichen ook. Iedereen wil toch een sterk iemand aan de top?'

'Maar toch niet in de sport?' Fenna begon kwaad te worden. Eerlijkheid was belangrijk in haar ogen, net als de normen en waarden van Balkenende. Ze zag dat Ruud haar spottend aankeek. 'Ik weet heus wel dat er niet altijd eerlijk wordt gespeeld in de sport,' riep ze bijna uit. 'Ik ben heus niet zo naïef als je denkt. Maar daarom hoef ik het er nog niet mee eens te zijn.'

'Fenna, waar gaat het nou om? Denk je dat het voor het publiek ook niet fantastisch zou zijn om speedtijden te zien en superatleten, die giga hoog springen of megasnel sprinten?'

'Dan is het toch geen wedstrijd meer?' Fenna schoof definitief haar eten opzij. De schalen op de glazen draaischijf op tafel waren nog half gevuld, maar ze kon nauwelijks iets naar binnen krijgen. De geuren in het restaurant werden verdrongen door het luide gelach en geschreeuw van de overige eters. Chinezen aten meestal in een gezellige grote groep en maakten daarbij veel lawaai. En juist dat kon ze nu niet hebben.

Ruud slurpte de laatste restjes van zijn bord af en schoof het opzij. Hij veegde zijn mond af en ging toen verder. 'Kijk naar al die ontwikkelde racewagens, die draaien ook op de technische input én op de stuurmanskunst van de coureur. Zo moet je het zien. In de topsport draait het om de techniek, maar ook om het presteren. Dan kun je niet verwachten dat ze zich als gentlemen gedragen. Het wordt tijd dat er een duidelijker onderscheid komt tussen amateurs en de profsport. Ik denk dat het huidige dopingbeleid losgelaten moet worden. De regels werken niet, dat blijkt elke keer weer. Want wat is eerlijk en wat is prestatie? Mensen zijn nu eenmaal niet gelijk, dus eerlijk is het nooit.'

'Maar dan wordt het een wedstrijd wie de meeste zooi durft te slikken.' Fenna dacht aan Lucinde. Jong, springerig en vol levenskracht. Nu in coma.

'Daar heb jíj gelijk in,' gaf Ruud toe. 'Want dat er gevaarlijke ontwikkelingen zijn, is iets wat zeker is.'

Fenna voelde zich kwaad worden. 'De topsport blijkt nog veel harder dan ik gedacht had. Ik merk dat die meiden moeten presteren onder een gigantische druk. Iedereen schreeuwt om snellere tijden. Als er geen record gebroken wordt, zijn ze mislukt. Dat kan toch ook niet goed gaan? Het is godsonmogelijk om elke keer maar weer die tijden aan te scherpen. Dan zouden het allemaal supermensen moeten zijn. En dat zijn het niet. In elk geval niet van nature. De enige manier om te voldoen aan de exorbitante eisen is je lichaam een handje helpen. De middelen zijn er, dat is juist het enge. Ze zijn gewoon beschikbaar. En eigenlijk zijn de sporters die níét winnen en er dus níét naar gegrepen hebben, het sterkst. Die hebben gewonnen van de onmenselijke verleiding.' Opeens kwam alles als een waterval naar buiten. Ze zag een paar hoofden in hun richting draaien. Open kauwende monden en opengesperde ogen vol genot. Fenna draaide haar hoofd af.

'Kom op, Fenna. Je doet nu net of iedereen gebruikt. Daar wordt ontzettend streng op toegezien.'

'Ja, nu zijn we weer bij de controle. Het is een eeuwige strijd tussen de sporters die steeds met nieuwe middelen komen en de wetenschap die detectiemethoden hiervoor moet ontwikkelen. Ik hoef jou niet te vertellen dat ze bezig zijn om genetische doping te ontwikkelen. Die is nog niet aan te tonen.'

Ruud veegde nadenkend over zijn gezicht, plukte aan zijn bakkebaarden en keek haar ten slotte vorsend aan. 'Daar heb ik inderdaad het een en ander over gehoord.'

'Bloedlink,' ging Fenna verder. 'Maar dat zijn al die andere middelen ook; epo, testosteron, bloeddoping, allemaal zo verleidelijk als het maar kan. Als de druk opgevoerd wordt, grijpen ze er allemaal naar. Beetje gebruiken en ze zetten een supertijd neer.'

'En dan vallen ze door de mand bij een controle. Ronald vertelde me...'

'Ronald,' spuugde Fenna de naam uit. 'Als er eentje is die deze meiden op de huid heeft gezeten, dan is hij het wel.'

'Je draaft door. Ronald vertelde dat Lucinde net gecontroleerd was. En die controle was negatief. Ze was zo schoon als een pasgeboren baby. Waarom doe je opeens zo negatief over Ronald? Denk je dat hij wil dat zijn sporters doping gebruiken? Natuurlijk niet.' Ruud dronk een paar slokken bier en veegde daarna met zijn mouw zijn mond af. 'Ronald laat zich daar niet mee in.'

'Hoe weet jij dat nou? Zo betrouwbaar lijkt hij nou ook weer niet. Ben je vergeten dat Kim is afgevallen door een positieve controle? En nu ligt Lucinde in het ziekenhuis. Wel heel toevallig allemaal. Bewijs maar eens dat Ronald niets met doping te maken heeft.' Fenna's stem vloog omhoog. De serveersters keken stuk voor stuk in haar richting. Een van hen kwam direct aanlopen, maar Ruud wuifde haar weg.

'Ik heb Ronald net nog gesproken. Toevallig kwam het gesprek op doping.'

'Toevallig,' mauwde Fenna hem na.

'Hij werd gigantisch fanatiek toen we het daarover hadden. Hij zwoer op het graf van zijn moeder...'

'Leeft zijn moeder nog?' onderbrak Fenna hem.

'Fenna, doe niet zo ontzettend lullig. Je hebt geen enkel bewijs.'

'Dus hij is onschuldig totdat bewezen is dat hij het wel heeft gedaan. Nou, bij sporters is het precies andersom. Die worden al veroordeeld als er een bericht is van een positieve controle. En dan is het nog helemaal niet zeker dat ze iets genomen hebben. Kim is daar het slachtoffer van geworden. Pats, boem, uitgesloten van deelname terwijl de contra-expertise nog uitgevoerd moest worden. Sporters moeten bewijzen dat ze ónschuldig zijn. Dat is de wereld op zijn kop!' Fenna was kwaad. Iets in het gesprek met Maud had haar doen inzien onder welke druk die meiden stonden. En als journaliste was ze zelf bezig om die druk nog wat te verhogen. Opeens kwam alles in China haar de keel uit. Overal fel licht, geschreeuw en ellende die over de tafels werd uitgespuugd.

'Jeetje, wat is er met jou aan de hand? Ben je ongesteld of zo? Er is echt niet met je te praten.' Ruud gooide zijn glas leeg in zijn keel, schoof zijn stoel zo hard naar achteren dat die op de kale tegels kletterde en liep het restaurant uit. Hij werd nagekeken door het voltallige klantenbestand. Voor het eerst die avond was het muisstil.

47

Ze moest opnieuw met Maud praten. De atlete was de spil in deze hele onverkwikkelijke zaak. Maar hoe ze haar te spreken kon krijgen, wist Fenna nog niet.

Ze liep het hotel uit. Daar stond ze dan, een simpele journaliste uit het Groene Hart van Nederland, in haar eentje in de grote stad Beijing. Het verkeer duwde en gierde in alle toonaarden, de avonddrukte in de stad leek nog erger dan overdag. Maar ze probeerde zich er niets van aan te trekken. Ze moest naar Maud. Ruud was weg, en dus moest ze alleen.

Fenna liep naar het kruispunt en stak haar hand op. Geen enkele taxi stopte. Pas na tien minuten kreeg ze er eentje te pakken. De chauffeur begreep gelukkig direct waar ze heen wilde, de term 'olympisch' was hot op dit moment.

De hele stad baadde in het neonlicht. Knipperende Chinese karakters, heen en weer lopende lichtbalken, schijnwerpers van de eeuwigdurende bouwactiviteiten en de koplampen van de vele voertuigen, donker was het nooit in Beijing.

Na een kwartiertje rijden verliet de taxi de drukke vierbaansweg en meteen herkende ze de omgeving. Ze waren al vlak bij de Olympic Green. Het stadion kwam al snel in zicht. De naam Vogelnest was goed getroffen, de grote balken die kriskras over het ovale bouwwerk liepen, zagen eruit alsof ze willekeurig neergelegd waren. Een knappe constructie met een aparte sfeer.

De taxi stopte en Fenna betaalde het bedrag dat een metalen computerstem haar aangaf. De lucht leek hier zelfs schoner, vreemd hoe de Chinezen dat voor elkaar kregen. Maar alles wat de Chinezen wilden, verzorgden ze. En wat hun ogen zagen, bouwden hun handen, en dat leverde een indrukwekkend staaltje bouwkunst op.

Fenna liep naar de toegangspoort van het olympisch dorp. Dag en nacht controle, met pasjes voor de verschillende afdelingen van het complex. Politieauto's die als irritante vliegen overal omheen zoemden. Veiligheid voorop. Het zou China niet overkomen dat er ook maar iets mis zou gaan. Maar voor Fenna betekende dit een beperking. Ze kon niet naar binnen. Ze zou iets anders moeten verzinnen.

* * *

Op het terras van een restaurantje van het Holland Heineken House wachtte Maud op Andrei. Even weg uit de gespannen sfeer van het olympisch dorp, op zoek naar ontspannen drukte. Ze voelde de onrust tot diep in haar lichaam. Ze had gemerkt dat ze lag te wachten op de bewuste klop op de deur, de dopingcontrole. Ze werd gek van zichzelf in de kleine kamer zonder enige aanspraak. De muren kwamen op haar af. Ze moest afleiding zoeken, de allesoverheersende angst de baas worden. En Andrei kon haar daar vast mee helpen.

Natuurlijk was het prettig geweest dat ze in haar mail had gelezen dat er geen enkel risico bestond. De twijfel sloeg echter toe en het zat haar helemaal niet lekker. Ze kreeg steeds meer het gevoel dat iedereen van haar gezicht kon aflezen dat ze vuil spel speelde.

Soms kreeg ze zelfs van Andrei vragen. En elke keer moest ze ontwijkende antwoorden geven. Ze had er zo genoeg van. Zelfs hem kon ze niet eerlijk in de ogen kijken. Bovendien vrat de onzekerheid aan haar. Ze had nog steeds geen oproep voor controle gehad. Het idee dat er elk moment iemand naast haar kon staan om haar mee te nemen was afschuwelijk. Alsof er een onzichtbaar onheil naderde. Het was alsof zelfs haar schaduw vertelde dat ze oneerlijk spel speelde. En altijd over je schouder kijken, steeds weer voorzichtig zijn en je woorden afwegen voor je wat zei. Elke spontaniteit kon je verraden. Angst om te eten. Bang om haar supplementen te slikken. En dan de beklemmende paniek dat ze gepakt zou kunnen worden. Bij haar zou de wijzer wel eens door kunnen slaan. Niet detecteerbaar, was haar gezegd. Maar kon ze daarop vertrouwen?

Zittend op het terras kwam de rust terug in haar lijf. Ze keek naar de gezellig kletsende passanten. Mensen die de sfeer van de sporters typeerden. Alleen op deze plek was van competitie geen sprake.

Op dat moment bespeurde ze een bekend gezicht. Er ging een schok door Maud heen. Verdomme, dat brilletje, die stomme grijze pieken. Daar was dat mens weer. Maud had totaal geen behoefte aan een gesprek met de journaliste, die als een bloeddorstige horzel om haar heen zwermde, wachtend op een onbewaakt moment om toe te steken en haar te verwonden. Ze boog zich diep over het tafeltje. Hopelijk zou ze niet ontdekt worden.

Voorzichtig gluurde Maud tussen de mensen door. De speurende ogen en die eindeloos meegesleepte canvas schoudertas kwamen steeds dichterbij. 'Ze ziet me niet. Ze ziet me niet,' fluisterde Maud voor zich uit. Soms hielpen uitgesproken gedachten haar door moeilijke momenten heen. Ze hielpen om de concentratie te pakken als ze die in haar binnenste niet kon vinden. Maar nu hielp het niet. De ogen schitterden vrolijk toen ze Maud ontdekte.

'Hallo, Maud, goed dat ik je heb gevonden.'

Maud deed geen moeite haar ongenoegen te verbergen. 'Gevonden? We hebben elkaar vanmiddag nog gesproken.'

'Dat was wel erg kort, ik heb je nauwelijks wat kunnen vragen. Ik moest je nog een keer spreken. Daarna zal ik je heus met rust laten.' De vrouw ging bij haar aan het tafeltje zitten.

'Ik moet me nu echt concentreren op de wedstrijden.' Maud zuchtte.

'Ik merkte vanmiddag dat het je raakt dat Lucinde in een stad ver weg in het midden van China in een ziekenhuis ligt, terwijl jij...'

'Nou én? Ik wil het vergeten. Laat me met rust.' Maud wilde opstaan, maar Fenna hield haar tegen.

'Ik wil weten of je een bedoeling had toen je zei dat ze iets verkeerds had binnengekregen. Gebruikte Lucinde doping?'

Het was alsof er een stroomstoot door Mauds lichaam schoot. Ze liet haar ogen rond flitsen. 'Verdomme, hoe kunt u hier...?' siste ze woest.

De journaliste keek haar dom aan. 'Wat bedoel je?'

'Ik ben weg,' beet Maud haar toe. Ze schoof abrupt haar stoel naar achteren en liep weg. Het maakte haar niet uit of de journaliste haar volgde. Ze moest weg bij al die gespitste oren. Over doping praten in deze omgeving was alsof ze benzine over haar heen goot en een lucifer aanstak.

'Maud, ik wil je niet in diskrediet brengen,' hoorde ze haar hijgend achter zich.

Ze draaide zich met een ruk om. De woede brandde in haar binnenste. 'U wilt niet... U bedoelt niet... Misschien kunt u eerst eens nadenken voordat u iets zegt.'

'Het enige wat ik wil is Lucinde helpen.'

'Zo helpt u niemand, mevrouw Faassen.' Maud trok haar onbeheerst mee naar een rustige plek. 'Begrijpt u dan niet dat de ene sporter nooit een andere zal beschuldigen? Wij hebben het al zwaar genoeg zonder deze insinuerende opmerkingen. Stel dat iemand dat woord hier tussen ons opvangt, dan sta ik morgen als schuldige in de kranten. Zo werkt dat bij de media. Alleen al een combinatie tussen het d-woord en mijn naam zorgt voor het stempel "verdacht". Tegenwoordig gaat het niet meer alleen om urinecontroles. De methoden van opsporing hebben zich uitgebreid sinds de laatste schandalen. Sindsdien zoeken ze niet meer alleen in onze lichamen, maar ook in onze omgeving. En u kraait gewoon in een overvol Holland House de term die in sportkringen nog erger is dan het woord kanker.' Ze spuugde de laatste woorden over de vrouw uit. Ze zag dat de vrouw terugdeinsde. Haar geschrokken ogen schitterden donkerblauw in de lantaarns van het grote voorplein. Maar Maud kon zich niet meer inhouden. Ze kreeg een steeds grotere hekel aan al die domme kuikens die tijdschriften op hen af stuurden.

'In het sportrecht geldt een omgekeerde bewijslast. Dat hoort u te weten. Wij zijn schuldig totdat we onze onschuld bewezen hebben. Iedere ordinaire misdadiger is beter af.' De woede ontvlamde terwijl ze doorratelde.

'Het spijt me. Ik wilde je niet in verlegenheid brengen. Ik wil juist helpen.' De stem klonk zacht in het donker.

'Laat me dan met rust! Daarmee helpt u me gigantisch.'

'Maar Lucinde heeft je nodig. Niet jou persoonlijk, maar wel elke tip om haar ziekte aan te pakken. En ik heb het idee dat jij...'

'U speelt het wel heel gemeen. Als ik haar zou kunnen helpen, zou ik dat doen. We hebben zo lang samen getraind, gezweet, afgezien en elkaar opgezweept. Topsport doe je niet alleen.'

'Maar jij zit nu wel alleen.'

Dat kwam hard aan. Maud had zich de laatste dagen nog nooit zo alleen gevoeld. Normaal had ze met Lucinde een kamer gedeeld. Nu zat ze er alleen. En deze journaliste zou haar dat nog even inwrijven. Maud ging vlak voor de vrouw staan, ogen op gelijke hoogte. Zacht maar hopelijk duidelijk verwoordde Maud wat ze op dat moment voelde. 'Inderdaad, ik ben de enige die over is van ons drieën. En dus moet ik winnen. Juist nu. Geef me die kans en laat me verder met rust.'

De stilte bleef even tussen hen in hangen. Maud voelde dat ze haar vuisten gebald had. De kwaadheid borrelde door. Op dat moment hoorde ze iemand vlak achter zich. Maud keek om en zag Andrei staan.

'Hallo, Maud.' Andrei glimlachte naar haar. 'Sorry dat ik laat ben.'

* * *

Haar stemming was totaal bedorven. Al na tien minuten had ze tegen Andrei gezegd dat ze moe was en even wilde gaan liggen in haar kamer. Ze was opgefokt door de journaliste en zocht daarom liever de eenzaamheid. Bij haar kamer werd ze echter opgewacht door een official, het was zover. Uiterlijk monter was ze meegelopen, terwijl ze het gevoel had naar de slachtbank geleid te worden.

De controle was gelukkig snel achter de rug. Onder de priemende ogen van een official plassen bleef moeilijk. Bovendien leek het alsof haar lichaam in protest kwam. De angst kneep alles af. Het had dan ook enige tijd gekost voordat haar lichaam voldoende urine had losgelaten.

Het was voor het eerst van haar leven dat ze echt angst voelde voor de controle. Onzekerheid voerde de boventoon. Natuurlijk was haar keer op keer verzekerd dat het uitgesloten was dat de genetische doping aan te tonen zou zijn in haar urine. Zelfs in haar bloed zou geen enkele lichaamsvreemde stof te vinden zijn. Er zouden spierbiopten nodig zijn om iets te kunnen vinden en dat was natuurlijk niet te accepteren. Maar toch bleef het knagen. Ze zou pas weer rust vinden als de uitslag bekend was.

Ze vroeg zich af of het allemaal wel de moeite waard was. Ze voelde zich opgefokt, tegen alle logica in. En ze wist dat dit opgejaagde gevoel alleen maar negatief kon werken. Ze had rust nodig in haar hoofd, dan kon haar lichaam zijn werk doen.

Ze stond op van haar bed en gooide haar spieren los. Alles was verkrampt, net of haar lichaam protesteerde. Ze wist dat ze op dit moment een beslissing moest nemen of ze door zou gaan met de injecties of dat ze vanaf dat moment haar hoofd en lichaam zou schonen.

Het confronterende gesprek met de journaliste dreunde diep door. Haar woede had ze volledig op de vrouw gericht, maar achteraf realiseerde ze zich dat ze voornamelijk kwaad was op zichzelf. Al die jaren dat ze getraind had, had ze zich aan de regels gehouden. Nooit had ze de verleiding gevoeld om iets te nemen. Het was zelfs niet in haar opgekomen. Ze was openhartig en eerlijk tot op het bot. Maar het harde gevecht tegen de cijfers had haar kwetsbaar gemaakt. De limieten waren zo scherp gezet dat ze het idee had gehad dat ze die nooit kon halen. Het jarenlange gevecht had haar moedeloos gemaakt en voor het eerst had ze zelfs gedacht dat ze moegestreden was. Ze kon niet blijven opboksen tegen onmogelijke concurrenten.

Daarna had ze gehoord over de successen van sporters die op zijn minst verdacht genoemd mochten worden. Resultaten die nooit eerlijk behaald konden zijn. Er had zich een bijtende jaloezie gevormd. Waarom was het voor hen mogelijk om de boel te belazeren? Waarom werden ze niet betrapt? Vanaf dat moment ging het wringen in haar hoofd. De wens om zelf te worden als de anderen die met die oneerlijkheid wegkwamen. Maar nu ze zelf de sport voor de gek hield, bleek dat zij niet voor het verraad geboren was. Ze kon het niet. Alleen al de angst voor ontdekking zou haar verraden.

Was het echt zo dat de sfeer in de topsport was veranderd? Klopte het allemaal wat ze de journaliste had toegebeten? Ze voelde zich in elk geval wel gecontroleerd tot en met. Het was niet voor niets dat ze vanuit het sportcentrum in Chengdu geen enkele mail had willen versturen, en al helemaal niet vanuit het olympisch dorp. Of was ze paranoïde aan het worden, nu ze zichzelf schuldig maakte aan oneerlijk spel? Maar iedereen wist dat er overal klokkenluiders en spijtoptanten liepen, dat zelfs infiltratie en bedreigingen plaatsvonden om doping te achterhalen. Gestapopraktijken.

Alle sporters wisten van het onderscheppen van e-mails. De autoriteiten probeerden van alles om de omerta te doorbreken, de zwijgplicht die je voelde ten opzichte van je collega-sporters.

Maud ijsbeerde door haar kamer als een getergd dier. Ze had beweging nodig om haar gedachten op orde te brengen. Sommige mensen schreven de emoties van zich af; zelf zette ze alles op een rijtje door haar bloedsomloop sneller te laten werken. Het was net of haar hersens dan beter doorbloed werden, waardoor ze makkelijker beslissingen kon nemen.

Na tientallen keren van de deur naar haar raam gelopen te zijn, stopte ze. De zekerheid begon te stromen. Ze kreeg zichzelf weer in de hand. Hoe meer ze nadacht over al deze zaken, hoe meer ze ervan overtuigd raakte dat ze verkeerd bezig was. Waren er in haar omgeving mensen die misschien al een vermoeden hadden? Had iemand in haar spullen gezocht? Was er toch een buisje verdwenen? Ze wist het nog steeds niet zeker, maar het zat haar niet lekker. Waar was ze mee bezig geweest? Ze was met een eerlijke voorbereiding zo ver gekomen en nu was ze de boel aan het verzieken door een gigantisch risico te lopen. Overal waren ogen en oren en niemand kon je vertrouwen.

Op dat moment wist ze wat ze moest doen. Als ze zelfverzekerd aan de start zou willen verschijnen, moest ze alle angst zien kwijt te raken. Ze moest iedereen weer eerlijk in de ogen kunnen kijken en niets te verzwijgen hebben. Geen vertrouwen te winnen. Ze moest haar oneerlijke schaduw voorbijlopen. Eerlijkheid moest er zijn.

Ze liep naar haar koffer, haalde het slot eraf en greep haar geheime voorraad. Zonder een moment te aarzelen, tikte ze de buisjes kapot en spoelde ze alles door het toilet. Het gaf een goed gevoel dat ze haar leven nu weer in eigen hand had. De controle was terug. Ze zou weer op eigen kracht aan het werk gaan. Geen dilemma meer. De verleiding was verdwenen. Ze zou op eigen kracht de eindsprint inzetten.

Ze ademde diep in en uit en voelde haar lichaam tintelen. Ze voelde zich sterker dan ooit en ze was er zeker van dat ze nu iedereen aankon. Haar lichaam en geest waren weer schoon. De voldoening, als ze nu zou winnen, zou enorm zijn. De competitie was weer terug.

48

Het was al laat geweest toen Fenna eindelijk terugkwam in het hotel. Het kaartje met de naam van het hotel in Chinese tekens had in de taxi weer goede diensten bewezen. Ze had op het punt gestaan het kaartje te weigeren, zeker na haar ervaringen in Chengdu. Maar China bleef onoverzichtelijk voor buitenlanders, vooral door de onbegrijpelijke tekens. En de weg vragen was een onbegonnen zaak vanwege het taalprobleem, bijna niemand sprak Engels.

Nu lag ze languit op bed en dacht na. De felle discussie met Maud had erin gehakt. Het was helemaal niet haar bedoeling geweest om de atlete van de kook te brengen, en ze realiseerde zich nu pas dat ze misschien wel meer kwaad dan goed had gedaan. Haar beweegredenen waren echter zuiver geweest. De hoogspanning waaronder de topsport bedreven werd, was nu nog duidelijker. Toch dacht ze dat Maud meer wist dan ze wilde zeggen. Ze moest het dus anders aanpakken. Maud was terecht kwaad geweest. Het woord doping was als gif in een keuken. Daarnaast had ze ook Ruud tegen zich in het harnas gejaagd. Soms was ze misschien wel een onnadenkende flapuit. Eerst doen en dan denken wierp nu de zure vruchten af. Dom dramwerk.

Na een halfuurtje kneden was ze nog niet veel verder. Alle

zinnen waren de revue gepasseerd en in haar hoofd uitgekauwd. Ze bleef ervan overtuigd dat er in de Nederlandse atletengroep doping gebruikt werd. Kim, die was afgevallen, en nu Lucinde, wier lichaam een gevecht moest leveren tegen een heftige afweerreactie. Het kon niet anders. Ze wist dat ze iets op het spoor was, maar had geen idee of en zo ja hoe ze daarover moest schrijven. Je schreef niet over vermoedens, of over roddels, dat was het werkgebied van andere bladen dan *Ogen-blik*.

Ze moest wachten tot Maud op doping gecontroleerd zou worden. Die uitslag zou belangrijk zijn. En ondertussen moest ze de mist tussen haar en Ruud wegblazen. Ze voelde zich alleen. Ze leefde dan wel in een hotel omringd door luxe, maar op dit moment had ze behoefte aan menselijke warmte. Ze verlangde opeens naar haar boot met de vertrouwde geluiden, de kachel die de kilte verdreef en het eten met een gewone vork. Maar ze miste vooral haar familie. Hoe zou het met Tara zijn?

Ze pakte haar notebook en was al snel online. Dat hadden de Chinezen prima geregeld. Haar hart maakte een sprongetje toen ze zag dat er een mail van Tara was. Het vorige bericht had ze nog in Chengdu ontvangen, en ze had tussen de regels door gelezen dat er dwang van haar moeder achter had gezeten. Het was dan ook een korte mail geweest met alleen maar geruststellende berichten, alsof haar moeder had zitten dicteren, wat waarschijnlijk ook zo was. Maar nu stond er meer.

Hey mam,

Alles goed? Hier alles ok. Kben blij dat oma Els er is. Maar ze wordt idd wel oud, hoor. Zij kookt, das wel chill :-)
Morgen gaat ze met Henk naar die kliniek voor oudjes, je weet wel, die Duitse Holland-kliniek. Iets nieuws, zei ze. Ze wil niet oud zijn. Ze schijnen daar in Duitsland iets te doen met hun botten. Of mss wel met de spieren, ze had het over een soort spierversterking of zo. Uitje voor die twee oudjes. Tzou daar een rage zijn. Kzei al dat ze gwn mee kon naar de sportschool. Lachuh!

Maar kben trots op der. Ze wil nog zoveel doen, geen tijd om dood te gaan, zei ze.
Mijn leraar Duits zat te zeiken. Werkstuk vond hij te kort.
Michael gaat me nu helpen. Heeft oma Els geregeld. Was ff afw88 of hij wel wilde. Kan lekker via msn. Zie je wel dat msn handig is!
Ken je al Chinees? Neem je iets moois voor me mee?
Doej, Tara

Er stonden opeens tranen in Fenna's ogen. Hoe heerlijk om even contact te hebben en Tara's stem te horen, ook al was het digitaal. Tara had gewoon gelijk, de digitale wereld was handig.

* * *

De volgende ochtend ging Fenna pas laat naar het ontbijt. Ze had slecht geslapen. Draken van dromen hadden haar beziggehouden.

Ze zoefde zacht met de lift naar beneden. In de bespiegelde lift leken de wallen onder haar ogen zwaar en diep. Ze liep de hal door en kwam bij de ontbijtzaal, waar het personeel al bezig was om alles op te ruimen. Natuurlijk wezen ze haar gedienstig een tafel. Fenna liep naar het buffet, waar de warme schotels nog dampten. Haar maag protesteerde. Scherpe spijzen als ontbijt, nee, daar zou ze nooit aan wennen. Ze pakte een paar zachte broodjes, een croissant en een cakeje. Koffie was een vereiste, de rest was bijzaak.

Ze zat nog maar net, toen ze een bekende stem hoorde.

'*Ni hao*! Een goedemiddag, of kan ik nog goedemorgen zeggen?' Ruud struinde de zaal door.

'Goedemorgen, Ruud. Ook laat opgestaan?'

'Nee, ik ben al uren op. Maar ik lust nog wel een kop koffie.' Een kort signaal was voldoende. 'Ik was even in het dorp en kwam Ronald tegen. Die was behoorlijk pissig, kan ik je zeggen.'

Fenna nam een hap van haar broodje. De plakkerige binnenkant kleefde aan haar kiezen. Een slok koffie zorgde voor enige verlichting.

'Jouw insinuerende beweringen gisteravond werkten bij mij de hele nacht door. Daarom opperde ik voorzichtig of het gebruik van een verboden middel misschien de oorzaak kon zijn van Lucindes ziekte,' ging Ruud druk pratend verder. Hij streek de paar haren boven op zijn schedel in de goede richting, waar ze inderdaad vastplakten. 'Ronald sloeg volledig op tilt. Echt helemaal gefrustreerd. Ik kon hoog of laag springen, er was geen land meer met hem te bezeilen.'

'Dat is ook moeilijk,' mompelde Fenna automatisch. 'Daar heb je water voor nodig.'

'Hou toch op!' zei Ruud geërgerd.

Fenna begreep dat ze weer verkeerd bezig was. 'Sorry, Ruud. Beetje slecht geslapen.'

'Al dagen, volgens mij,' mopperde de fotograaf.

Ze pakte de croissant en smeerde er wat boter op. Het cakeje bewaarde ze voor bij haar tweede kop koffie. 'Ruud, ik weet dat ik af en toe eigenwijs ben, maar mijn intuïtie zegt mij dat die meiden doping gebruiken. Het kan niet anders. Maar het moeilijke is dat die twee het niet van elkaar weten. En die Ronald is op zijn minst verdacht. Hij is de verbindende factor.'

'O jee, we zijn er weer.' Ruud keek zuchtend naar boven. 'Vrouwelijke intuïtie. En die zegt dat Ronald de kwade genius is. Nou, probeer dan ook met die intuïtie van je wat informatie te krijgen van een bloedlinke Ronald. Praat hem even lekker naar de mond. Even slijmen. Contact leggen. Het bekende goede blaadje. Hij is de sportmanager. Dé persoon die ons informatie kan verstrekken. Als je hem een beetje te vriend houdt, tenminste.' Het sarcasme droop eraf.

Fenna wist dat hij gelijk had. Ronald zou hun die informatie nooit geven. Ze begon nu hardop te denken, precies zoals ze de afgelopen avond alleen in haar hotelkamer had gedaan. Er was iets wat ze over het hoofd zag, maar ze kon er de vinger niet op leggen. 'Misschien is Ronald niet de spil in dit schandaal,' begon ze. 'Bovendien zal hij nooit iets vertellen. Hij is te slim, een echte manager, die zijn zaakjes goed voor elkaar heeft. Kim is uitgeschakeld. En Lucinde in zekere zin ook, hoewel er misschien aanwijzingen te vinden zullen zijn in haar bagage, maar daarvoor zullen we naar Chengdu moeten. Niet aan de orde, dus.' Ze keek Ruud aan.

'Nee, dat lijkt me ook niet.' Hij roerde een paar scheppen suiker door zijn koffie. 'Mag ik dat cakeje? Ik kan beter denken als mijn spieren aan het werk zijn.'

Fenna knikte. 'De enige die overblijft is Maud. En die zit afgeschermd in het olympisch dorp. Maar iedereen wordt opgeroepen voor een dopingtest, dus als ze iets gebruikt, moet dat aan het licht komen. Ik heb in het park wat met haar gepraat. Ze laat niets los. Het leek er zelfs op dat ze me als veilig internetcafé gebruikte. Zodra ze haar mail verstuurd had, wilde ze weg.' Fenna wenkte een serveerster voor een tweede kop koffie.

'Je hebt gelijk. Maud is ons enige aanknopingspunt om met een keigoed artikel op de proppen te komen. Want tot nu toe hebben we weinig gepresteerd. Harry verwacht een verhaal van ons, met een paar mooie platen. Mijn foto's uit Chengdu zijn gewist, dus zullen we hier moeten scoren,' beaamde Ruud.

'Tot nu toe is dat dopingschandaal alleen nog maar een vage roddel. Maud is een hard trainende atlete die hoopt een goede prestatie neer te zetten. Meer hebben we niet.'

Het was een tijdje stil tussen hen.

'Dopinggebruik. Verdachte manager. Atlete in nood,' dreunde Ruud alle informatie op. 'Maud is onze informatiebron. Als ze echt doping gebruikt, moet ze...' Het cakeje verdween voor de helft in zijn mond. 'Zij is dus degene om wie het draait. Dat betekent...' Hersens op volle toeren. Hij nam een slok koffie en zijn wangen bolden op terwijl hij de cake met de koffie vermengde. Hij slikte de mix door. 'Dat betekent dat we erachter moeten zien te komen met wie ze allemaal contact heeft.' De rest verdween in zijn mond.

Fenna kon alleen maar knikken. Logische conclusie. 'Maar hoe?'

'Jouw notebook!' riep hij opeens uit. De cake sproeide over tafel. 'Sorry.' Ruud sloeg zijn hand voor zijn mond.

'Wat is er met mijn notebook?'

'Nou, die heeft ze toch gebruikt?'

Het duurde even voordat tot haar doordrong wat Ruud bedoelde. 'De mail die ze verstuurd heeft? Bedoel je dat?'

'Ja, via haar mail onderhoudt ze kennelijk het contact. Die durft ze niet in het dorp te versturen. Dus dat moet verdachte tekst zijn. Als we die kunnen lezen, kunnen we ook bewijzen of jij goed zit met je beschuldigende intuïtie in de richting van Ronald. Dan moet ze hem gemaild hebben.'

'Of gewoon gesproken of gebeld,' weifelde Fenna.

'Ja, hallo, Ronald is nog niet zo lang in China en telefonisch contact kunnen we niet achterhalen. Maar haar mails...'

'Ook niet,' vulde Fenna aan.

'Misschien wel. Ik heb wel eens gehoord dat je via een programmaatje verstuurde mails kunt inlezen. Of misschien kan zelfs haar password gekraakt worden.'

'Weet jij hoe dat moet?' De opwinding begon nu toch wel toe te nemen.

'Ik niet, maar daar kunnen we toch achter zien te komen. De informatie moet ergens op jouw computer staan. Het enige wat we moeten doen is een whizzkid vinden en die zijn er vast genoeg in Beijing.'

* * *

Met een bijna lege maag stond Fenna even later buiten. De zon scheen en de warmte drukte de smog naar beneden. Ze moest een whizzkid zien te vinden. Maar hoe? Ze liep een zijstraat in. Een groepje mensen zat buiten op straat een bordspel te spelen. Ronde stenen met Chinese karakters werden over een bord geschoven. De stoeltjes waren erg laag, maar daar scheen niemand last van te hebben. De mensen lachten vriendelijk naar haar en riepen dingen die ze herkende van de afhaalchinees. Sambal bij, dacht Fenna, en ze lachte net zo vriendelijk terug.

Op de volgende straathoek zat een bakkertje. Fenna keek naar binnen. Haar maag reageerde. Gewoon brood zag ze niet. Alles was wit of roze, en soms bedekt met onduidelijke zaadjes. Op dat moment zag ze een paar donkerbruine cakejes liggen. Chocola? Haar humeur verbeterde op slag, alsof chocola al op afstand werkte.

Even later was haar maag gevuld en haar hoofd minder mistig. De oplossing diende zich direct aan. Een voor de hand liggende plaats voor een whizzkid was een internetcafé. Fenna klampte een willekeurige jongeman aan.

'Internet?' vroeg ze. Een internationale term, nam ze aan.

De vragende blik gaf het antwoord.

'Internet,' herhaalde ze. Stom, natuurlijk, net zoals je tegen gehandicapten harder ging praten alsof ze doof en stom waren. De blik bleef vragend, hoewel de glimlach hulpvaardig leek. De man antwoordde in zijn eigen taal, die voor haar net zo internationaal was. Fenna pakte haar woordenboekje. Ze wees het Chinese woord aan en de man duwde nadenkend zijn kin naar voren. Hij riep er een andere voorbijganger bij. Samen overlegden ze. Fenna wachtte geduldig. Na langdurig overleg schudden ze beiden het hoofd. Dat was duidelijk.

Enkele andere voorbijgangers stopten behulpvaardig maar schudden ook hun hoofd. Het was om moedeloos van te worden. Fenna stak haar arm op en hield een taxi aan. Taxichauffeurs waren vaak de beste vraagbaak. Fenna schoof achterin en wees door de tralies het woord *wangba* aan in haar woordenboekje. De chauffeur dacht even na en schudde toen zijn hoofd. Hij keek strak vooruit en even wist Fenna niet wat ze moest doen. Hoezo nee?

De man schudde zijn wijsvinger heen en weer en het werd Fenna duidelijk dat dit niet ging lukken.

Fenna stond dus weer langs de weg. Wat een land was dit

toch. Een groeiende grootmacht, een booming economie, maar qua taal grenzend aan autisme. Ze besloot het nog een keer te proberen en al snel stopte er weer een taxi.

De chauffeur dacht lang na. *'Wangba, wangba, wangba,'* zong hij de woorden voor zich uit. Hij keek haar door zijn achteruitkijkspiegel taxerend aan en zei toen met een brede glimlach *'Okay, okay!'*

Fenna voelde zich opgelucht en de taxi begon te rijden. Hij sloeg de ene na de andere straat in en al gauw zaten ze op een vierbaanssnelweg. Fenna begon zich minder op haar gemak te voelen. Snelweg? Waar bracht hij haar naartoe? Er moest toch in elke buurt van Beijing een internetcafé zijn?

'Wangba?' vroeg Fenna nog een keer voor alle zekerheid.

'Okay, okay!' was het simpele antwoord. De blik via de achteruitkijkspiegel begon haar te irriteren. Fenna zag dat ze een dubbellaagsrotonde naderden. Onvoorstelbaar dat ze in dit onmetelijk grote land worstelden met ruimtegebrek. Alles werd in de hoogte uitgebreid, niet alleen wolkenkrabbers, maar ook wolkenviaducten en een warboel aan voetgangersbruggen die het Prins Clausplein lieten verbleken.

'Okay, okay!' zei de chauffeur weer, terwijl hij zijn taxi de snelweg af stuurde. Er klopte iets niet. Ze waren nu al bijna een halfuur aan het rijden. Ze hadden allang bij een internetcafé kunnen zijn. Fenna voelde zich opeens kwetsbaar. Allerlei gedachten borrelden omhoog. Ontvoeringen in grote steden. Gewelddadige overvallen op buitenlanders. Verkrachtingen van vrouwen. Armoede bracht mensen tot vreemde dingen.

De taxi minderde vaart en reed een volksbuurt in. Fenna keek gespannen om zich heen. Ze had er veel voor overgehad als ze nu in de anonieme drukte van de grote stad was. Maar dit leek meer op een achterbuurt. Mannen hingen werkeloos rond, sjofel gekleed. Ogen die de taxi volgden. Wat deed een taxi in dit deel van de stad, zag je ze denken. De chauffeur pakte zijn gsm en begon een gesprek. Zijn ogen gingen naar de achteruitkijkspiegel. Wie zou hij bellen? Stonden er straks mannen klaar voor haar? Mooi vrachtje! Vast de moeite waard. Buitenlander, dus rijk. Doodzenuwachtig werd ze van zijn donkere ogen.

'Okay, okay!' klonk vrolijk tussen zijn gesprek door, alsof hij het nodig vond om haar gerust te stellen.

'Ja, ja, *okay, okay*!' herhaalde Fenna sarcastisch. Ze schoof echter naar het portier toe, en hield het handvat stevig vast, klaar om eruit te springen. De taxi ging meteen wat harder rijden en Fenna vroeg zich af of de man haar gedachten kon lezen. Verdomme, overal betrouwbare taxichauffeurs, maar zij kreeg het voor elkaar om net deze vent uit te zoeken. Een beetje naïef was ze toch wel. Als al die anderen niet wisten waar ze een internetcafé konden vinden, waarom zou deze man dat dan opeens wel kunnen?

Een paar laatste kreten in de mobiele telefoon. De man richtte zijn aandacht weer op zijn klant. Fenna keek stug naar buiten. Ze had schoon genoeg van de man. Kijk liever naar voren!

Haveloze huizen samengebonden door traliewerk en vooral veel mensen. Een spel spelend, etend, hangend of saté bakkend op een open vuur waarvan de rook zich walmend met de andere mist samenvoegde. Een groepje jonge knullen hing onderuit tegen een gevel. De hangjongeren van Beijing. Vlak bij het groepje schoof de taxi tussen wat fietswrakken en stopte abrupt. O nee, niet hier.

'Wangba!' De chauffeur wees op de huizen. Geen internetcafé te bekennen. Haar wantrouwen groeide. Opnieuw een wijzende vinger.

'Okay, okay!' zei Fenna. Het bedrag dat in oplichtende rode cijfers op de meter stond viel haar mee. Ze waren een tijd onderweg geweest en hadden volgens de opgave ruim acht kilometer gereden. Fenna betaalde en stapte met tegenzin uit. Ongeïnteresseerde blikken. Ze boog zich nog naar de chauffeur. Hij telde zijn buit en glimlachte haar vriendelijk toe. Weer wees hij op de huizen.

Fenna deed een paar passen bij de taxi vandaan en zag hem wegrijden. Daar stond ze dan, in een buitenwijk van de wereldstad Beijing bij een onzichtbaar internetcafé. Opeens leek de taxi vele malen veiliger dan de straat waar ze gedropt was.

49

Het fruit smaakte goed. Maud had die ochtend al getraind. Vlak voor de wedstrijden werd er voornamelijk aan vormbehoud gewerkt. De gierende pijn die ze vaak tijdens een training moest doorstaan, was nu ver te zoeken.

De wedstrijden kwamen steeds dichterbij, dan moest ze presteren en haar lichaam aanzetten om de uiterste grens te zoeken. Ze voelde zich lichamelijk sterk, maar ze had nog steeds geen emotionele rust. Eerst de uitslag van de test, daarna kon ze de angst uit haar hoofd bannen. Ze had die ochtend een hele tijd met de injectienaalden in haar hand gezeten. De inhoud van de buisjes was in het riool van China verdwenen, maar alle andere hulpmiddelen niet. Hoe kon ze ongemerkt van die spullen afkomen?

Op dat moment voelde ze een hand op haar schouder. Ze schrok en haar hartslag schoot omhoog.

'Ha, schoonheid. Slecht geweten?' lachte Andrei.

'Helemaal niet,' zei ze feller dan ze wilde.

'Van mij hoef je niet te schrikken, hoor.' Hij drukte een kus op haar wang en schoof bij haar aan tafel. Zijn dienblad was volgeladen met eten.

Mauds ademhaling ging snel. Ze had zichzelf nog niet onder

controle. De blauwe ogen van haar vriend leken dwars door haar heen te kijken. Ze wilde geen geheimen hebben. 'Zo, jij hebt trek,' zei ze geforceerd luchtig.

'Ja, maar ik heb ook weer trek in jou,' fluisterde hij.

'Ik pas niet meer op dat dienblad,' zei ze lachend. De spanning was doorbroken.

Andrei schoot ook in de lach en nam een slok melk. 'Wie was die vrouw? Is dat die journaliste over wie je verteld hebt?'

'Ja, ze blijft me maar achtervolgen.'

'Vervelend. Journalisten zijn net virussen. Ze komen altijd aanzetten als je ze niet kunt gebruiken.'

Door het woord virussen raakte Maud even van slag. De virussen die gebruikt werden in de gendoping drongen naar boven. In dat geval nuttige boodschappers.

'Ik vond het jammer dat je gisteren zo snel wegging. Ik hoopte dat je later nog terug zou komen.'

Maud voelde een blos naar haar wangen stijgen. 'O, sorry, ik moest naar de dopingcontrole. Daarna ben ik op mijn kamer gebleven.'

'Is er iets gebeurd bij de controle, dat je alleen wilde zijn?'

Het werd nonchalant uitgesproken. Maud keek naar haar vriend, die aanviel op zijn koolhydraatrijke maaltijd.

'Ik had even tijd nodig om na te denken,' verklaarde ze simpel.

'Ja, soms is dat nodig. Controles dwingen vaak tot nadenken.'

'Het is toch altijd spannend. Ook al weet je dat ze niets kunnen vinden.'

'Ik ken het.' Andrei zweeg even. 'Ik heb een vriend die vroeger als sporter veel anabolen gebruikt heeft. Hij is een halfjaar geleden vader geworden. Zijn kind is mismaakt ter wereld gekomen. Die zooi heeft zoveel bijwerkingen die nog niet bekend zijn. Troep is het.' Hij keek naar zijn bord, alsof het eten de schuld had. 'Ik ben er een tijd door van slag geweest. Nadenken en doorgaan.' Zijn stem klonk laag.

Maud durfde niets te vragen. Had hij zelf dan ook gebruikt? En was hij door die geboorte met zijn neus op de feiten gedrukt?

Verborgen informatie? Ze verbaasde zich erover dat hij dit allemaal aan haar vertelde, dat deed je alleen als je elkaar door en door vertrouwde. Deze openbaring leek hierop te wijzen.

Andrei at zwijgend door. 'Heb je nog wat van Lucinde gehoord?' De toon was weer normaal.

'Nee, Ronald onderhoudt het contact met het ziekenhuis. Hij zou me op de hoogte houden van nieuwe ontwikkelingen.' Maud dronk haar glas leeg en schoof haar bord weg.

'Ik vind het maar een vreemde zaak. Een afweerreactie kan alleen maar ontstaan als er een stof in je lichaam komt die niet herkend wordt. Heb je nu al enig idee waardoor haar immuunsysteem op hol geslagen is?'

Maud zweeg. De insinuatie was duidelijk. Waarom doorbrak hij de normale sportcode? Of had hij zijn dopingverhaal met een bepaalde bedoeling verteld? Verwachtte hij nu van haar dat ze hem ook in vertrouwen zou nemen? De benauwdheid sloeg toe. Het was alsof er een net om haar heen gespannen was dat zich steeds dichter sloot. 'Ik heb geen idee, Andrei. Het is inderdaad een vreemd iets. Misschien heeft ze iets verkeerds gegeten, of heeft ze een virusinfectie opgelopen.'

Tot haar verbazing schoot Andrei in de lach. 'Toch weer die virussen. We moeten maar oppassen voor die journalisten. Die verzieken ons leven.'

50

Op dat moment had Fenna er heel wat voor overgehad als Ruud naast haar had gelopen. Het veilige en machtige lichaam van de fotograaf boezemde ontzag in. Nu liep ze kwetsbaar alleen door een straat die rook naar armoede. Ze bekeek elk huis waar ze langsliep. Hier moest een internetcafé zijn, en zij zou het vinden. Ongeacht de onbegrijpelijke tekens, afstandelijke tralies en ogen die haar bij elke stap volgden. Ze rechtte haar rug en probeerde er zo zelfverzekerd mogelijk uit te zien.

Een uitstalling van groenten en fruit blokkeerde een groot deel van de straat. Niemand die zich daar druk over maakte. Voor een felgeel traliewerk had een familie een zitje gecreëerd van simpele krukjes omzoomd met potten met bijna uitgebloeide gele chrysanten. Op een wankele tafel werden mahjongstenen geschud voor een nieuwe ronde. Net zoals zij de Chinezen bekeek, namen ze haar ook ongegeneerd op. Ze sloeg haar ogen neer en liep verder. Een bakfiets stond midden op straat. Onder de bak zaten twee wielen, waarvan het ene bochelig was als een oude knar. Twee knapen hadden hun benen dubbelgevouwen in een hurkzit waar Houdini jaloers op kon zijn. De reparatie was een kwestie van tijd, en die schenen ze in overvloed te hebben. Fenna knikte hun toe en glimlachte. Strakke gezichten als antwoord. Ze werd er zenuwachtig van. Tot nu toe waren Chinezen op straat erg vriendelijk geweest, lachend op het overdrevene af.

Een dikke rochel klonk achter haar. Minachtend en vet. Een klodder spuug landde naast haar voeten. Ze deed geschrokken een stap opzij. Nu kwam de glimlach wel. Samen met uitgesproken woorden waar ze weer eens niets van begreep.

Ze was ondertussen al ver verwijderd van de plek waar ze afgezet was. En er was niets te vinden wat ook maar op een internetcafé duidde.

Ze draaide om, passeerde de bakfiets met een boog en stopte toen om haar boekje te raadplegen. Internetcafé, *wangba*, en daarachter twee Chinese tekens. Een omgekeerde U met twee kruisjes erin en een dikke L met aan elke kant een hekje. Daar moest ze dus op letten.

Fenna tuurde naar de rode uithangborden en neonletters. Ook vielen haar opeens de bekende rode vlaggen met gele sterren op. Maar nergens zag Fenna ook maar iets wat leek op de tekens uit haar boekje.

Iets verderop hingen stukken vlees te bengelen aan haken. Ook rood. Een grote garageopening met dierenlijken. Een man in een grijzig hemd greep met zijn blote handen in een bloederige zak. Een gigantische poot kwam tevoorschijn en werd aan een haak gestoken. Schommelend aan een vetlaag, de pezen gespannen. De man sneed er met een mes een homp af en smeet die met een grote boog in een krat. Ertegenover was de satébakker. De geur had een bijsmaak gekregen.

Zou ze het toch maar eens vragen? Fenna liep naar een tweetal nog jonge knullen. Die moesten het toch weten, hoopte ze. *'Wangba?'*

Nadat ze het drie keer gezegd had, voegde een derde jongen zich er nieuwsgierig bij. *'Ooo! Wangba.'* De knaap wees direct op de huizen, slechts een meter of tien verderop.

Omdat Fenna niet verder kon vragen, liep ze er maar naartoe. Twee grauwe gevels, van elkaar gescheiden door een steegje. Fenna keek om. Zoals ze al had verwacht waren de ogen nog op haar gericht. Ze wees en de jongens knikten. Een gangetje tussen twee huizen. Fenna vond het erg ongeloofwaardig. Toch liep ze het gangetje in en ze vond een inpandige trap. Als een indringer klom ze met een fel kloppend hart de trap op. Op de eerste verdieping vond ze een gesloten deur. De enige mogelijkheid was verder omhoog. Ruud, was je maar hier, dacht ze, en ze klom verder. Weer een deur. Ze duwde de klink naar beneden en gluurde om de hoek.

Fenna was verbijsterd. Een grote zaal vol glimmende computers met aan de zijkant een balie met twee meisjes die haar glimlachend begroetten.

Fenna wees op de computers en het meisje ratelde de voorwaarden. Fenna haalde haar schouders op en pakte wat kleingeld. Ze wees op haar horloge en hief haar handen vragend op. Zelfs in het internetcafé spraken ze geen Engels.

Maar even later nam ze toch plaats in een luxe leren fauteuil en kon ze het internet op. Wat nu? Een waarschuwingsschermpje verscheen. De drie mogelijkheden in Chinese tekens waren geweldig lachwekkend. Wat moest ze kiezen? Ze slaakte een gefrustreerde kreet. De knul naast haar keek op haar scherm mee.

'The left one is okay,' zei hij in vloeiend Engels.

* * *

'Ik studeer bestuurskunde aan de universiteit van Beijing,' vertelde de jongen, die zich aan haar voorgesteld had als Zhao Jun. Hij zag eruit zoals iedere Chinees die ze op straat was tegengekomen. Hij had glanzend zwart haar, steil, sprieterig en in de nek opgeschoren. Zijn bleke gezicht had brede jukbeenderen en het enige wat enigszins opvallend was, was een klein, kortgeschoren snorretje. Zijn ogen keken echter pienter tussen zijn oogleden door.

'Vandaar dat je Engels spreekt,' begreep Fenna. 'Ik neem aan dat iedere student in China Engelse les krijgt.'

'Het schijnt eindelijk door te dringen tot de overheid dat het belangrijk is om zakelijke contacten te kunnen onderhouden.'

'En wat weet je van computers?' Die vraag was eigenlijk nog belangrijker voor Fenna, maar het een kon eigenlijk niet zonder het ander.

'Ik heb in de afgelopen jaren heel wat gespeeld,' antwoordde Zhao enigszins ontwijkend.

'De jeugd zit inderdaad massaal te gamen, zag ik.'

'Het overgrote deel van de bevolking kan het zich niet permitteren om een eigen computer te kopen. Dit soort internetcafé's voorziet dus in een enorme behoefte. Inderdaad voornamelijk om te gamen. Maar dat bedoelde ik niet met spelen.'

Fenna ging rechtop zitten. Ze had Zhao uitgenodigd om wat te drinken. Hij had haar meegenomen naar een McDonald's-restaurant, waarschijnlijk omdat hij dacht dat Fenna zich daar thuis zou voelen. De grote papieren bekers frisdrank vonden hier gretig aftrek. 'Je weet dus echt wat van computerzaken af?'

Zhao keek even om zich heen. 'Ik ben leergierig. Ik wil weten hoe de dingen in elkaar zitten. Internet is een gigantische vraagbaak, maar voor de autoriteiten is het een tweesnijdend zwaard. Zij willen graag controle houden en zullen censureren als zij dat nodig achten. Politiek gevoelige sites worden afgeschermd of gestoord. Ook een aantal nieuwsorganisaties is slechts zeer beperkt toegankelijk.'

Fenna luisterde geboeid.

'Ik hou er wel van om een beetje de grenzen op te zoeken en ben een weblog gestart. Natuurlijk ook met gevoelige kwesties. De weblog verdween binnen een paar dagen spoorloos. Wist u dat onze overheid ongeveer dertigduizend censoren in dienst heeft? Zij zien erop toe dat de gemiddelde Chinees geen toegang heeft tot gevaarlijke lectuur.'

'Was je niet bang om vervolgd te worden? Ik weet dat...'

'Tuurlijk. De regering wil anoniem bloggen onmogelijk maken. Maar iedereen die de grenzen opzoekt, kent de gevaren. Als je een beetje bekend bent in de computerwereld, zorg je allereerst voor je eigen veiligheid. Dat bedoelde ik dus met "spelen".'

Fenna voelde zich bedrukt en opgelucht tegelijk. De gedwongen opsluiting stond haar nog vers in het geheugen en het communisme met zijn onvrijheden en verplichtingen kwam al weer dichtbij. Maar in dit geval was ze opgelucht. Het leek erop dat ze de juiste persoon had gevonden.

* * *

Ze zaten gedrieën op haar hotelkamer. Fenna had Zhao onderweg in korte bewoordingen uitgelegd waar het om ging. Niet met alle details, maar wel dat het ging om een doodzieke vrouw. Hij had direct zijn diensten aangeboden en gezegd dat het niet moeilijk moest zijn. Ruud had een paar grote flessen bier gehaald en ze hadden zich al snel verdiept in de geheimen die haar notebook te bieden had.

Met zijn drieën op een klein scherm kijken was er niet bij en Fenna voelde zich enigszins overbodig. De twee mannen zaten broederlijk naast elkaar: twee verschillende formaten, twee verschillende werelden, maar één doel. De tijd verstreek langzaam en Fenna liet zich wegdrijven op haar eigen gedachten.

'Here you are!' hoorde ze Zhao opeens enthousiast roepen.

Fenna zag dat Ruuds grijns zich verbreedde en ze zag pretlichtjes die zijn gezicht aantrekkelijk maakten.

'Fenna, kom eens kijken. Deze whizzkid heeft zojuist de grenzen van de digitale wereld ontsloten.'

Zhao stond op om plaats te maken. Fenna keek toe terwijl Ruud door de mailbox scrolde. Ze had het gevoel dat ze in het dagboek van een vriendin neusde. Eigenlijk ontoelaatbaar, maar wel vreselijk spannend. Denkend aan de zieke Lucinde in het ziekenhuis, wist ze dat ze er goed aan deed.

Ruud opende de laatst verzonden mail. Fenna las de zinnen die niet voor haar bedoeld waren. Er stonden vragen over de risico's van een spierversterkend middel. Vragen over dosering en gebruik. En een laatste vraag of hetzelfde middel misschien ook aan andere atleten was gegeven.

'Het verboden middel,' concludeerde Fenna. 'Dus ik had gelijk.'

'Ze zegt niet dat ze iets gebruikt. Ze vraagt alleen om meer informatie.'

Fenna moest toegeven dat Ruud gelijk had. 'Maar misschien staat er in een andere mail wat meer. Jeetje, Maud is dus echt met doping bezig. Wat is het voor spul? Kunnen we daar ook achter komen?'

Ruud klikte naar een eerdere mail.

Het werkt fantastisch. Mijn spieren zijn duidelijk sterker geworden. Vandaag weer een nieuwe serie injecties. Het blijft een vreemd idee dat jouw middel ervoor zorgt dat mijn eigen lichaam nieuw eiwit aanmaakt. Ik heb echter nog geen controle gehad. Ik hoop dat het echt niet aan te tonen is. Dat heeft hij me gezegd, dus daar vertrouw ik op.

'Het bewijs. Ze graaft hiermee letterlijk haar eigen graf.' Ruud keek triomfantelijk.

'Maar begrijp je wat er staat? Haar eigen lichaam maakt het aan. Gendoping. Dat moet het zijn!' Fenna voelde de opwinding toenemen. Ze waren nu dicht bij een oplossing.

'Gendoping,' zei Ruud zacht voor zich uit. 'Dan wordt het moeilijk.'

'Voor Lucinde? Shit, daar heb je gelijk in. Maud had het over een enorme afweerreactie. Als Lucindes immuunsysteem inderdaad tegen haar eigen eiwitten vecht...' Ze maakte de zin niet af.

'Hebt u iets gevonden?' vroeg Zhao.

Fenna keek om. Ze was zo opgegaan in de berichten, dat ze hem vergeten was. Ze legde in korte bewoordingen uit dat ze mogelijk de oorzaak wisten en dat ze direct het ziekenhuis zouden gaan benaderen. De trotse glimlach van de student was aandoenlijk.

'We weten nu meteen ook van wie ze deze troep gekregen heeft,' zei Fenna, en ze keek aan wie de mail gericht was. Haar ogen bleven steken. Haar hart bonkte opeens in haar borst. Was dit toeval? Fenna las de tekst nog een keer door. Termen en zinnen vormden opeens een angstbeeld. Deuren klapten dicht. Grenzen werden gesloten. Dit kon niet waar zijn.

51

Het vertrouwde kopje koffie voor ze aan het werk gingen. Chris schraapte zijn keel. 'Pien, we moeten ervoor gaan,' zei hij plompverloren.

Hij had elk vrij uurtje in de kelder doorgebracht, volledig gericht op controle-experimenten. Steeds kwam hij tot dezelfde conclusie: de therapie kon toegepast worden. De afgelopen nacht had hij in bed liggen woelen, alles tegen elkaar af liggen wegen, maar er was niets meer te testen. De daadwerkelijke toepassing was de enige volgende stap.

Pien had altijd geknikt als hij probeerde om zijn therapie uit te leggen, maar ze bleek er niet veel van te begrijpen. Later had hij geen moeite meer gedaan. Ze vertrouwde hem, zei ze steeds, dus waarom moest ze het dan begrijpen? Maar nu hij het centrum nodig had, moest hij Pien in simpele bewoordingen inlichten. Ze luisterde nu heel geconcentreerd. Na de eerste reserve had ze wat vragen gesteld en daarna was ze steeds enthousiaster geworden.

'Dus zó werkt die therapie. Ik wist dat het gebaseerd was op het terugdringen van de aftakeling, maar de achtergrond had ik nooit zo begrepen. Het klinkt te mooi om waar te zijn.' Pien staarde voor zich uit.

Chris wachtte rustig af. Hij wist dat ze die tijd nodig had.

'Weet je zeker dat het veilig is?' Met grote, donkere ogen keek ze hem aan.

'Ik heb gisteravond nog een keer alles gecontroleerd. Het moet veilig zijn.'

Weer het peinzende gezicht van Pien. Daarna schudde ze haar hoofd.

'Wat is er?' vroeg Chris.

'Nee, laat maar. Ik dacht even... Maar dat kan natuurlijk niet.' Pien nam haar laatste slok koffie. 'Zou het echt werken, Chris? Misschien wordt ons centrum dan wel wereldberoemd. De eerste anti-agingtherapie die het verouderingsproces tot staan brengt en echte resultaten zal geven.'

'Wie weet, lieverd. Hier heb ik elk vrij uurtje in gestoken. Risico's voor gelopen. Testen uitgevoerd.'

'Risico's?'

'Niet belangrijk,' wuifde hij weg. 'De therapie is belangrijk.'

'Je hebt gelijk. Misschien kunnen we straks zelfs een verjongingskuur aanbieden. Innovatief en grensverleggend. Smeerseltjes zijn tijdelijke lapmiddelen en als ik jouw uitleg goed begrepen heb, moet dit de ouderdom van binnenuit aanpakken.'

'Dat klopt. Hoe zullen we het introduceren? Ik neem aan dat je niet meteen je hele klantenbestand gaat oproepen.' Chris nam een slok van zijn lauwe koffie. De spanning trilde in zijn lijf. Vandaag zou het dus gaan gebeuren. Zijn vinding ging op eigen benen staan.

'Stap voor stap invoeren, lijkt me. Vind je het goed als ik even ga bellen? Ik heb twee mensen op het oog die ik deze behandeling het meest gun. Bovendien had ik ze voor vandaag toch al ingepland voor onze speciale spierversterkingsmethode met de gerichte oefeningen, het uitgekiende dieet en de supplementenkuur. Natuurlijk geeft dat enige verbetering, maar nu kunnen we daar jouw therapie aan toevoegen.'

'Prima. Dan beginnen we met deze twee klanten.'

Pien gaf hem eerst nog een lekkere koffiekus voor ze rustig naar haar werkkamer liep.

Chris keek haar na. Ze was veranderd sinds de vermissing van Bärbel. Schuldgevoel teisterde haar binnenste. Ze sprak er niet over, maar Chris zag het. Ze was stiller en minder gehaast. Het centrum was wat op de achtergrond komen te staan. Ze namen meer tijd voor elkaar, waardoor hun gezinsleven opbloeide. Ze accepteerden elkaars fouten. Voor het eerst in lange tijd waren ze weer samen op zondag gaan *spazieren*, zoals iedereen in Kleef deed. Etalages bekijken, *Kaffee und Kuchen* eten. Michael cirkelde met zijn rolstoel wild als een jonge hond om hen heen. Zijn opklinkende lach was de beste pleister die ze konden hebben. En 's nachts vielen ze weer tegen elkaar aan in slaap. Ze zochten steun bij elkaar. Nog meer dan anders. Hij voelde zich gelukkig omdat hij haar weer hoop voor de toekomst kon geven.

* * *

Pien begroette het tweetal hartelijk. Henk was al jaren een vaste klant van haar centrum, een vitale vent, sterk als een os en met een hart van goud.

'Dag Henk, fijn dat je je vriendin weer hebt meegenomen. Dag Els, is alles goed?'

De tengere vrouw keek opvallend helder uit haar blauwe ogen. Ze knikte vrolijk. Maar haar lichaam bewoog moeizaam, zelfs aan de arm van Henk.

'Ik vind het fijn dat ik jullie als eerste mijn nieuwe therapie kan aanbieden,' zei Pien. Ze schonk het tweetal een kop koffie in. Gastvrijheid was belangrijk.

'Wat heb je deze keer voor fantastisch wondermiddel voor ons?' Henk ging met zijn handen door zijn volle grijze haardos.

'Het nieuwste van het nieuwste, een totaalpakket. Vandaag krijgen jullie als eerste een extra aanvulling op onze beproefde anti-agingmethode. Naast de oefeningen en de supplementenkuur kunnen jullie een behandeling met een nieuw middel krijgen dat de aftakeling van het lichaam tegengaat. Het werkt tegen strammere gewrichten en slapper wordende spieren.'

'Dat wordt wel tijd,' zuchtte Els. Ze glimlachte verontschuldigend. 'Ik denk dat ik niet zo goed op mijn lichaam heb gelet. Die oefeningen zijn voor mij behoorlijk zwaar. Mijn spieren doen het niet zo goed meer.'

'Dat is volkomen normaal,' stelde Pien haar gerust. 'Daar heeft iedereen last van als hij ouder wordt. Henk uitgezonderd, natuurlijk.'

Henk lachte trots. 'Maar ik ben dan ook al een hele tijd bij jou in goede handen.'

Pien ging verder met haar verhaal. 'Het grootste probleem van veroudering is de afname van de spierkracht. Je hele lichaam wordt in balans gehouden door je spieren, dus als die slapper worden, wordt het bewegen moeizamer en heb je een grotere kans om te vallen. Met alle gevolgen van dien. Daarom hebben we altijd al de nadruk gelegd op deze spierversterking. De supplementen helpen al, maar door deze nieuwe anti-agingtherapie wordt de uitwerking van de bestaande methode nog geïntensiveerd.'

'Ik wil het best proberen,' zei Els aarzelend. 'Dus het werkt goed?'

'Goed en veilig. Als dat niet zo was, zou ik het niet aanbieden.'

'Nee, daar ken ik je lang genoeg voor,' lachte Henk. 'Ik weet nog hoe je van streek was toen die twee vrouwen opeens flauwvielen. Je kon er niets aan doen, maar het was verschrikkelijk dat dat nou net in jouw centrum moest gebeuren. En later was er toch nog iets?'

De hitte schoot als een golf door Piens lichaam. De gedachte aan die vreselijke dag had ze verdrongen. 'Dat was inderdaad wel toevallig, dat het net hier gebeurde. Maar daar hoef je echt niet bang voor te zijn,' lachte ze geforceerd.

Op dat moment kwam Chris binnen.

'O, dan bent u de vader van Michael,' zei Els nadat Pien hem voorgesteld had. 'Uw zoon helpt mijn kleindochter Tara met een Duits werkstuk. En ik hoop dat ze nog meer van hem leert. Hij heeft een fantastische levensinstelling. Sommige jongeren kunnen daar een voorbeeld aan nemen.'

Chris glimlachte beleefd. 'Ik kom de spullen brengen. Zal ik alles klaar gaan leggen?' fluisterde hij Pien in haar oor.

Ze knikte en wendde zich weer tot het tweetal. 'Chris heeft nog even tijd nodig. Misschien willen jullie eerst in de sauna?'

'Jazeker,' zei Henk enthousiast. Hij stootte Els aan. 'Even lekker ontspannen voor de behandeling. Leuk hoor, die nieuwe therapie. Ik hoop dat ik je straks nog bij kan houden.'

'Dat zal wel meevallen, gekkerd,' lachte Els.

52

'Ik moet bellen, nu meteen.' De onrust raasde door Fenna's lichaam. Ze keek wild om zich heen. 'Waar is mijn telefoon!'

Ruud legde zijn massieve hand op haar arm. 'Wat is er aan de hand, Fenna. Je ziet eruit alsof je...'

'Nu niet, Ruud. Ik moet bellen.' Fenna wilde zich losrukken, maar werd tegengehouden.

'Stop, Fenna. Kun je mij alsjeblieft uitleggen wat er aan de hand is? Deze knaap heeft ons gigantisch geholpen. Hij knutselt net zo lang met commando's en programmaatjes tot hij in die mailbox zit zodat we weten wat er allemaal aan de hand is en nu schiet je opeens in de stress en raaskal je over opbellen. Dat kun je niet maken.'

Fenna keek naar Zhao, die wat opzij was gaan staan. 'Sorry,' mompelde ze. Ze staarde naar de woorden die haar alarmsysteem op hol lieten slaan.

'Ik wacht.' De stem van Ruud was opeens zacht. Hij sloeg zijn arm om haar heen en Fenna brak. Alle angst kwam naar buiten. Een brandende druk achter haar ogen kondigde tranen aan, die ze niet wilde toelaten.

'Laat het maar gaan,' zei hij zacht. 'Hier heb je een zakdoek.'

Fenna voelde Ruud heen en weer bewegen in zijn stoel.

'Sorry, ik zit enigszins klem. Ik kan niet eens met mijn hand in mijn broekzak,' zei hij daarna verontschuldigend.

Fenna stond op en durfde Zhao niet aan te kijken terwijl ze langs hem heen liep naar de badkamer. Het toiletpapier was onwillig als altijd. Fenna snoot haar neus en zette daarna haar bril af. Het koude water was weldadig aan haar gloeiende ogen. Ze keek in de spiegel en zag haar blauwe ogen, diep liggend en vertwijfeld. Emoties waren bij haar altijd direct zichtbaar. Haar rood uitgeslagen neus zag er belachelijk uit. Maar op de een of andere manier was het onbelangrijk.

'Vertel het maar,' zei Ruud toen ze weer naast hem ging zitten. 'Ik kan je alleen maar helpen als jij me vertelt wat er aan de hand is.'

Fenna voelde de tranen weer duwen. Maar haar tegendruk was groter. Nu niet. 'Ik denk dat ik de geadresseerde ken.' Haar stem trilde. Ze wees op het mailtje. 'Maud heeft geschreven naar ene Holland. Dat kan geen toeval zijn.'

'Waar ken je die naam dan van?'

'Holland Anti-aging Centrum.'

'Onmogelijk, het is een Duitse provider.'

'Dat klopt, hier, lees maar. Ik moet bellen, Ruud. Mijn moeder loopt gevaar.' Ze opende haar eigen mailbox en liet hem het bericht van Tara lezen.

'Verdomme!' riep Ruud al heel snel. 'Tara schrijft over een Duitse kliniek met spierversterking. En Maud over risico's van een spierversterkend middel!'

Fenna legde in horten en stoten uit waar haar moeder mee bezig was. 'Het spierversterkende middel komt uit hetzelfde centrum. Maud heeft het vast van hen gekregen. En als Lucinde hetzelfde heeft gebruikt, is dat kennelijk levensgevaarlijk.'

'Loop je niet wat hard van stapel? Er zijn vast meer Hollands in Duitsland,' opperde Ruud.

'Die ook nog met spierversterkers bezig zijn? Als ik mijn moeder mag geloven, is het een actief centrum. De nieuwste ontwikkelingen willen ze als eerste brengen. Het kan niet anders. Spierversterking voor oudjes. Doping voor de spieren van sporters. Alles klopt.' Fenna hoopte dat hij haar tegen zou spreken. Dat hij precies zou uitleggen waarom haar conclusies niet juist konden zijn, maar Ruud knikte slechts.

'Je hebt gelijk. Het kan geen toeval zijn. Als zij de nieuwste rage willen introduceren, dan kunnen ze bezig zijn met innovatieve spiermiddelen. Maar dan zijn ze illegaal bezig! Hoe kunnen ze een genetisch middel zomaar voor hun klanten gebruiken?'

'Ik heb geen idee. Bovendien wil ik daar nu niet over nadenken. Illegaal of niet, als mijn moeder het toegediend krijgt, is het te laat. Mijn moeder is al oud.' Fenna schoof de stoel naar achteren en stond op om haar telefoon te pakken.

'Fenna, voor je gaat bellen, moet je even goed nadenken wat je wilt zeggen. Haast is een slechte raadgever. Voorbereiding is belangrijk. Je hebt er niets aan om het thuisfront de stuipen op het lijf te jagen.' Ruud stond op. Hij liep naar Zhao en vertelde in korte bewoordingen dat uit de mail was gebleken dat er nog meer mensen gevaar liepen.

De student had al die tijd bewegingloos staan wachten. Nu hij wist wat er aan de hand was, ging hij wat opzij zitten en pakte zijn fles bier. Zijn gulzigheid gaf meer aan dan hij misschien had willen tonen.

'Zal ik voor je bellen?' vroeg Ruud, die nu naast haar stond. Ze had het mobieltje al in haar handen, maar aarzelde bij de toetsen. 'Ik heb het idee dat je de tranen nog niet helemaal de baas bent. Het heeft geen zin om snikkend je dochter te woord te staan. Bovendien zijn huilende vrouwen altijd onverstaanbaar.' Ruud schonk wat bier in een glas.

Fenna pakte het aan en dronk het achter elkaar leeg. Het deed haar goed. Ze was blij dat Ruud er was. Zijn goeiigheid bleek net zo omvangrijk als zijn lijf.

Ze haalde een paar keer diep adem. Welk nummer kon ze het best bellen? Tara was zonder meer sneller van begrip, maar als ze met het tijdsverschil rekening hield, kon het goed zijn dat die net op school zat. Haar thuisnummer was dus het veiligst. Hopelijk was haar moeder thuis.

Fenna koos het nummer en hoorde de telefoon overgaan. Ze zag haar vertrouwde kamer voor zich. De rode bank en de witleren stoel waarin haar moeder altijd ging zitten. De telefoon die daar vlakbij lag.

'Niemand thuis,' zei Fenna terwijl ze het contact wegdrukte.

'Mobiel?' opperde Ruud.

Fenna was al op zoek naar het mobiele nummer van haar moeder. Maar direct nadat het contact tot stand was gebracht, drukte ze het weer weg. 'Haar mobiel staat uit. Ik kan mijn moeder niet bereiken.'

'Tara? Of wil je die liever niet bang maken?'

'Die zit als het goed is op school. Ik kan haar een sms sturen. Ik heb meer kans dat ze die tijdens de les leest dan dat ze de telefoon zal beantwoorden.' Fenna typte een kort bericht, geruststellend genoeg om haar niet bang te maken, maar alarmerend genoeg om de spoed te benadrukken.'

'Mooi verwoord,' zei Ruud nadat hij het gelezen had. 'Nu afwachten.'

Fenna borg haar telefoon tussen haar handen alsof ze het iele contact koesterde.

*
* *

Fenna las het sms'je al voor de vierde keer. 'Oma neemt niet op. Voicemail ingesproken. Maak je geen zorgen! Oma is wijs genoeg. Ze is vanavond weer thuis. Ik ga er 8er aan. Doej, Tara.'

Het voelde machteloos om aan het andere eind van de wereld te zitten terwijl je moeder in gevaar was. Ze stond net weer positief in het leven, vol nieuwe levenskracht. Maar juist die gedrevenheid zou haar nu fataal kunnen worden.

'We moeten het ziekenhuis bellen,' hoorde ze achter zich. 'Misschien kunnen we de arts te pakken krijgen die Lucinde behandelt. Nu we weten dat het een genetisch middel is, moeten we hem op de hoogte brengen. Heb jij enig idee hoe hij heet?'

Fenna keek op. Ze had zich zo op haar eigen familie geconcentreerd, dat Lucinde helemaal uit haar gedachten was verdwenen. 'Ik heb geen idee. Maar misschien kun je vragen naar de Nederlandse sportarts. Volgens Maud is die bij Lucinde achtergebleven.'

'Dat gaan we proberen,' zei Ruud.

Fenna was blij dat hij even de touwtjes in handen nam. Zelf kon ze niet goed nadenken. Ze wilde handelen, niet afwachten. Maar vanuit China was dat onmogelijk. Tara probeerde haar moeder te bereiken. Ze moest dus gewoon afwachten. Op de achtergrond hoorde ze Ruud het gesprek voeren, doortastend en aanhoudend. Hij nam geen genoegen met *'mei you'*, 'die is er niet'. Hij bleef doorvragen tot hij degene had die hij moest hebben.

Fenna luisterde mee en trok haar conclusies uit de korte antwoorden van Ruud. Waarom vertelde hij nu niet over hun bevindingen? Met alleen maar ja en nee mompelen werd Lucinde niet geholpen.

Ruud beëindigde het gesprek en staarde haar aan.

'Waarom heb je niet verteld...?' Fenna's stem stokte. De blik van Ruud gaf het antwoord. Ze keek weg, ze wilde het niet zien. Ze wilde niet geconfronteerd worden met dit onomkeerbare nieuws dat direct ook het gevaar weergaf waarin haar moeder verkeerde.

'Lucinde is vannacht overleden. Ze heeft het niet gered.'

Fenna dacht aan de atlete met het rode haar, springerig en levenslustig tot in haar sproeten. Ze leefde voor haar sport. De gedrevenheid zat in elke vezel van haar gespierde lichaam. En nu was ze dood. De eindstreep was bereikt, alleen volkomen onverwachts.

Fenna dacht terug aan hun allerlaatste contact. Afwerend en afstandelijk voor het stadion in Chengdu. Lucinde met een geheim. Met niemand te delen, anders zou haar sportcarrière ten dode zijn opgeschreven. Zwijgen tot in het graf.

Op de achtergrond hoorde ze dat Ruud Zhao inlichtte. Fenna

was hem bijna vergeten, zo stil zat hij bij hen in de kamer. Hij was een onmisbare schakel gebleken, maar voor Lucinde te laat.

'We moeten Maud waarschuwen,' zei Fenna. 'Ze gebruikt dus ook levensgevaarlijk spul.'

Ruud knikte. Hij zag er moe uit. 'Het is de vraag of ze zal luisteren. Ze ziet de media als haar vijand.'

Fenna wist dat hij gelijk had. Maud had haar weggestuurd als een klein kind. 'Het kan me niets schelen. Stel dat haar iets overkomt? Ik moet het doen, al was het alleen maar voor mezelf. Op dit moment heeft het niets meer met journalistiek of een artikel voor *Ogen-blik* te maken. Ik mag die meid, ze is een vechter.'

Ze wist dat ze daarmee de spijker op de kop sloeg. Ze herkende zoveel van zichzelf in Maud. De vechtlust en het enthousiasme. Haar moeder had hetzelfde. Altijd vol ertegenaan, ook al liep je dan af en toe hard met je kop tegen een muur. Maar was dit wel een goede levensinstelling, vroeg ze zich nu af. Was het niet beter om je enthousiasme te temperen en de toppen en dalen te vermijden? Lekker veilig in de middenmoot. Geen pijnlijke momenten meer, maar ook geen uitzinnige. Gedrevenheid werd afgestraft. Bij Lucinde was het zelfs fataal gebleken. En hoe zou het met haar moeder zijn? Zou haar gevecht tegen de ouderdom haar rechtstreeks de dood in sturen?

53

Ondanks de lichte training voelde Maud zich plakkerig van het zweet. Ze zat in de bus die de sporters van de trainingen naar het olympisch dorp bracht en zelfs in de bus ging het nazweten nog even door. Ze legde haar handdoek in haar nek. Hardlopen bleef haar een kick geven, zeker als ze haar lichaam tot het uiterste dreef. Daarnaast gaf het haar hoofd de rust die het nodig had. Verwerkingsprocessen werden erdoor versneld.

De bus stopte bij het perron voor het dorp en ze stapte samen met de andere sporters uit. Op dat moment hoorde ze haar naam roepen. Ze draaide zich om. Een zwaaiende arm, oplichtende brillenglazen, de bekende canvas schoudertas. Maud voelde het inwendige schild omhoog schuiven. Verdediging op sterkte. Ze draaide de journaliste de rug toe en liep verder. Waarom bleef dat mens haar achtervolgen?

'Maud, wacht even. Ik moet je iets vertellen.' De stem was nu vlak achter haar.

'Ik heb ook iets te vertellen,' opende Maud de aanval. 'Ik dacht dat ik de vorige keer duidelijk genoeg was. Na de wedstrijden heb ik alle tijd voor u, nu moet u me met rust laten.' Ze zei het op een rustige maar afgemeten toon.

'Dit kan niet wachten,' hijgde de vrouw tegenover haar.

Maud zag een ongeruste rimpel boven haar ogen.

'Je hoeft niets te zeggen, alleen maar te luisteren. Ik heb geen idee wat je weet en ook niet waar je precies mee bezig bent.'

'Als u dat niet weet, hou dan uw mond!' zei Maud bits, en ze wilde weglopen.

'Stop, Maud.' De vrouw greep haar bij haar schouder en ging weer voor haar staan. Weer die nerveuze blik. 'Ik vel geen oordeel en zal er ook niet over schrijven. Dit is van mens tot mens. Ik moet je waarschuwen.' Haar blik peilde de omgeving. Maud keek mee, niemand besteedde enige aandacht aan hen. 'Er is een spierversterkend middel in omloop en het is waarschijnlijk niet veilig. Je moet niets gebruiken.'

Maud was verbijsterd. Hoe wist ze van het middel? Was alles nu verloren? Ze moest haar kop erbij houden. De journaliste blufte!

'Je leven loopt gevaar,' ging de journaliste echter verder. 'Kijk maar naar Lucinde.'

'Lucinde is sterk. Die knapt wel op,' zei ze, op haar hoede.

'Maar... Maud, weet je het dan niet? Lucinde is overleden.'

Mauds knieën begonnen te trillen. Dit kon niet waar zijn. Lucinde dood? Ze was ervan overtuigd dat haar sportmaatje op zou knappen. 'Ik geloof u niet,' bracht ze uit. Dit kon ook niet waar zijn. Wat voor spelletje speelde deze vrouw? Andrei had gelijk als hij de vergelijking met virussen trok. En dan was zij wel heel kwaadaardig. 'Wat probeert u te doen? Wilt u mij zo uit balans brengen dat ik straks kansloos ben in de wedstrijden? Als dat zo is, bent u goed bezig.'

'Nee, Maud. Het is echt waar. Vraag het maar aan Ronald, die moet het ook weten. Ik dacht dat hij het nare nieuws al doorgegeven zou hebben. Ik moet je waarschuwen voor dat middel.' Hijgend van opwinding stond de journaliste tegenover haar.

'Waar hebt u het over?' bracht Maud nog net uit. Haar hoofd barstte van de vragen, maar ze bleef helder genoeg om ertegenin te gaan. 'Ik gebruik niets. En u moet stoppen met deze insinuaties!'

'Ik wil niemand beschuldigen. Dit gaat over belangrijker zaken dan sportwedstrijden. Het gaat over leven en dood. Vertel me alsjeblieft alles wat je weet. Wat is het voor middel?'

Maud zag de intense blik van de journaliste en kwam bij haar positieven. Ze moest weg voordat ze verkeerde dingen zei. Ze rukte zich los en zette het op een lopen. Haar benen deden automatisch het werk waarvoor ze jarenlang getraind waren.

* * *

Pas onder de douche kon Maud weer helder denken. Volledig overdonderd was ze weggerend. Ze wilde ontsnappen aan de indoctrinerende vragen en zinnen. Haar hoofd had bij elke stap meegedreund. Het deed pijn tot in haar haarwortels. Lucinde was dood.

Het lauwe water spatte nu op haar hoofd uiteen. Met haar ogen gesloten stond ze stil onder de stroom en langzaam verdween de pijnlijke spanning uit haar schouders. Had ze nu toegegeven dat ze doping gebruikt had? Ze wist het niet meer. Wat had ze precies gezegd? Er was op dat moment maar één zekerheid: verlies. Lucinde had gegokt en verloren. Hoe belangrijk was een sportwedstrijd?

Ze liet de shampoo in haar hand lopen en zeepte haar haren in. Bestond er maar een middel om verwarrende gedachten te ontknopen, zoals de antiklit die je in elke drogisterij kon kopen. Was er maar iets om je lichaam weer op te schonen, zoals er ook programmaatjes bestonden voor computerbestanden. Even defragmenteren en er was weer ruimte. Maar hersens waren complexer. De enige manier om het hoofd boven water te houden was de volledige controle houden over jezelf. Niemand anders mocht ze meer toelaten.

Al douchend kwam ze tot de conclusie dat ze volledig schoon schip moest maken. Anders waren de Olympische Spelen ook voor haar afgelopen. Stap voor stap de controle terugpakken.

Ze droogde zich af en begon voor zichzelf op te schrijven hoe ze het aan zou gaan pakken. Stap één was Ronald. Ze moest zeker weten hoe het met Lucinde was. Dan wist ze meteen ook of ze de journaliste kon vertrouwen. Dit was een moment waarop ze de pers nodig had. Als er een bericht over een overleden atlete op het nieuws was geweest had ze direct geweten wie ze kon vertrouwen. Er was echter weinig tot geen pers aanwezig in Chengdu. Iedereen ging rechtstreeks naar Beijing. Dat was op dat moment plezierig geweest, nu werkte dat in haar nadeel. Ze had alleen maar de mededeling van de journaliste.

De volgende stap was Andrei. De liefde moest even wijken. Geen afleiding meer in welke vorm dan ook. Hij zou dat moeten begrijpen als topsporter. Na de wedstrijden hadden ze nog tijd genoeg.

Onder aan het lijstje zette ze de initialen van de journaliste, FF. Meer een intuïtief gevoel dan een wetenschap. Ze leek veel te weten. Maar klopte dat ook allemaal?

Dit was de lijst die ze zou afwerken. Daarna zou ze zich volledig richten op de voorbereiding van de wedstrijden. Iedereen zou ze op afstand houden. Volledige concentratie. Ze had nog een paar dagen om het voor elkaar te krijgen, dat moest voldoende zijn. Dat was meteen het laatste woord van haar lijstje: race. Haar ultieme doel, haar eigen race.

Buiten was het warm en het leek benauwder dan de vorige dagen. Maud ging op weg naar haar eerste doel. Ze was nog verdoofd door het afschuwelijke nieuws, maar tegelijkertijd sterkte het haar om door te zetten. Ze had Ronald snel gevonden in het kantoortje van hun afdeling. Op het moment dat ze zijn gezicht zag, zonk de moed haar even in de schoenen. Theoretisch wist ze exact wat ze moest doen, maar de praktijk leek moeilijker.

Ze zag dat zijn bril steeds van zijn neus gleed. De warmte was in de kleine kamer met het platte dak plakkend zwaar.

'Gaat alles goed met de voorbereiding?' Het gezicht van Ronald was roder dan anders.

'Ik doe mijn best,' zei Maud afwerend.

'Je moet nu scoren, Maud. Alle voorbereiding en opoffering moeten nu geoogst worden. Elk trainingsuurtje van de afgelopen jaren kun je nu verzilveren. Of liever nog, omzetten in goud.' Zijn lach klonk gemaakt.

Maud gaf geen antwoord, maar staarde hem vlak aan.

'Je begrijpt toch wel dat iedereen die meegewerkt heeft aan jouw voorbereiding, nu resultaat wil zien? Presteren, Maud!'

'Ik doe mijn best,' herhaalde Maud.

'Je best doen is niet genoeg in de topsport. Dat moet jij als geen ander weten.'

'Hou op met pushen, Ronald.' Maud probeerde zichzelf onder controle te houden. Ze moest haar emoties onderdrukken.

'Ik zet je niet onder druk. Ik stimuleer je om tot nog betere prestaties te komen.'

'Ik moet de mensen om me heen kunnen vertrouwen. Zonder die zekerheid kan ik er niet vol voor gaan. Ik moet alles los kunnen laten, in de wetenschap dat jullie dat voor me regelen, er voor me zijn. Zonder enige vorm van druk, maar wel met alle informatie die ik nodig heb om te kunnen presteren.'

'Wat zijn dat opeens voor opmerkingen? Heb ik je ooit in de steek gelaten? Ik heb alles georganiseerd, maar je nooit ergens toe gedwongen!'

'Ronald, heb je al meer nieuws over Lucinde?' De vraag waarvoor ze kwam was eruit. Ze gaf hem de ruimte om toch zelf met het nieuws van haar overlijden te kunnen komen.

'Nee, ze ligt nog steeds in coma. Sorry, ik heb geen beter nieuws.'

'Wanneer heb je dat gehoord?'

'Ik heb vanmorgen nog contact gehad met het ziekenhuis; haar situatie is ongewijzigd.' Zijn wenkbrauwen bewogen een paar keer op en neer tijdens het uitspreken van het laatste woord.

Maud was overdonderd. Ze had alles verwacht, maar niet dat hij haar glashard voor zou liegen. 'Ik geloof je niet. Ik heb gehoord dat ze overleden is.'

'Onzin! Wie heeft dat zieke bericht de wereld in gestuurd?' Ronald streek met zijn hand over zijn kale schedel. Kleine zweetdruppels werden weggevaagd. 'Maud, jij moet je concentreren op de wedstrijden. Over een week is alles achter de rug. Ik ga direct bellen. Ik zorg voor Lucinde.'

Maud keek hem aan. Haar gevoel was afgestompt. Leefde Lucinde dan toch nog? Had de journaliste gelogen? Niets was meer zeker. Wie kon ze vertrouwen? Ze draaide zich om en zonder nog één woord te zeggen liep ze weg.

* * *

Haar hart begon sneller te slaan en een glimlach trok over haar lippen toen ze zag dat Andrei al op haar zat te wachten, een kop koffie voor zich. Maud aarzelde. Was ze wel goed bezig? Wilde ze hem echt op afstand houden? Ze had hem eigenlijk zo hard nodig.

'Nou, brand maar los,' zei hij nadat ze bij hem was gaan zitten. Zijn gespierde armen lagen werkeloos voor hem op tafel. Hij keek haar afwachtend aan.

'Andrei, ik moet je wat zeggen,' begon ze. Haar mond voelde kurkdroog.

'Je bent me helemaal geen verantwoording schuldig,' onderbrak hij haar direct. 'Ik weet als geen ander onder welke spanning we als topsporter moeten leven. Je hoeft me niets uit te leggen.' Hij pakte haar hand, die volledig werd bedolven onder zijn brede vingers. Ze wist hoe oneindig teder die konden zijn.

'Fijn dat je me begrijpt. Ik moet even wat afstand nemen, omdat ik merk dat ik de juiste concentratie niet kan vinden,' begon ze toch nog uit te leggen. Maar ze zag zijn gezichtsuitdrukking veranderen.

'Wat bedoel je met "afstand"? Ik dacht dat je me wilde vertellen dat je gezwicht was voor...' Hij aarzelde. 'Alle sporters komen in de verleiding. Je bent heus de enige niet. Ik heb gemerkt dat ook je emoties daardoor beïnvloed worden. Geen probleem, Maud, daar kijk ik wel doorheen. Als we de wedstrijden achter de rug hebben...'

Maud trok haar hand terug. 'Wat bedoel je? Verleiding? Beinvloeding? Denk jij ook al dat ik...?' Maud wilde het woord niet noemen. 'Ik wilde alleen maar komen zeggen dat ik even iets meer afstand nodig heb. Ik moet me helemaal op de wedstrijden concentreren. Tot dan wil ik wachten.'

'Wachten waarop? Tot je wel tijd voor me hebt? Ik wacht al zoveel jaren op je! Het kan toch geen kwaad om elkaar te zien? Dat werkt juist stimulerend.' Hij klonk kwaad. Hij boog zich nu dicht naar haar toe en zijn gezicht verzachtte. 'Ik heb je nodig, Maud. Ik zal je heus niet verraden.'

Zijn woorden waren als naalden die onder haar nagels gepriemd werden. Verraden? Ze sloot haar ogen en haalde diep adem. Het lijstje brandde weer actief in haar broekzak. 'Ik heb tijd nodig. Ik wens je veel succes bij de wedstrijden, Andrei.' Ze stond op en zonder te groeten liep ze weg.

Inwendig kookte ze. Andrei ging ervan uit dat ze verboden middelen gebruikte! Hoe wist hij dat? Wie was hij eigenlijk? Had hij zich al die tijd anders voorgedaan? Had haar inschattingsgevoel haar al die tijd in de steek gelaten? De vragen zoemden rond in haar hoofd en ze moest antwoorden vinden om zeker te weten dat ze goed bezig was. Dus moest ze uitpluizen wie ze echt kon vertrouwen.

Ze keek om zich heen en zag een groepje sporters staan. Ze liet zich zo nonchalant mogelijk in de groep verdwijnen. Daar wachtte ze af.

Het duurde niet lang. De krachtige gestalte van Andrei kwam naar buiten. Zijn korte benen wijd uit elkaar en een geforceerde zwaai van zijn gespierde armen; de typische loop van een bodybuilder. Waarom was Andrei zo gefixeerd op haar dopinggebruik? Was hij als kogelstoter veel in aanraking gekomen met verboden middelen om die enorme spiermassa te kweken? Was dat ook de reden dat hij zo van slag was geweest door de geboorte van het misvormde kind van zijn vriend?

Ze keek Andrei na. Hij liep zonder op of om te kijken naar links, het dorp in. Ze moest weten wat hij ging doen en besloot hem te volgen, net zoals zijzelf door de journaliste gevolgd werd. Het was de wereld op zijn kop. Ze zat in het lichaam van de andere partij. Vragen stellen en achtervolgen, dat deden de media, niet de sporters zelf.

Het was behoorlijk druk, toch hield Maud enige afstand. Andrei liep stug door, armen breed zwaaiend en handen tot vuisten gebald. Hij sloeg de hoek om en verdween uit het zicht. Maud snelde achter hem aan.

Ze keek om de hoek en zocht het bekende silhouet. Een paar meiden groetten haar en ze hief lachend haar hand op. Maar waar was Andrei? Op dat moment zag ze hem een deur binnengaan. Het kantoortje van de dopingcontrole. Wat moest hij daar? Als je werd opgeroepen, was je meestal in het gezelschap van de official die je bij de controle zou begeleiden. Dit was wel erg vreemd.

Maud liep dichterbij en gluurde in het voorbijlopen naar binnen. Andrei stond met zijn rug naar haar toe en praatte met een van de officials. In één klap werd het haar duidelijk. Ze had genoeg gezien. Als verdoofd liep Maud door. Haar oren begonnen te suizen. De zon leek opeens genadeloos hard te branden. Een licht gevoel in haar hoofd. Duizelingen. Maud liep naar een boom langs het pad en hield zich vast. Langzaam verdween het gevoel maar het beeld bleef: Andrei bij de dopingofficial, de tegenpartij.

Ze leunde met haar rug tegen de boom en snakte naar lucht. Had ze zich zo in hem vergist? Was haar mensenkennis zo slecht dat ze een infiltrant niet herkend had? Ze gluurde om de boom heen en zag Andrei weer verschijnen. Dat had hij snel doorgegeven, dacht ze kwaad. Ze zag dat zijn helderblauwe ogen de omgeving scanden. Hij verliet het kantoortje en liep het pad weer op.

Ze besefte dat ze hier weg moest. Ze wilde terug naar haar kamer waar ze de afzondering kon vinden om deze schok te boven te komen. Volkomen daas liep ze weg. Zinnen uit eerdere gesprekken eisten haar aandacht op. Het beeld van zijn zoekende ogen op haar benen. Dwalende handen over haar lichaam. Waar was hij mee bezig geweest?

Alle puzzelstukjes leken op hun plaats te vallen: insinuerende vragen, verhalen over de mismaakte baby... Verleiding? Wie verleidde wie? Was zij een harde crimineel die door middel van een klokkenluider, onderschepte e-mail of een infiltrant gepakt moest worden? De overheid controleerde met harde hand. Zelfs spijtoptanten, die na bekentenissen op strafvermindering konden rekenen, werden ingezet om medesporters erbij te lappen. De rol van Andrei was duidelijk. Bijna had ze zich verraden door blinde verliefdheid.

Ze was in de buurt van haar kamer toen Andrei verderop weer opdook. Wat ging hij nu doen? Een nieuw slachtoffer zoeken? Was zij niet de enige? Was hij als een loverboy bezig meerdere vrouwelijke sporters onder de loep te nemen? Ze voelde zich opeens smerig. Een diepe verwantschap kwam opzetten met alle andere sporters die door hem verraden werden. Als een verzetsheld uit de Tweede Wereldoorlog, in stille opstand tegen een gemeenschappelijke vijand. En dus bleef ze hem volgen.

Tot haar grote verbazing stopte hij bij de kamer van Ronald. Wilde hij hem confronteren met haar misbruik? Ze voelde zich opeens hondsmoe. Dit hoefde ze niet af te wachten. Na de pijnlijke ontdekking van de smerige bezigheden van haar zogenaamde vriend had ze genoeg gezien. Meer dan genoeg, zelfs. Ze sleepte zich terug naar haar kamer.

Ze leunde tegen de deur. De woede was als een bacterie die in haar lichaam exponentieel groeide. Niet alleen gericht op Andrei, maar ook op zichzelf. Hoe had ze zo naïef kunnen zijn?

Gelukkig was ze alleen. Had ze Lucinde in vertrouwen durven nemen? Of was in deze keiharde wereld iedereen een vijand? Ieder voor zich. Vechten voor je eigen winst. Eenzaam aan de top.

Op dat moment brak het masker dat ze al die tijd op had kunnen houden. Ze wierp zich op haar bed en begroef haar gezicht in haar kussen alsof ze zichzelf wilde laten stikken.

54

Alle tranen waren vergoten. Het had haar geest schoongespoeld en de ergste pijn verzacht. Maud wist dat ze verder moest met haar lijst. Ze was volkomen op zichzelf aangewezen en wist niet meer wie ze wel of niet kon vertrouwen. Ronald en Fenna spraken elkaar tegen en Andrei leek bij de tegenpartij te horen. Ze had beide mannen een kans gegeven om hun verhaal te doen, nu moest ze zich in het hol van de leeuw wagen. Misschien was dat zelfs wel de veiligste plaats. Als Fenna met bewijzen kon komen, wist ze eindelijk waar ze aan toe was. Dan kon ze haar eigen plan trekken, zich afsluiten van de onbetrouwbare bronnen en de concentratie opbouwen die nodig was om aan haar laatste punt te kunnen beginnen: de olympische wedstrijden.

Maud had het kaartje van de journaliste opgezocht. 'Fenna Faassen, Tijdschrift *Ogen-blik*' stond erop. Een groen oog keek haar vanaf het kaartje aan. Onderzoekend en kritisch. Ze wist nog exact met welke woorden Lucinde het haar overhandigd had. 'De journaliste wil een afspraak. *Big mother is watching us*. Wat denk je?'

Maud drong de pijn weg die de gedachte aan haar sportmaatje veroorzaakte. Misschien leefde ze nog. Misschien had Ronald gelijk. Waarom zou ze een onbekende journaliste meer vertrouwen dan haar eigen sportmanager?

Maud stopte het kaartje weg. Bewijzen, daar ging het om. Mooie praatjes kon iedereen verkopen. Ze sloot de deur van haar kamer achter zich en liep het olympisch dorp uit, de anonieme drukte van de stad Beijing tegemoet, haar telefoon in haar hand geklemd om de afspraak te maken.

* * *

De schemering ging over in avond. Maud keek vanuit de taxi naar de flikkerende neonlampen, de grote groepen mensen en de drukte op straat alsof het ochtendspits was. De stad leefde. Ze was helder in haar hoofd en de beslissing om met de journaliste te gaan praten voelde goed. Een laatste gesprek voordat ze zichzelf zou opsluiten in het dorp, onbereikbaar voor de pers.

In haar hoofd noemde ze de journaliste weer bij haar voornaam, wat voor haarzelf een bewijs was dat ze heel wat van het gesprek verwachtte. Geen afstand. Openheid was in dit stadium het allerbelangrijkst. Fenna leek goed geïnformeerd.

De chauffeur riep een paar krachtige klanken in haar richting en ze herkende het park waar ze de vorige keer ook met Fenna had afgesproken. Maud stapte uit. Ze had gekozen voor een gesprek buiten gehoorsafstand van sportende collega's.

Ze kocht een kaartje bij het loket. Zelfs voor de parken werd toegangsgeld gevraagd. Het ticket toonde een schitterende afbeelding van de witte pagode die op een heuvel boven het park uittorende. Maud liep de brug over en kon zelfs genieten van de zachte muziek die uit de luidsprekers in de lantaarns kwam. Ze liet de knijpende spanning achter.

Al gauw zag ze Fenna zitten, starend over het grauwe water, volkomen verdiept in haar eigen gedachten.

'Dag Fenna,' zei Maud zacht.

De vrouw schoot overeind. Het korte grijsblonde haar hing onverzorgd over haar voorhoofd. Zorgelijke ogen achter de ronde brillenglazen. 'Maud, wat fijn dat je bent gekomen.'

Maud knikte alleen maar.

'Het spijt me dat ik je zo onverwachts confronteerde met het slechte nieuws over Lucinde,' ging Fenna verder. 'Ik dacht echt dat je het al wist. Er speelt zoveel meer. Ik maak me grote zorgen om mijn moeder. Ik had mezelf niet meer in de hand.'

Maud zweeg. Moeder? Ze begreep niet wat die ermee te maken had, ze wilde alleen maar weten hoe het met Lucinde ging. Opeens was ze bang voor de waarheid.

Fenna ging echter alweer verder. 'Ik moet je waarschuwen. Het is echt een gevaarlijk middel. Genetische doping is niet veilig. Het is onvoldoende getest. Ik wil je niet in een val lokken, alleen maar waarschuwen: gebruik het niet! Het kan je dood worden.'

Maud had al die tijd naar de grond gekeken. Ze was weer overdonderd omdat deze journaliste zo exact op de hoogte bleek te zijn. Het leek zelfs of ze er meer van wist dan zijzelf. Maar de laatste woorden maakten de meeste indruk. En ze kon niets anders dan de ultieme vraag stellen. 'Fenna, ik moet de waarheid weten. Is Lucinde echt... ? Leeft ze nog?' Ze keek naar Fenna en wenste dat die zou toegeven dat ze gelogen had. Een journalistieke truc.

'Lucinde is overleden in het ziekenhuis. Haar organen zijn stuk voor stuk uitgevallen. Haar lichaam heeft de oorlog gevoerd, maar verloren. Een overgevoeligheid voor de plotselinge overmaat aan eiwitten. Ze heeft het niet gered. Ruud heeft jullie sportarts aan de telefoon gehad.'

'Ronald zegt dat het niet waar is, dat Lucinde nog in coma ligt.' Maud bracht haar hoop onder woorden. 'Waarom zou hij tegen me liegen? Hij steunt me in alles!' Maud voelde dat er een arm om haar heen werd gelegd en voor ze het wist had ze haar hoofd op de moederlijke schouder gelegd en kwamen de tranen. 'Wie kan ik vertrouwen?' snikte ze. 'Waarom Lucinde? En waarom ik niet?'

Minutenlang zaten ze stil naast elkaar. Daarna duwden Fenna's handen haar omhoog, waardoor ze recht in haar ogen keek. 'Wat is het voor spul dat jullie hebben gekregen?'

Maud was direct weer alert. De afstand was terug. 'Waar heb je het over?'

'Maud, ik wil je nergens van beschuldigen. Ik moet het weten voor mezelf, voor mijn moeder. Ze gaat naar het Holland Anti-aging Centrum voor een spierversterkende therapie. Ik ben bang dat zij hetzelfde middel krijgt als Lucinde, en ik hoop dat jij er meer over weet. Ik zal er niet over schrijven. In dit geval ben ik een dochter en geen journaliste. Ik heb je nodig. Je kunt míj vertrouwen.'

Het klonk zacht en zonder dwang. Een verzoek om vertrouwen en hulp. Maud twijfelde. Zou ze voor het eerst van haar leven de zwijgplicht verbreken die ze zichzelf had opgelegd? De dood van Lucinde zou dan niet nutteloos zijn. Misschien kon ze dan anderen redden. Ze keek naar het water, dat er nu stil en verlaten bij lag. Voor hen langs slenterden stelletjes, volkomen verdiept in elkaar.

'Het is inderdaad een spierversterkend middel,' begon Maud. 'Ik weet niet of Lucinde...'

'Doping? Net als Kim?'

'Niet net als Kim. Daar weet ik niets van.'

'Heb jij het middel genomen?'

Maud knikte. 'Maar ik ben ermee gestopt. Het is inderdaad een genetisch middel. Ik heb strenge richtlijnen voor het gebruik gekregen. De grootste verleiding is dat je steeds meer wilt gaan gebruiken, juist omdat het zo goed werkt.' Maud gooide alle informatie naar buiten. 'Mijn spieren zijn sterker. Het is een wondermiddel. Kracht uit een flesje.'

'Een genetisch middel is toch levensgevaarlijk!'

'Ik weet er niet veel van. Je kweekt meer spiermassa. En het is niet chemisch, dus niemand zou het kunnen detecteren. Het zou volkomen veilig zijn.'

'Nou, dat is gebleken,' zuchtte Fenna naast haar.

'Ik neem het niet meer. Ik ben nu schoon. Maar misschien heeft Lucinde er te veel van gebruikt.'

'Van wie heb je het gekregen?'

Maud aarzelde. Waarom zou ze de naam noemen. 'Sorry, ik heb al te veel verteld.'

'Maar ik moet weten...'

'Nee, je moet niets!' Maud werd heen en weer geslingerd, en was opeens weer op haar hoede. 'Als je mij gaat aangeven, zal ik het altijd ontkennen. Niemand kan bewijzen dat ik het gebruikt heb. Het is niet aan te tonen. Het is jouw woord tegen het mijne.'

'Maud, ik zit hier niet alleen voor jou. Ik moet weten of mijn moeder gevaar loopt. Mijn moeder is al oud. Dat betekent dat ze een groter risico loopt. In het Holland Anti-aging Centrum werken ze met een spierversterkend middel. Is dat hetzelfde spul? Hebben zíj jou het middel gegeven?'

Maud dacht na. Als ze de bron van het dopingmateriaal zou vertellen, zou er geen weg terug meer zijn. Dan was er bewijs. Wat moest ze doen? Kiezen voor zichzelf en op zeker spelen? Of levens redden met het risico om gepakt te worden? Zekerheid tegenover dreiging. Controle of risico? Het was een terugkerende vraag in haar leven, alsof het haar karma was.

Maar in dit geval speelde er meer. Het was haar duidelijk gemaakt dat het middel niet voor de sport ontwikkeld was. Het diende een hoger doel. Er waren mensen die dit middel verdienden. 'Ik denk dat je je geen zorgen hoeft te maken, Fenna. Degene die het ontwikkeld heeft, zoekt het gevaar niet op. Hij loopt zijn eigen race. Die persoon heeft een heel ander doel voor ogen. Een goed doel.'

'Is het voor anti-aging ontwikkeld? Is dat het goede doel? Het Holland Anti-aging Centrum?' Fenna bleef maar aandringen.

'Dat weet ik niet. Ik heb al veel te veel gezegd. Ik heb jou vertrouwd. Nu moet je mij ook op mijn woord geloven. Hij wil niemand kwaad doen.'

'Maar er zijn doden gevallen. Denk aan Lucinde,' fluisterde Fenna.

Maud aarzelde. Op dat moment hoorde ze het geluid van haar mobieltje. Een sms'je.

55

'Dus hier vinden al die wonderen plaats,' zei Els. Pien zag dat ze de ruimte in zich opnam. Chris zat in de hoek en legde een paar buisjes klaar.

'Dit is onze behandelruimte. Geen geheimen, geen wonderen. Gewoon alert zijn op nieuwe ontwikkelingen en er op tijd in springen,' vertelde Pien trots.

'Jullie staan erg goed aangeschreven. Henk vertelde dat jullie centrum in een jaar tijd veel klanten heeft getrokken.'

'Ja, we doen ons best. Als je telkens wat nieuws weet aan te bieden, blijven de klanten nieuwsgierig. Bovendien werken onze methoden, dat is de beste reclame.'

'Nou, de sauna was heerlijk. En ik heb mijn dochter verteld over het polydieet. Ze was direct heel enthousiast. Ze is gek op chocola, dus dan zit ze wel goed.' Els ging zitten.

'Het dieet werkt goed, maar overdaad schaadt. Dat is met alles zo, zelfs met dit nieuwe middel. Chris weet exact welke dosis geschikt is.' Pien zag dat hij zenuwachtig was. Ze wilde hem met haar woorden een hart onder de riem steken. Nervositeit konden ze nu niet gebruiken. Zelfverzekerd overkomen was een must.

Ze hoorde de telefoon overgaan. Geen tijd, dacht ze. Het antwoordapparaat zou wel reageren. Op dit moment waren de twee gasten belangrijker. De andere klanten waren afgezegd.

'Wie wil als eerste?' vroeg Chris. Zijn stem trilde licht.

'Normaal laten heren de dames voorgaan,' zei Henk galant.

'Ik denk dat ik vandaag nogal geëmancipeerd ben,' antwoordde Els een beetje benauwd.

'Dan zal ik me opofferen.' Henk ging naar Chris en vroeg wat precies de bedoeling was.

'Dit is een oplossing waarin een groeifactor zit. Het is al vaker toegepast, maar het is nog niet zo bekend.'

'Dus ik ben een proefkonijn?' Henk knipoogde stoer naar Els.

'Nee, zo erg is het nu ook weer niet. Ik spuit een klein beetje in de spieren van je benen. Je eigen lichaam maakt dan extra weefsel aan. Zo simpel is het. Extra oefeningen geven ondersteuning aan deze therapie. Het duurt wel een paar dagen voordat je het effect zult voelen, maar je kunt ervan uitgaan dat je sterker zult worden.'

Pien ging naast Els zitten. De vrouw zag bleek. 'Is alles goed?'

Een voorzichtig knikken, benauwd samengeknepen lippen, opengesperde ogen. Pien herkende de angst voor het onbekende. Dat zou zo wel overgaan. Henk was een bikkel.

Chris vulde een injectiespuit en tikte de luchtbellen naar boven. 'Ben je er klaar voor?'

56

'Fenna, waar was je? Ik heb je overal gezocht.' Ruud kwam haar in de lobby van het hotel tegemoet. Zijn onderkin trilde zenuwachtig.

'Wat is er? Mijn moeder?' Fenna schoot direct in de stress.

'Nee, nee, dat niet. Dan zullen ze jou wel op je mobieltje bellen. Nee, ik moet je iets laten zien.' Ruud pakte haar hand en trok haar mee naar de lift.

Fenna verbaasde zich over dit familiaire contact. Normaal was Ruud afstandelijker, hooguit kwam hij door zijn opmerkingen dichterbij. Wachtend bij de lift zag Fenna hoe ongeduldig hij was. 'Wat is er aan de hand? Je bent helemaal zenuwachtig.'

Ruud veegde met zijn zakdoek over zijn voorhoofd. 'Het staat in de mail. Ik zal het je zo laten zien. Geduld.'

'Geduld,' mompelde Fenna. Het leek erop dat hij het daar het moeilijkst mee had. 'Is Zhao weer weg?'

'Ja, we hebben samen gezellig zitten kletsen tijdens het eten. Het is een intelligente knaap.'

Fenna dacht terug aan haar gesprek met Maud. Nadat die vertrokken was, was ze zelf nog een tijd lang op het bankje in het park blijven zitten, starend over het water. De drakenboot die als veerpont de mensen over het meer vervoerde, had zeker een keer of vijf aangelegd voordat ze zich ertoe kon bewegen terug te gaan naar het hotel. Ze was compleet in verwarring. Ze wist nog steeds niet of ze over hetzelfde middel spraken. Kwam alles samen bij het centrum in Kleef?

Ruud drentelde van lift naar lift. Eindelijk het signaal. Hij schoot op de deuren af. Een groep mannen liep luid discussiërend de lift uit. De Amerikaanse tongval was duidelijk.

'Kom, Fenna.' Ruud trok haar mee en duwde op het knopje van de tiende verdieping. Het viel Fenna weer op dat veel nummers van verdiepingen ontbraken. Chinezen lieten uit bijgeloof alle getallen weg die ongeluk kunnen brengen. In een hotel zat je dus al snel op de achtentwintigste verdieping.

'Ik heb jouw notebook op mijn kamer,' legde Ruud uit terwijl hij zijn kamerdeur opende. Het was de eerste keer dat Fenna op zijn kamer kwam. Ze keek rond. Een onverwacht strakke organisatie, keurige stapeltjes kleren in de kast en zijn losse spullen netjes op het dressoir. Ze had een volslagen verkeerd oordeel over hem gehad.

Ruud klapte haar notebook open en activeerde het scherm. 'Kijk, moet je lezen.'

Fenna keek mee. Het was dezelfde mail die ze eerder die dag ook had gelezen. 'Ik begrijp niet wat je wilt. Deze mail heb ik al gezien.'

'Ik las er eerst ook overheen. We hebben gelezen wat we wilden lezen: Maud gebruikt een verboden middel, bericht verzonden naar ene Holland. Maar er staat veel meer in.'

'Dat ze nog geen controle heeft gehad?' Fenna las de hele passage nog een keer. 'Wat bedoel je, Ruud?' Ze voelde zich kriegel worden.

'Eerst schrijft ze over "*jouw* middel". Daarna schrijft ze "Dat heeft *hij* me gezegd". Dat staat er. Dat zat me dwars, het klopte niet.' Ruuds ogen twinkelden.

Fenna las de zinnen nog een keer. 'Verdomd, je hebt gelijk. Dat had ik niet gezien. Is er dan iemand anders bij betrokken?'

Een trotse glimlach verscheen op Ruuds gezicht. 'Daar zat ik dus ook mee. Ik heb mijn avond echter goed besteed. Ik voelde me wel enigszins een indringer in haar privémail, maar het is voor een goed doel.'

'Dat zei zij ook,' mompelde Fenna.

'Wat?'

'Nou, Maud vertelde me dat het middel voor een goed doel ontwikkeld is. Is anti-aging een goed doel?'

'Maak het nu niet ingewikkelder dan het al is, want als het klopt wat ik ontdekt heb, is degene die dit advies heeft gegeven zelf het goede doel. Hij deed het alleen voor zijn eigen gewin.' Ruud klikte een andere mail open.

Fenna zag dat de geadresseerde hetzelfde was. Ze las het korte bericht. 'Een clinic?'

'Ja, uit wat ik aan informatie heb gevonden, begrijp ik dat Maud wordt gesponsord door het Holland Anti-aging Centrum.'

'Dus toch,' zei Fenna lamgeslagen. 'Wel anti-aging. Dan moet het wel hetzelfde middel zijn.'

'Ja, maar kijk. Als je helemaal naar beneden scrolt, zie je dat er een stukje van een mail van iemand anders aan is blijven hangen, het bekende gevaar van doorsturen. Hier, lees dit maar.' Ruud leunde achterover.

Op het moment dat Fenna de afzender zag, wist ze dat ze het geheim van Maud niet meer kon bewaren.

* * *

Op dat moment ging haar mobiele telefoon. Fenna zag ogenblikkelijk wie het was.

'Tara,' riep ze ademloos.

'Mam, ik krijg oma Els niet te pakken.'

'Verdomme, Tara. Dat moet! Ze loopt gevaar!' Fenna zag de waarschuwende blik van Ruud en ze bond wat in. 'Probeer op wat voor manier dan ook oma Els te bereiken. Ze is naar het centrum in Kleef en krijgt daar waarschijnlijk een gevaarlijk middel. Kun je het centrum niet bellen?'

'Haar mobiel staat uit en het centrum neemt niet op. Ze hebben hun antwoordapparaat aan staan.'

'Hoe kan dat nou? Het centrum is toch open?' Fenna's hersens werkten op topsnelheid. Tijdzones werden overbrugd. Zes uur vroeger.

'Dat dacht ik ook. Het is hier nu halverwege de middag, maar misschien sluiten ze vroeg.'

'Dan moet je erheen. Vraag het aan John!'

'Ik ben al bij de buren geweest. Niemand is thuis. Bovendien kost het uren om in Duitsland te komen. Dat heeft echt geen zin.'

Fenna liep heen en weer door de hotelkamer. Er moest een mogelijkheid zijn om haar moeder te waarschuwen. Zoveel techniek, en toch zo onbereikbaar?

'Wacht, mam, ik weet al wat. Michael. Ik kan hem msn'en. En anders bereik ik hem wel via Hyves of iets anders. Die jongen zou toch zoveel overeenkomsten met mij hebben? Ik bedenk wel wat.'

'Oké, meisje, ga maar gauw aan het werk.'

'Komt goed, mam. Je hoort van me!'

Fenna zag dat de verbinding verbroken was. Contact weg. Maar een kleine hoop gloeide. Ze moest vertrouwen op Tara. Nu was ze afhankelijk van haar.

Ruud keek haar verwachtingsvol aan. 'Nieuws?'

'Niet veel. Het is vreemd, Ruud. Ergens in je leven maakt de afhankelijkheid een draai. Ooit was ik afhankelijk van mijn moeder, en nu zorg ik al een tijdje voor zowel mijn moeder als mijn dochter. Maar ik kon me niet voorstellen dat ik ooit afhankelijk zou worden van Tara. Toch is het nu zover. Zij zorgt voor mij en ook voor haar oma.'

'Je wordt oud,' zei Ruud. Een dikke glimlach sierde zijn gezicht. 'Maar genoeg soft gelul. We moeten naar Maud toe voordat er nog meer ongelukken gebeuren.'

* * *

De taxi zette Maud af bij de toegangspoortjes van het olympisch dorp. Het sms'je van Andrei zat haar dwars. 'Kom snel naar me toe, ik moet je wat laten zien.' Haar hoofd leek te barsten. Alle informatie van Fenna was vermengd met het verdriet om Andrei. Moest ze hem nu gaan zoeken? Wat wilde hij haar laten zien? Was het een val? Of moest ze controle houden? Niemand vertrouwen. Want wie kon ze vertrouwen? Had ze nu alles opgebiecht aan de verkeerde persoon? Eerst moest ze alles voor zichzelf op een rijtje hebben en tot die tijd wilde ze niemand zien.

Ze voelde zich leeg, maar tegelijkertijd vol met tegenstrijdige gevoelens. Het gesprek met Fenna had haar meer aangegrepen dan ze had verwacht. Al die tijd had ze opgesloten gezeten in zichzelf, alleen maar bezig met haar eigen lichaam en haar eigen prestaties. Tot ze de verleiding had toegelaten.

Altijd hadden ze met zijn drieën getraind, Kim, Lucinde en zijzelf. Ze trokken zich op aan elkaars prestaties. Het leek misschien wel alsof topsport een individuele aangelegenheid was, maar een toploper komt zelden alleen. Toen ze hoorde dat Kim de limiet had gehaald, wist ze dat ze het ook moest kunnen. Het was een harde klap toen ze hoorde over haar positieve uitslag van de test. Sindsdien had ze niets meer van Kim gehoord. Had Ronald de uitslag van de contra-expertise soms ook verzwegen? Net als de dood van Lucinde?

Maud liep het pad naar haar kamer op. Een paar iele boompjes lieten zien dat China groene ambities had. Bomen planten tegenover de gigantische uitstoot van CO_2.

Haar kamerdeur stond op een kier. Ze was direct gealarmeerd. De val van Andrei? Of gewoon vergeten af te sluiten?

Voorzichtig duwde ze de deur verder open. Haar kamer was verlaten, geen teken van leven. Geen enkele aanwijzing dat er iemand binnen was geweest. Maud zuchtte en duwde haar deur achter zich in het slot. Gewoon vergeten af te sluiten, dus.

Ze ging op bed zitten en diepte het briefje uit haar zak op. De namen Ronald en Andrei waren al doorgestreept. Ze besloot dat voorlopig zo te houden. Ze zou Andrei niet meer toelaten. Eronder stonden de initialen van de journaliste. Ze pakte een pen en streepte de dubbele F door. Wrang, dat de stalkende journaliste nu net de enige leek die ze kon vertrouwen. Degene die ze al die tijd had ontlopen.

Het laatste woord op haar lijstje was 'race'. Vanaf nu moest ze zich daarop concentreren. Dat vergde volledige zelfdiscipline. Er moest gewerkt worden aan de laatste trainingen. Wat techniek, training, explosiviteit, en verder tot rust komen. Ze moest echter nog één ding doen voordat ze daaraan kon beginnen: de injectienaalden kwijt zien te raken.

Ze trok haar koffer onder haar bed vandaan. Haar hart schoot omhoog. De koffer was open en de injectienaalden waren verdwenen.

* * *

Maud duwde haar koffer terug. De rust was in één klap verdwenen. Wie was er in haar kamer geweest? Eén persoon drong naar voren. Degene die haar al weken als een verliefd zwijn volgde. Zijn lieve woordjes waren opeens zuur als azijn. De infiltrant van Beijing.

Zijn sms'je was nu in één klap duidelijk. Dat had hij haar willen laten zien. Hij wilde haar inwrijven dat hij een bewijs in handen had. Ze zag de beelden voor zich van persconferenties waarin sporters hun dopinggebruik toegaven. Wielrenners die tot tranen toe geroerd hun schuld bekenden. Ze hadden zichzelf bijna de afgrond in gereden door de gevaarlijke hoeveelheden troep.

Dat zou haar niet overkomen. Ze zou nooit bekennen. Ze moest Andrei zien te stoppen. Ze besloot dat ze hem met zijn eigen wapens zou bevechten. Als een lovergirl zou ze hem bewerken. Ze zou haar lichaam aanbieden, haar zwakke vlees, maar ondertussen haar sterke geest vasthouden. Ze zou hem verleiden tot een enkele injectie. Een kogelstoter, gefixeerd op spiergroei. Verdomme, waarom had ze het gouden vocht weggespoeld door het riool? De smerigheid was beland waar die thuishoorde, in de gore afvalstromen van China, maar nu had ze het nodig.

Een idee vlamde op. Ze diepte een leeg buisje op uit haar toilettas en vulde het met water. Klaar om gebruikt te worden. Genetische doping. Ha! Helder en schoon. Dat moest lonken. Daarna zou ook bij hem de angst voor ontdekking komen. Gelijke wapens.

Ze schoot haar sportschoenen aan en verliet haar kamer. Het was donker op het terrein. Weinig sporters buiten. Rust was belangrijk en sporters waren nu eenmaal gedisciplineerd, zelfs als het om slapen ging. Maud volgde de haar bekende weg naar de kamer van Andrei. Ze had nog geen idee hoe ze het precies aan zou pakken, maar ze vertrouwde op haar intuïtie.

Ze sloeg een hoek om en zag een groepje mensen bij elkaar staan. Wat was daar aan de hand? Opgewonden stemmen in allerlei talen. Ze duwde de buitenste mensen opzij. In het licht van een lantaarn lag iemand in het gras. Maud deed een pas naar voren. Een kreet van afschuw schoot over haar lippen.

Het hoofd van Andrei lag vreemd opzij geknakt. Hij lag plat op zijn rug met zijn linkerarm opzij. Zijn rechterhand zat geklemd om de speer die fier recht overeind in zijn borst stond.

57

Er hing een spanning in de kleine behandelruimte. Was het wel goed wat ze deden? Mochten ze de klanten van hun centrum wel hieraan blootstellen? Meerdere malen had Chris haar moeten bezweren dat er geen risico was, maar nu ze hem met de injectienaald in de weer zag, begon Pien toch te twijfelen.

Henk was de enige die er ontspannen bij zat. Met een glimlach om zijn lippen liet hij de vele prikken in zijn benen toe. Alsof hij bij de acupuncturist zat, die zijn energiebanen in balans bracht.

Ze keek vol bewondering naar Chris, die zeer geconcentreerd de injectienaald opnieuw in Henks kuit zette. Een plotseling warm gevoel verraste haar. Liefde in een onvoorwaardelijke vorm. Hij was jarenlang gedreven bezig geweest om een therapie tegen veroudering te ontwikkelen. Elk vrij moment had hij in de kelder gezeten. Maar ze had nooit gedacht dat hij daadwerkelijk iets zou kunnen ontwikkelen dat ook nog toepasbaar zou zijn in het centrum. Toch leek het erop dat hij daarin geslaagd was. Gedreven door zijn liefde voor haar.

Sinds Chris haar meer details had gegeven over zijn therapie, bleef die ene, allesoverheersende, vraag echter in haar hoofd spoken. Ze had hem willen stellen, maar was tegelijkertijd zo bang voor het antwoord, dat ze hem weer verdrongen had. Weer nieuwe hoop. En dan misschien ook weer een nieuwe teleurstelling. En daar zou het vast op uitdraaien. Want hoe reëel was het dat Chris die toepassing had ontdekt?

'Zo, dat is voorlopig wel voldoende,' zei Chris. Hij sloot het buisje, waarin nog een klein restje van de vloeistof zat.

'Nou, het tintelt volop,' zei Henk. Hij ging staan en liet zijn spierballen zien. 'Op naar de honderd.'

Pien drong de vragen nu met kracht weg. Ze boog zich naar Els. Sinds ze met haar gesproken had over de vergelijkbare levens van haar kleindochter en Michael had ze de vrouw in haar hart gesloten. 'Ben je er klaar voor? Ook op naar de honderd?'

'Ik denk dat ik negentig ook al een mooie leeftijd vind,' antwoordde die voorzichtig.

'Negentig? Nee, Els, we worden samen oud, dat hebben we afgesproken,' bemoeide Henk zich ermee.

Els keek naar Chris, die al met de voorbereidingen bezig was. 'Ik...'

Op dat moment hoorde Pien geroep in de gang. Er kwam iemand met grote snelheid het centrum binnen. 'Stop! Stop!'

58

Volledig geschokt knielde Maud naast Andrei en liet haar tranen de vrije loop. Ze staarde naar het onnatuurlijk gekromde lichaam van de man die al jaren in haar gedachten zat.

'Je moet hier niet blijven,' hoorde Maud een bekende stem achter zich. Ronald stak zijn handen onder haar oksels en tilde haar op. 'Kom, Maud. Ik breng je naar je kamer.'

'Nee, ik moet bij hem blijven! Wat is er gebeurd? Wie heeft dit gedaan?' huilde ze.

'Ik heb al iemand gewaarschuwd, ze zijn onderweg. Je kunt hem niet meer helpen.' Hij legde een arm om haar schouders en leidde haar weg. 'Je hebt rust nodig. Je moet Andrei vergeten.'

'Ik wil hem niet vergeten. Ik moet bij hem blijven!' Ze stribbelde tegen, maar Ronald duwde haar met vaste hand verder. 'Kom, Maud, we kunnen niets meer voor hem doen.'

Maud voelde zich volkomen lamgeslagen. Andrei was dood. Ze had hem willen bevechten met zijn eigen wapens, en nu bleek hij dood. Het was afschuwelijk. Alsof ze indirect schuldig was aan zijn dood. Ze liet zich wegleiden als een willoos schaap. Hoe kon hij geraakt zijn door een speer? Of had iemand hem moedwillig omgebracht? De vragen vochten om een antwoord. Maar ze had geen antwoorden.

Ze zwegen tot ze bij haar kamer waren. Ronald sloot de deur achter haar. 'Hier, neem wat water. Je zult wel geschrokken zijn.'

Maud pakte het glas aan en dronk een paar slokken. 'Andrei is dood. Ik kan het niet geloven.'

Ronald stond tegenover haar. 'Andrei wist dat je doping gebruikte. Hij wilde je verraden. Hij stak zijn neus in zaken die hem niets aangingen. Waarom heb je hem verteld dat je doping nam?'

De woorden leken van ver te komen. Volkomen onbegrijpelijk en onbelangrijk op dit moment.

'Waarom heb je hem in vertrouwen genomen?' vroeg hij opnieuw. Ronald pakte haar kin en dwong haar hem aan te kijken.

'Dat heb ik niet gedaan,' mompelde ze.

'Ik heb je altijd vertrouwd, Maud. Ik gaf je alle steun die je nodig had. Training, een sponsor, en de spierversterkende middelen. Ik vertrouwde je. Jij bent sterk. Jij kunt het helemaal maken. Waarom stel je me dan nu teleur?'

'Ik vertrouwde jou ook,' zei Maud opeens kwaad. 'Waarom heb je me niet verteld dat Lucinde dood is?'

'Slecht nieuws leidt alleen maar af. Jij moet je kunnen concentreren op de wedstrijden. Presteren, verder niets. Je moet vergeten wat Lucinde is overkomen. En ook Andrei moet je vergeten. De wedstrijd is alles waar het op aankomt. Denk aan de medaille die nu binnen handbereik is.'

Ronald liet haar alleen.

Hoe kon hij het nu over de wedstrijden hebben? Ze kon zich niet concentreren als ze zo in de war was. Wat was er gebeurd met Andrei? Er was veel meer aan de hand dan zij had beseft. Wie weet had hij wel meer mensen verraden en was hij als infiltrant ontmaskerd? Was hij daarom nu dood? Was hij vermoord? En waarom bemoeide Ronald zich hiermee? Alles kronkelde door haar hoofd.

Ze deed wat ze altijd deed als ze in de knoop zat: ze begon te bewegen. Ze duwde haar knieën om de beurt omhoog, steeds in een hoger tempo. Al snel kreeg ze het warm en begonnen haar hersens mee te bewegen. Zo ging het altijd.

De vragen over Ronald kwamen nu in hoog tempo opzetten. Hij was veranderd sinds hij met dat verboden middel aan was komen zetten. Geen enkel risico zou ze lopen, had hij gezegd. Niet te detecteren. Ze had hem geloofd. De officiële instructies had ze rechtstreeks van Chris Holland gekregen. Die was de specialist. Ronald had het contact tot stand gebracht en het middel volop aangeprezen. 'Een medaille, Maud. Je naam staat straks overal in de krant. Je wordt een BN'er. En niemand die er ooit achter kan komen dat je iets genomen hebt. Je bent schoon totdat je betrapt wordt. Zo werkt het in de sportwereld. En geloof me, er wordt veel meer gesjoemeld dan jij ooit zult kunnen bedenken. Kijk naar de wielersport. Iedereen gebruikt. Maak je niet druk, dit is een ideaal middel. En wij hebben er de beschikking over. We zijn de eersten!'

Ze was gezwicht. Natuurlijk. De verleiding was te groot geweest. Ze zou de enige zijn, volgens hem. Dus had ze ingestemd. Maar waarom dan nu al die pressie? Ze wilde dat hij haar met rust liet. Ze had het toch genomen? Juist omdat hij er zo van overtuigd was geweest dat dit de methode was om goud te behalen.

Links hoog, rechts hoog. Haar knieën volgden elkaar steeds sneller op. Ze moest doorgaan. Denken, alles doorgronden. De controle weer terugkrijgen.

Ze zag het gezicht van Andrei voor zich. Het verdriet drong zich op. Ze hield van hem, van zijn krachtige lijf, zijn inzet voor de sport, zijn oneindig zachte handen... Maar wat had zich in zijn hoofd afgespeeld? Ze wist het niet en dat was onverteerbaar.

Nu was hij dood. Vermoord? Of was het een ongeluk? Wat was er toch gebeurd? Ze kon er niet aan denken. De verwrongen gestalte. Had ze echt zelf wraak kunnen nemen? Haar verdriet was zo groot dat ze het niet meer wist. Ze wilde hem toch alleen maar de angst laten voelen dat je betrapt zou kunnen worden? Die beklemmende onzekerheid laten ervaren. Bang maken, dat was alles.

Op dat moment hoorde ze de deur opengaan. Ronald gleed soepel de kamer in. Haar bewegingen stokten.

'Hier, wat te eten.' Hij zette zijn tas neer en gaf haar twee broodjes en een pakje drinkyoghurt. 'Je moet straks sterk aan de start verschijnen.'

Ze negeerde het meegebrachte eten. 'Wat is er allemaal aan de hand, Ronald? Weet je meer van Andrei af?'

'Het enige wat ik weet is dat jij je nu volledig op de wedstrijden moet gaan toeleggen. Geen gerommel meer met mannen. Geen afleiding door journalisten. Alleen maar de race. Daar ben je voor gekomen. Jij gaat die medaille scoren. Dat beloof ik je.'

'Hoe kan ik me nu concentreren op de wedstrijden? Andrei is dood.' Ze snikte.

'Je hebt altijd willen winnen. De wedstrijden gaan door. Denk aan al die jaren voorbereiding. Die kun je toch niet zomaar weggooien? Nu heb je de kans om te scoren, zeker nu je spieren nog krachtiger zijn.' Ronald kneep zijn ogen samen.

'Natuurlijk wil ik winnen, maar niet meer met dat middel. Gendoping is gevaarlijk. Lucinde is dood. Heeft zij dat middel ook gehad?'

'Lucinde hield zich niet aan de regels van het spel. Ze was onverzadigbaar. Ze wilde steeds meer. Ik heb haar gewaarschuwd, en Chris ook. Ze was zo stom om daar niet naar te luisteren. Ze speelde met haar leven en ze heeft verloren. Zo simpel is het.'

'Simpel? Nou, voor mij is het dan ook simpel. Geen rotzooi meer in mijn lijf!' Maud werd kwaad. Ronald leek over alles en iedereen heen te walsen.

'Ik heb altijd in jou geloofd, Maud. Jij hield alles goed onder controle. Dat is de enige manier om te winnen.'

'Ik wil die controle terug. En dat kan alleen maar zonder doping.' Ze stond hijgend voor hem.

'Dat middel is je grote kans! En als het moet, dwing ik je.' Hij torende boven haar uit, zijn ogen tot spleetjes geknepen. 'Ik heb al genoeg risico gelopen, allemaal om jou die kans te geven.'

Maar in plaats van angst op te wekken, zorgde het gedrag van Ronald ervoor dat haar woede oplaaide. 'Ik liep het risico!' schreeuwde ze uit. 'Jij hoeft die troep niet in je spieren te spuiten.'

'Nee, jij krijgt alleen maar zoenen van die kogelstoter, terwijl hij mij dreigde aan te geven.'

Maud zweeg perplex. 'Andrei? Jou aangeven?'

'Ja, hij had gemerkt dat je doping gebruikte en gokte dat ik daarachter zat. Hij dreigde dat hij me zou aangeven. Maar hij begreep niet dat het voor jou dan ook afgelopen zou zijn. Hij wilde jou juist beschermen. Hij hield van je.' Het klonk schamper.

Maud realiseerde zich plotseling wat er gebeurd was. Andrei was voor haar opgekomen. Hij was bang geweest dat de doping ook haar leven zou verwoesten. Net zoals dat bij Lucinde was gebeurd en bij de zoon van zijn oude sportmaat in Roemenië. Hij had haar juist willen beschermen! Het sms'je had haar moeten waarschuwen. Andrei was helemaal geen infiltrant.

'Hij ging maar door. Hij ging zelfs naar het dopingkantoor om ze te waarschuwen dat er een gevaarlijk middel in omloop was. Gelukkig nog zonder namen te noemen. Hij werd gevaarlijk.'

De woorden bleven boven haar hoofd hangen. Langzaam drong alles door. 'Heb jij hem...?' Ze keek naar de man die ze als haar grote steun en toeverlaat had gezien. Hij had zich half van haar af gedraaid en was volkomen in zichzelf gekeerd, bezig met zijn eigen ellende.

'Hij wilde niet luisteren, daarom...' Met een ruk draaide Ronald zich naar haar toe. Zijn ogen fonkelden fanatisch. 'Wij gaan het maken, Maud. Het is nog niet te laat. Ik heb ervoor gezorgd dat alles nog mogelijk is.'

'Ik doe niet meer mee,' zei Maud. Ze wendde zich van hem af alsof hij een schurftige hond was.

Ronald trok haar aan haar arm naar zich toe. 'En óf je meedoet. Je neemt nu nog een injectie, dan ben je tijdens de wedstrijd zo sterk dat je iedereen zult verslaan. Jij gaat winnen, Maud.'

'Te laat. Ik heb de buisjes weggegooid.'

'Stomme idioot. Weggegooid? Chris heeft het met bloed, zweet en tranen ontwikkeld. En jij gooit het weg? Hoe kun je zo stom zijn!' Ronald smeet haar met kracht van zich af.

Maud klapte tegen de rand van het bed. Een pijnlijke steek sneed door haar elleboog. 'Au! Verdomme, Ronald. Op deze manier kom ik kreupel aan de start.'

'Dat zal wel meevallen. Kom hier.' Hij beende met grote passen naar zijn tas.

Maud keek met grote ogen naar het buisje dat hij opeens in zijn hand had.

'O, nee. Dat doe je niet. Nee! Niet meer. Dat is gevaarlijk. Chris heeft me gemaild dat ik niet over de maximale dosis heen mag gaan.'

'Dat gebeurt ook niet,' zei Ronald. Opeens had hij een injectiespuit in zijn hand.

Maud liet haar gedachten heen en weer flitsen, op zoek naar een oplossing. Ze was machteloos tegen de kracht van deze man. 'Ik... ik heb net zelf genomen! De maximale dosis. Als je me meer geeft, vermoord je me. Dan kom ik in het ziekenhuis, net als Lucinde!'

'Je liegt. Ik weet dat je liegt. Je hebt alles weggegooid, zei je net. Bovendien heb ik je naalden meegenomen. Stom om die op je kamer achter te laten. Iedereen had ze kunnen vinden.'

Hij had haar koffer dus opengebroken. Andrei was helemaal niet op haar kamer geweest. Alle vragen werden beantwoord. De verdwenen naalden, de onvindbare capsule. 'Dus jij hebt ook dat buisje...'

'Ja, ik heb ook wat spul in bewaring genomen. En dat was nodig ook, kennelijk. En nu hier komen.' Hij deed zijn stropdas af en trok haar naar zich toe.

Hij was te sterk voor haar. Hoewel ze worstelde om los te komen, voelde ze dat haar armen aan het bed gebonden werden. Ze kronkelde alle kanten op, maar het had geen zin. 'Laat me gaan! Ik wil niets meer hebben! Ik wil schoon lopen.' Haar stem brak. Machteloze kwaadheid borrelde omhoog.

'Schoon lopen? Dat kan niet meer. Die groeifactor zit al in je lichaam. Je gaat straks die wedstrijd lopen als een opgevoerde machine. Toch zul je bij de controles schoon zijn als een pasgeboren lammetje. Je kunt nu niet meer terug. Ik heb zoveel voorbereidingen getroffen, er zijn zelfs mensen voor gestorven. Je bent het aan hen verplicht om die gouden plak binnen te halen. Een echte topsporter haakt een paar meter voor de finish niet af, die zet de eindsprint in. En ik help je daar een handje bij.'

Ze keek machteloos toe hoe hij de injectiespuit vulde. Onschuldig helder, maar gevaarlijk als de donkerste nacht. Een klein straaltje spoot omhoog toen hij de luchtbellen verwijderde. Hij keek haar aan, zijn ogen opeens smekend. 'Wees niet zo kwaad, Maud. We gaan winnen. Je zult het zien.' Toen pakte hij haar been.

59

'Mam? Pap! Waar zijn jullie?' Pien herkende de stem van Michael direct. Haar ogen zochten die van Chris. Die concentreerde zich echter op het klaarleggen van de spullen voor de volgende behandeling.

'Dat is mijn zoon,' zei ze glimlachend tegen Els, die met een bleek gezicht naast haar zat. Geruststelling tegenover het alarmerende geroep. Ze opende de deur. Michael stuurde zijn rolstoel behendig naar binnen.

'Dag, Michael. Fijn je weer te ontmoeten,' begroette Henk hem direct.

Maar Michael draaide zich naar zijn vader. 'Pap, wat ben je aan het doen?'

Pien stond op en liep naar hem toe. 'Doe even rustig. Je kunt hier niet zomaar binnen komen vallen. Deze mensen krijgen net een behandeling.'

'Daar weet ik alles van,' zei hij ademloos.

Pien zag de gejaagdheid op zijn gezicht. Niets voor Michael.

'Laat ons alleen, Michael.' Chris legde zijn spullen neer en stond rustig op.

'Nee, pap. Dit kan ik niet laten gebeuren. Ik wil weten of ik gelijk heb. Klopt het dat die injecties eigenlijk voor mij bedoeld zijn? Ik heb een paar dingen van Tara gehoord.'

'Tara?' kwam Els ertussen. 'Wat heeft Tara hiermee te maken?'

'Dat is toch uw kleindochter, mevrouw?'

Pien zag dat er weer blosjes op het gezicht van Els ontstonden terwijl ze driftig knikte.

'Tara vertelde dat u iets spierversterkends zou krijgen. Als er iemand is die dit nodig heeft, dan ben ik het. Daarom wil ik graag wat uitleg. Zijn die injecties eigenlijk voor mij? En is het echt gevaarlijk?'

Pien zag de vragende ogen van haar klanten. Chris die trilde van de spanning. Haar zoon die uitleg eiste. Wat gebeurde er? Had ze het dan toch bij het rechte eind gehad? De vragen cirkelden weer als een razende in haar hoofd rond. Ze moest ingrijpen. De antwoorden konden nu niet langer wachten. 'Misschien kunnen we beter even in de relaxruimte gaan zitten. Voordat we verdergaan met de behandeling moet Chris misschien wat uitleggen.' Ze negeerde de blik van Chris. Even afstand. Was het dan toch een reële mogelijkheid? Had ze het dan toch goed aangevoeld?

* * *

'Michael heeft gelijk,' begon Chris. Hij had tijd gehad om de omschakeling te maken. Hij wist dat hij open kaart moest spelen, niet alleen tegenover de twee klanten en Pien, maar zeker ook tegenover Michael. Dit was de opening waarop hij gehoopt had, ook al was die nu beangstigend dichtbij. 'Michael heeft deze therapie hard nodig. Hij lijdt aan de ziekte van Duchenne, beter bekend als spierdystrofie. Dit is een erfelijke ziekte die alleen bij jongens voorkomt. Hij kan het eiwit dystrofine niet zelf aanmaken, daardoor takelen zijn spieren in een versneld tempo af.'

Chris schraapte zijn keel. Moest hij vertellen dat hij het als vader niet kon aanzien dat zijn kind als zestienjarige steeds zwakker werd? Dat Michael in reservetijd leefde? 'Is je hart ook een spier?' klonk de pijnlijke vraag van het jongetje in de reclamespot. Chris' hoofd knakte naar beneden. Het onder woorden brengen van zijn beweegredenen om deze gentherapie te ontwikkelen, was opeens zo moeilijk.

'Pap,' klonk het naast hem. 'Pap, ik weet dat ik niet lang te leven heb. Ik mis wat genen en daardoor zal mijn lichaam sneller verouderen. Vandaar de rolstoel. Dat hoef je me niet uit te leggen.'

'Nee, jou niet. We hebben altijd open over je ziekte gepraat. Maar ik ben de anderen wel uitleg verschuldigd.' Hij keek naar Pien, die hem met een glazige blik aanstaarde.

'Dus toch. De kelder,' zei ze. 'De experimenten.' In de ogen van Pien bleef de hoop weg. Chris kon het zich voorstellen.

'Ja, Pien. Ik heb een gentherapie ontwikkeld voor Michael.'

'Ik durfde het niet te vragen. Ik was bang voor een nieuwe teleurstelling en heb me dus al die tijd vastgeklampt aan het idee dat je een anti-agingmiddel ontwikkelde voor het centrum. Dat zei je ook telkens.'

'Het was niet mijn intentie om een oplossing voor anti-aging te vinden. Dat was een toevallige bijwerking die ons natuurlijk heel goed uitkwam. Maar mijn doel was het vinden van een stukje erfelijk materiaal dat ik in Michaels spiercellen kon brengen. Ik kwam er tijdens mijn onderzoek achter dat het gen voor het dystrofine-eiwit, dat Michael eigenlijk nodig heeft, te groot is. Toen bleek er een groeifactor te zijn die simpeler ingebracht kan worden. Die groeifactor, IGF-1 genoemd, kan de verzwakking van spieren afremmen. Daar wordt heel veel onderzoek naar gedaan, vooral in combinatie met de veroudering.'

'Dus je hebt me niet voorgelogen; het was toch een antiagingmiddel.'

'Ik heb wel een deel verzwegen. Ik wilde je niet weer valse hoop geven.'

'Ik wilde liever die hoop houden dan dat...' Een korte snik volgde.

'Dat wist ik. Elke keer weer een nieuwe teleurstelling. Het sloopte je. Dat zag ik en dat deed me zoveel verdriet. Ik wilde het pas vertellen als ik er zeker van was dat het zou werken. Dan zouden we Michael zelf kunnen helpen. Onafhankelijk van iedereen. En we zouden ook nog de veroudering aan kunnen pakken.'

'En daar komen wij dus om de hoek kijken,' zei Henk. Er klonk enige afweer in door.

'Pien is altijd bezig om haar klanten het nieuwste van het nieuwste te geven. Ze voelt zich betrokken bij de verouderingsproblematiek. Dus op deze manier hoopte ik twee vliegen in één klap te slaan. Daarom ben ik begonnen met de ontwikkeling van deze therapie. In theorie leek het eenvoudig; de praktijk was alleen wat weerbarstiger. Maar ik heb alle problemen overwonnen. Nu werkt het goed, daar ben ik zeker van.' Hij voelde het oude enthousiasme terugkeren.

'Toch een beetje een proefkonijn, dus,' zei Henk. Chris ving zijn knipoog naar Els op. Het gaf hem vertrouwen om door te gaan.

'Nee, niet echt. Ik heb berichten van anderen dat het werkt. Maar ik geef toe dat het mijn ultieme doel was om Michael te helpen.'

'Hoe weet je dan dat het werkt?' vroeg Pien.

'Ik heb het getest.'

'Hoe dan? Je mag het toch niet zomaar bij mensen inspuiten?'

'Nee, dat mag niet. Maar ik wéét dat het werkt.'

'Heb je die testen hier in het centrum uitgevoerd?'

De vraag bleef hangen. Chris was er al bang voor geweest dat Pien direct het verband zou leggen. 'Ik was al zó ver. Ik wilde slechts één enkele injectie uitproberen. Ik heb de flesjes met de supplementen omgewisseld. Daar is het fout gegaan. Het volume bleek niet te kloppen. Die vrouwen kregen meer dan ik had gepland. Daarom belandden ze in het ziekenhuis. De dosering is van levensbelang.'

'Dat is wel duidelijk,' concludeerde Pien vlak.

Chris zag dat ze haar kwaadheid nauwelijks kon onderdrukken.

'Ik voelde me afschuwelijk schuldig. Maar Michael was veel belangrijker voor me. Ik was zo dicht bij een oplossing. Dus ben ik doorgegaan. Wat had jij in mijn geval gedaan? Ik wist dat ik hem kon helpen. Als ik gestopt was, zou Michael steeds verder aftakelen. Weer geen kans op genezing.'

'En die andere vrouwen die ziek werden?' vroeg Pien kil.

'Dat was de laatste test. De vrouwen gaven slechts een geringe reactie. Daarna was het duidelijk. Jullie moeten me vertrouwen. Ik weet nu zeker dat er geen risico meer is. Deze dosering is veilig.'

'Dus je wilde eigenlijk je zoon behandelen?' concludeerde Henk volkomen rustig.

Chris dacht terug aan de vreselijke dilemma's die hij 's nachts had uitgevochten als de slaap hem niet kwam verlossen. Elke keer die moordende twijfel om zijn eigen zoon het middel in te spuiten. Een chirurg zou ook nooit zijn eigen kind opereren. Maar hij had geen keuze. Voor alle officiële trials was Michael geweigerd. Dit was de laatste kans. Elke dag uitstel bracht hem dichter bij een te vroege dood. De onmetelijke angst had hem bij de keel gegrepen. Het leven van zijn zoon lag in zijn handen. Hij wilde hem opnieuw het leven geven, net zoals hij dat ooit zestien jaar geleden had gegeven. Alleen nu op een experimentele manier. Niet geaccepteerd. Controversieel. Ja, hij wilde zijn zoon behandelen, maar wist dat hij daar niet in zijn eentje over kon beslissen.

'Ik wist dat Pien het niet zou toestaan,' legde hij schor uit. 'Eerst moest ze zien dat het bij jullie zou werken, dan kon ze er niet meer omheen.'

'Waarom heb je het me niet verteld?' vroeg Pien. 'We hebben toch altijd samen gevochten?'

'Ik kon het niet. Ik was zo bang dat je het er niet mee eens zou zijn. Ik wilde eerst een positief resultaat, daarna wilde ik alles opbiechten. Dan pas kon ik je echt hoop geven, zonder risico op weer een teleurstelling.'

'Ik voel me nog steeds goed,' zei Henk vrolijk.

'Ik wist het. Het moet gewoon werken. Ik doe dit allemaal voor jou, Michael. Ik wil zo graag dat je beter wordt. Daar heb ik alles voor over.' Chris legde zijn hand op zijn arm.

'Ik vertrouw je volledig, pap,' zei Michael ferm. 'Ik kreeg van Tara een bericht via msn. Haar oma zou volgens haar moeder een gevaarlijk middel krijgen in ons centrum. Toen ze het ook nog over spierversterking had, besefte ik opeens dat dit jouw anti-agingmiddel moest zijn. Ik heb je ooit gevraagd wat je precies deed. Iets tegen de aftakeling, zei je. Je hebt het zelfs specifiek 'het versterken van spieren' genoemd. Ik weet nog dat ik me later afvroeg of je ook iets voor mij kon ontwikkelen. Maar zo eenvoudig kon het volgens mij niet zijn. Ik herinnerde me al jouw specifieke vragen aan de artsen over mijn spieren. Ze deden altijd zo moeilijk. Door die opmerking van Tara viel alles opeens op zijn plaats. Al die geheimzinnige activiteiten in onze kelder. Het kon niet anders. En dat blijkt nu dus ook. Je hebt een therapie gevonden waarmee spieren versterkt kunnen worden. Vet, pap.'

'Deze therapie geeft geen genezing, Michael, maar wel een grote verbetering.'

'Ik begrijp alleen één ding niet, pap. Tara noemde het een gevaarlijk middel. Maar dat is dus niet zo.'

'Er is nauwelijks risico.' Chris vroeg zich af hoe vaak hij het moest herhalen.

'Als er geen risico is, waarom heb je mij dan niet gevraagd of ik een injectie wilde? Het middel is toch voor mij ontwikkeld?'

'Michael, je vader heeft het beste met je voor,' viel Henk hem bij. 'Maar je eigen kind injecteren is misschien net een stap te ver. Wacht af hoe het bij mij aanslaat. Binnen een paar dagen kun jij dan beginnen met de behandeling. Bovendien wil Els het nu vast ook wel proberen.'

60

Zodra de taxi stopte sprong Fenna eruit. 'Kom, Ruud, we moeten opschieten. Ronald zal nooit accepteren dat Maud met het middel is gestopt. We moeten haar vinden voordat hij dat doorkrijgt. Hij zal Maud nog meer onder druk gaan zetten.'

Ruud betaalde en kwam in zijn eigen tempo achter haar aan. 'Weet jij in welke kamer ze zit?'

'Ja, Ronald heeft me een keer rondgeleid,' zei Fenna terwijl ze naar de toegangspoortjes liep. 'We hebben een afspraak met een Nederlandse atlete,' begon ze tegen de bewaker.

'Invitation, please?' Het strakke gezicht van de Chinese man was zonder enige uitdrukking. Net als de bewakers in de akelige gevangenis.

'Ze heeft ons net opgebeld,' bemoeide Ruud zich ermee. Hij richtte zijn machtige lichaam op en Fenna zag dat het bij de schriele knul wel enige indruk maakte. Toch bleef hij op zijn post.

'Hebt u een pasje?'

'Nee, natuurlijk hebben we geen pasje, we zijn geen atleten!' Ruud werd ongeduldig.

Fenna duwde hem opzij. Kwaad worden hielp niet. 'U moet ons naar binnen laten. Ik heb een bericht voor een atlete van haar familie in Nederland. Het heeft de grootste spoed.'

De knul leek te aarzelen, maar schudde toen zijn hoofd. 'Nee, regels zijn regels.'

'Oké, dan doen we het anders,' hoorde ze Ruud naast zich mompelen. Op dat moment greep hij de bewaker bij zijn kraag. 'Rennen, Fenna! Zoek Maud. Ik hou de boel hier wel tegen. Ga nu, snel!'

Fenna aarzelde even, maar schoot toen voorbij het poortje en begon te rennen. Achter zich hoorde ze Ruud lange volzinnen tegen de jonge bewaker roepen. Opgewonden kwaadheid. Daarna hoorde ze bevelen. Schrille Chinese kreten.

Ze liep als een bezetene, maar kwam al snel in ademnood. Totaal geen conditie. Toch moest ze doorgaan. Ze moest Maud waarschuwen voor Ronald. Gelukkig wist ze waar ze moest zijn. In de verte hoorde ze het geroep harder worden. Ze kwamen achter haar aan.

Doorgaan. Rennen. Fenna sloeg snel af. Haar voeten klapten met kracht op het pad. Sneller. Haar ademhaling ging raspend en haar longen eisten zuurstof. Steken in haar zij dwongen haar om het rustiger aan te doen, maar ze negeerde ze. Ze moest doorgaan. De pijngrens voorbij. Later kon ze bijkomen, eerst Maud vinden.

Nog een paar blokken verder. Ze hoorde haar achtervolgers dichterbij komen. Jonge mannen, met een conditie als een paard. Ze moest deze wedstrijd winnen. Kracht. Geef me kracht! Bevelen schoten door het stille dorp. Shit, ze haalden haar in! Ze redde het niet. Ze pompte haar armen op en neer. Met alle kracht die ze in zich had, gooide ze haar lichaam elke keer weer naar voren. Grotere passen, sneller. Haar mond was kurkdroog. Haar keel deed zeer. Haar longen persten in ademnood. Haar benen leken verlamd. Ze was doodsbang dat de bewakers haar zouden inhalen voordat ze Maud kon bereiken, maar ze stond machteloos tegenover de beperkingen die haar lichaam schreeuwend aangaf.

Haar spieren protesteerden, ze begonnen hun kracht te verliezen. De steken in haar zij werden nu zo hevig dat ze bang was dat ze zelf het loodje zou leggen. Lucht! Haar longen piepten. Verder, ze moest verder. Mauds leven stond op het spel.

Haar spieren begonnen het op te geven. De kracht lekte weg. Nog even, smeekte ze haar lichaam. Hou vol! Puur op wilskracht draafde ze door, hoewel ze het gevoel had te strompelen. Snel de hoek om. Daar zag ze het appartement met de kleine boompjes voor de deur. Ze liep erheen en stopte abrupt bij de deur. In een reflex dook ze weg achter het muurtje. Niet snel, dan slim. Hoopte ze. Ze kon niet anders. Haar lichaam kon niet meer.

De rennende voetstappen kwamen dichterbij. Mannen die schelle kreten schreeuwden in onverstaanbaar Chinees. Haar ademhaling gierde. Haar hart bonkte als een bezetene. Zweet perste zich een uitweg door haar poriën.

De bewakers stormden langs. Hun opgewonden stemmen klonken schel in de stille avond. Het was net zo beangstigend als in die donkere cel. Ze hoorde de onderlinge bevelen en ratelende hakken. Fenna probeerde haar ademhaling te controleren. Elk geluid kon haar verraden.

Toen waren ze voorbij. Het geroep stierf weg. Het dopplereffect in de overtreffende trap. Fenna probeerde te slikken, maar had geen speeksel. Haar keel brandde. Haar lijf pompte de nachtelijke zuurstof naar binnen. Ze duwde zichzelf omhoog. Haar spieren trilden. Even stond ze stil om op krachten te komen en haar ademhaling te reguleren.

Veel tijd nam ze niet. Nog nahijgend liep ze naar de deur.

'Maud, doe eens open,' riep ze zacht. Ze duwde de klink naar beneden en tot haar verbazing gaf de deur mee. Ze keek voorzichtig om de hoek. Wat ze zag benam haar de adem.

* * *

'Laat haar onmiddellijk los,' riep Fenna, nog nahijgend. Ze zocht steun tegen de deurpost, haar benen trillend van vermoeidheid.

Als Ronald al was geschrokken, dan liet hij dat niet blijken.

Uiterlijk rustig legde hij de injectiespuit neer. 'Aha, onze favoriete journaliste. Je komt niet erg gelegen.'

'Dat kan ik me voorstellen. Alles goed, Maud?'

Mauds ogen waren groot van angst. Ze knikte slechts.

'Ik denk dat je je beter kunt afvragen hoe het straks met jóú is,' zei Ronald. Zijn stem was laag en de dreiging onvoorstelbaar zwaar.

Fenna voelde het zweet over haar rug lopen terwijl ze een stap naar voren deed. Net doen of je niet bang was, dat was de enige mogelijkheid. Ze wist dat ze nooit tegen deze man op kon.

'Hij is gevaarlijk,' klonk Mauds overslaande stem. 'Hij heeft Andrei vermoord.'

'Hou je stil, kreng! Je maakt het alleen maar erger. Ook voor deze dappere dame.' Hij wendde zich weer tot Fenna. 'Ik ben nog niet klaar met Maud, dus je mag toekijken hoe ik haar andere been behandel.'

'Pas op, Fenna. Vlucht. Hij wil geen getuigen.'

'Nooit, Maud. Ik laat je hier niet alleen. Ik wil niet dat je hetzelfde lot als Lucinde moet ondergaan. Hij moet gestopt worden.' Fenna had haar ademhaling weer enigszins onder controle. Ze probeerde te bedenken hoe ze Ronald bezig kon houden. Het was een kwestie van tijd. De bewakers zouden haar niet vergeten. Als bloedhonden zouden ze haar spoor volgen. Geèn indringer in hún dorp. Haar achtervolgers waren haar redding.

Ronald liep op haar af. 'Lucinde was een vrouw met ballen, die durfde risico's te nemen. Ik heb haar gewaarschuwd. Steeds een beetje meer. Niet proberen in één klap het uiterste te pakken. Opbouwen, je lichaam laten wennen. Maar ik kon er niets aan doen dat Lucinde te gretig was.' Ronald stond nu voor haar, zijn schouders hoog opgetrokken.

'Jij hebt ons gepusht. Genetische doping zou ongevaarlijk zijn en niet te detecteren. Het ideaal voor iedere sporter,' klonk Maud wanhopig achter hem. 'Ik heb me ook laten verleiden.'

Ronald draaide zich niet naar haar om. Hij staarde Fenna met ingehouden woede aan. In een onverwachte beweging greep hij haar pols. 'Eerst toekijken, en daarna...' Hij sleurde haar door de kamer. 'Daarna moet ik iets bedenken waardoor je dat journalistieke mondje van je zult houden.' Triomfantelijk stond hij voor haar. Hij gooide zijn hoofd in de nek en zijn waanzinnige lach galmde door de kamer.

Fenna greep de kans. Ze stootte haar knie naar boven. Zijn lach ging over in geloei. Hij klapte dubbel en zijn greep verslapte. Fenna trok haar arm met een ruk los. Wat nu? Haar ogen schoten door de kamer. Iets zwaars. Ze schoot naar het nachtkastje. Een lamp was perfect.

'Pas op, Fenna!' gilde Maud.

Fenna trok aan het snoer, maar de lamp zat stevig verankerd.

Op dat moment viel het grote lichaam van Ronald over haar heen. Ze knalde voorover met haar hoofd tegen de muur. Een gemene pijn schoot door haar hoofd. Even was ze verdwaasd, maar ze herstelde zich snel en rolde opzij. Met een felle ruk werd ze omhooggetrokken door een sterke arm. 'Je zult dit nooit na kunnen vertellen,' siste Ronald dicht bij haar oor. Ze zag de klap niet aankomen. Haar hoofd schoot met een ruk opzij, een snijdende pijn trok over haar wang en haar bril vloog door de kamer. Met een dreun viel ze op de harde vloer. Een duizeling trok door haar hoofd.

Ronald hing direct zwaar over haar heen en kneep haar keel dicht. Een verstikkende angst drong diep door. Ze greep zijn polsen en probeerde zich uit zijn greep te bevrijden. De pijn was vreselijk. Haar armen vochten machteloos tegen zijn vingers, die als sterke klemmen steeds dieper in haar hals zonken. Hulpeloos schopte ze met haar benen. De kracht lekte weg.

'Nee! Fenna! Stop, Ronald! Niet doen!' De kreten van Maud begeleidden Fenna naar een donkere diepte. Ze zakte weg. Ze kon niet tegen hem op. Alles was verloren.

* * *

'Fenna!' Het drong slechts minimaal door. Een schorre mannenstem. Gevolgd door een plotselinge vermindering van de klemmende druk. Te laat, dacht ze. Ergens op de achtergrond hoorde ze lawaai. Voorwerpen die her en der terechtkwamen en doffe geluiden van lompe lichamen. Vaag drong het tot Fenna door dat er iets veranderd was. De bewakers? Ze voelde een lichaam, dat warm over haar heen boog. 'Fenna, kom terug!'

Ik ben er toch, wilde ze zeggen, maar er kwam geen geluid uit haar keel.

Het lawaai stopte. Er klonken alleen wat Chinese bevelen, schelle keelklanken. Nog een stem naast haar. 'Fenna, alles in orde?' Een zacht tikje tegen haar wang. De pijn snerpte naar binnen en bracht haar naar het pijnlijke bewustzijn.

'Voorzichtig,' hoorde ze Maud zeggen.

Ze probeerde haar ogen te openen, maar zag slechts vage schaduwen. Toch herkende ze de massieve contouren direct. 'Ruud?' Haar stem had geen kracht.

'Ja, meisje. Alles is in orde, hoop ik?' De schorre stem klonk anders. Een neus werd opgehaald.

Fenna voelde een glimlach over haar lippen glijden. 'Jankerd,' fluisterde ze. 'Ik ben blij dat je er bent.' Fenna voelde een grote hand over haar hoofd glijden.

'Datzelfde geldt voor mij,' hoorde ze de stem van Maud naast zich. 'Nog nooit was ik zo blij een journalist te zien.'

61

De steun van Ruud was zeer welkom. Ze liepen naar de uitgang van het dorp. Fenna's benen voelden aan alsof ze door een mangel waren gehaald, en in haar nek schreeuwde een spier. Haar bril hing scheef op haar neus en elke stap dreunde door in haar hoofd.

'Waar is Ronald?' vroeg ze.

'Meegenomen door de bewakers. Die hadden opeens in de gaten dat die dikke fotograaf niet de kwade pier was. Dat heeft me wel wat moeite gekost. Het grootste probleem was om die iele mannetjes mee te krijgen. Maar gelukkig heb ik enig overwicht.'

'Overgewicht, zul je bedoelen.' Haar lach klonk schor.

'Wat dan ook. Als een gewichtheffer heb ik ze meegesleurd. In Mauds kamer was het direct duidelijk voor ze. De beelden van een wurging zijn internationaal. Daar hebben de Chinezen geen eigen karakters voor nodig. En de gevonden injectiespuit was ook heel nuttig.'

Op dat moment ging Fenna's telefoon. 'Jeetje, die heeft het ook overleefd,' zei Fenna, verbaasd naar haar mobiel kijkend.

'Mam, oma Els is in orde,' hoorde ze de enthousiaste stem van Tara. 'Ik heb haar net aan de telefoon gehad.'

Opeens werden de emoties Fenna te veel. Ze voelde haar ogen branden. 'O, Tara, dank je wel. Heeft ze het middel niet gehad in het centrum?' Tranen vulden haar ogen. Het dorp werd wazig om haar heen.

'Nee, en weet je waarom niet?' Er zat een lach in Tara's stem.

'Je was er op tijd bij?' opperde Fenna voorzichtig.

'Nee, ze was bang voor naalden. Ik laat me niet lekprikken, zei ze letterlijk.'

'Ik had het kunnen weten. Alleen mijn vader mocht haar injecties geven.' Fenna lachte door haar tranen heen en verbrak het contact.

'Alles goed?' vroeg Ruud, die nog steeds haar elleboog vasthad.

Ze kon alleen maar knikken.

'Ik blijf me verbazen over Ronald,' zei Ruud terwijl ze verder liepen. 'Ik heb managers nooit vertrouwd. Maar hij was een positieve uitzondering, dacht ik. En nu blijkt dat hij me behoorlijk beetgenomen heeft met zijn onschuldige geklets.'

'Ik dacht dat jij er wel van hield om gepakt te worden.' De opmerking schoot eruit.

Ruud keek haar stomverbaasd aan. 'Het wordt tijd dat we naar huis gaan. Je krijgt praatjes,' concludeerde hij nuchter, en hij legde zijn arm om haar middel.

62

Ze zaten buiten op het terras. Chris voelde zich tevreden, terwijl onuitgesproken zaken nog op de loer lagen.

'Chris, ik ben trots op je. De behandeling lijkt bij Henk echt aan te slaan.'

'Ja, eindelijk het bewijs dat ik gelijk heb. Het middel moest ook werken als anti-agingtherapie. Aftakelende spieren kunnen hiermee versterkt worden. De achterliggende oorzaak van die veroudering is niet belangrijk.'

'Wil je Michael echt behandelen? Is het risico per persoon niet verschillend? Henk is een vitale oude heer. Gezond en volledig in balans. Is Michaels lichaam niet sterker verouderd dan dat van de bijna tachtigjarige Henk?' De angst lag verborgen in haar blik.

'Pien, we hebben tot nu toe elke kans op een medische trial in een ziekenhuis aangegrepen. Waarom aarzel je dan nu?' Voor Chris was het niet moeilijk om een keuze te maken. Hoeveel jaar had Michael nog? Vijf? Als hij geluk had misschien tien of vijftien? Niemand wist het, maar de prognoses waren niet best.

'Je hebt gelijk, nu hebben we een kans die eindelijk ook bereikbaar is voor Michael.' Pien zweeg.

Chris keek naar de tuin, die in de laatste weken totaal verwilderd was. Het onkruid had een kans gekregen en buitte die uit. Hij wist dat zij ook hun kans moesten grijpen. Hij was al zo ver gegaan om het ultieme doel te bereiken. Hij had zelfs andermans leven op het spel gezet om het leven van zijn zoon te kunnen redden.

'Chris, ik heb het gevoel dat je echt zeker wist dat je therapie veilig is,' onderbrak Pien zijn gedachten.

'Ja, daarom durfde ik de toepassing aan. Ik had berichten uit China dat de therapie werkte,' biechtte Chris op.

'Uit China? Maar hoe...?'

Chris zuchtte. Hij had al die tijd geweten dat dit moment een keer zou komen. En hij wist dat hij alles moest opbiechten, wilde zijn huwelijk ooit weer meer voorstellen dan burgerlijke berusting.

'Het heeft allemaal met Bärbel te maken.' Hij vertelde over de avond die zo lang als een nachtmerrie in zijn hoofd was blijven hangen. De dronken Bärbel die zijn pillen slikte, het flauwvallen, Ronald die haar niet kon vinden en als laatste de gruwelijke begrafenis. Het bleef een hele tijd stil.

'Dus Bärbel is dood.' Pien stelde het zacht vast.

'Ja.' Chris staarde naar hun tuin, die door een vaag zonnetje beschenen werd.

'Maar waardoor is ze dan overleden? En waarom heb je al die dingen nooit verteld? Ik voelde me zo schuldig dat ze vermist werd. Ik was bang dat ze zichzelf iets had aangedaan nadat ik...' Ze maakte haar zin niet af. Ze zwegen een hele tijd. 'Je moet me maar eens precies vertellen wat er die avond is gebeurd. Misschien komen we dan achter haar doodsoorzaak,' zei Pien uiteindelijk.

Chris dacht weer aan hun gesprek nadat agenten hen hadden ondervraagd over Bärbel. De dreigmails die Pien had verstuurd. Het schuldgevoel dat ze zichzelf had aangepraat. Hij had het niet tegengesproken. Hij begon de herinneringen aan de gruwelijke gebeurtenis op te lepelen. 'Bärbel had mijn pillen geslikt, terwijl ze te veel had gedronken. Ze viel flauw en ik raakte in paniek. Ik liet haar achter op een bankje bij een natuurgebied. Ik belde Ronald om me te helpen. Ik wist niet wat ik moest doen. Toen we daar aankwamen, was ze dood. Ik voelde me schuldig aan haar dood. Pas later bedacht ik me dat jij na mijn telefoongesprek met Ronald nog weg geweest was. Bovendien was je kwaad op haar, dat was duidelijk. Je wilde haar kwijt. Ik heb zelfs even gedacht...'

'Ik ben niet bij haar geweest, Chris. Er moet iets anders gebeurd zijn.'

Opnieuw liet Chris alle details de revue passeren. Pien stelde vragen over tijdstippen en plaatsen. Typisch Pien. Weten waar ze aan toe was. Duidelijkheid. Transparantie over alles wat er gebeurd was. Pas dan kon ze oordelen. Hij antwoordde eerlijk en zonder enige terughoudendheid.

'Dus jullie vonden haar heel ergens anders. Dat is vreemd. Bärbel was bewusteloos. Hoe kan ze dan ooit die paar honderd meter hebben gelopen voordat ze daar dood neerzakte?' vroeg Pien.

'Dat vond ik ook zo vreemd. Maar Ronald zei...' Het drong langzaam tot Chris door. 'Ronald?'

'Ja, dat is denk ik de enige conclusie. Je hebt hem verteld waar ze was. Hij heeft tussendoor tijd gehad om naar haar toe te gaan. Hij werd bedreigd door Bärbel. Ze zou hem beschuldigen van doping, zei je. Dat is het ergste wat je kan overkomen als sportmanager. Hij zat in de knel en zag een uitweg.'

'Maar hij liet mij geloven dat ik haar dood op mijn geweten had. Indirect. Hij vroeg me zijn atletes te helpen. Omdat hij mij net uit de puree had gehaald, heb ik ingestemd met de sponsoring. Niet alleen met geld, maar ook met het genetische middel. Als Bärbel gevonden zou worden, zou híj me een alibi geven. Zo hielpen we elkaar.'

'Voor hem was het een win-winsituatie. Hij wist dat jij je mond zou houden, bovendien was hij Bärbel kwijt en hij had een schitterend geheim wapen voor zijn atletes.'

'Ik wist niet wat ik moest doen. Daarom heb ik toegestemd.'

'Achteraf is het allemaal te begrijpen. Dus de atletes hebben ook jouw middel gehad?'

'Ja, daarom wist ik dat het moest werken. Ik stond via de mail met hen in contact.'

'En bij hen werkte het dus goed. Dat is een fijn bericht. Maar ik hoop dat het nooit uitkomt dat jij erachter zit. Afwachten en op het beste hopen. Daar zijn we goed in, Chris.' Pien trok hem naar zich toe. Haar zoen vormde een belofte voor de toekomst. Hoe die er ook uit zou komen te zien.

63

Een paar dagen later zag Chris dat Michael geconcentreerd zijn beker naar zijn mond bracht. Eerder was dat een onmogelijke opgave geweest.

'Pap, het werkt. Ik voel dat ik wat kracht terugkrijg.' De uitdrukking op het gezicht van zijn zoon was de vele maanden ploeteren in de kelder meer dan waard.

'Dan gaan we verder met je benen.' Het gezicht van Pien straalde.

Geluk maakt mensen mooier dan welke make-up ook, dacht Chris. 'Rustig aan. We moeten niet overhaast te werk gaan. De dosering voeren we langzaam op.'

'Ik ga medicijnen studeren,' zei Michael. 'Mensen helpen. Ik ben zo trots op je, pap. Nu begrijp ik waarom je zo vaak in de kelder was. Mag ik het aan Tom gaan vertellen?'

'Nou, wacht daar maar even mee,' aarzelde Chris. 'Ik denk dat het beter is als we deze therapie nog even stilhouden.'

'Logisch. Ik ga alleen maar vertellen dat ik medicijnen ga studeren. Laters.' Hij draaide zijn rolstoel handig bij de tafel weg.

'Ik ben ook trots op je, Chris. Ik was zo bang dat het niet zou helpen. De angst dat die hoop weer de grond ingeslagen zou worden.'

'We zijn er nog niet. Dit is de eerste stap. Een soort uitstel. Michael krijgt nu wel extra groeifactoren, waardoor zijn spieren sterker worden, maar eigenlijk heeft hij het dystrofine-eiwit nodig. Dat gen is echter te groot om in de meeste vectoren ingebouwd te worden.'

'Nieuwe kelderexperimenten, dus?'

'Voorlopig even niet,' lachte Chris. 'Experimenteren kan levens kosten.'

'Het heeft ook levens gekost,' zei Pien zacht.

'Ja, dat was bijna onvermijdelijk. Ik kon de verleiding niet weerstaan. Ik moest Michael helpen, koste wat kost. Het was een drang die buiten mijn gezonde verstand om ging.'

'Als ik het middel had kunnen maken, had ik het denk ik ook gedaan. Als ouder heb je toch alles over voor je kind? Het is te hopen dat niemand er ooit achter komt. En we moeten wachten op de ontwikkeling van een echt medicijn.'

'We hebben nu meer tijd, dat scheelt.' Chris trok haar naar zich toe. De zoen was teder. 'Ik hou van je, wist je dat?'

'Ik wist het wel, maar nu voel ik het ook. Er is een tijd geweest dat het gevoel heel ver weggezakt was.'

'Ver weg, daar zeg je wat. Ik kreeg een telefoontje van Els. Haar dochter had gebeld, je weet wel, de journaliste Fenna. Ze vertelde dat Ronald opgepakt is. Er schijnt daar behoorlijk wat misgegaan te zijn.' Chris vertelde haar in korte bewoordingen wat er gebeurd was. Precies zoals Els het overgebracht had.

'Dus een van de atletes is dood. En nog een andere sporter ook. Wat een zootje. Wordt er een link gelegd met ons centrum?'

'Voorlopig niet. We zullen moeten afwachten wat Ronald opbiecht. Naast die moord op de kogelstoter wordt hem ook poging tot moord op Fenna ten laste gelegd. Verder schijnt hij zijn kaken stijf op elkaar te houden.'

'Niets over jouw middel?'

Chris schudde zijn hoofd. 'Dan graaft hij ook zijn eigen graf, natuurlijk.'

'Niets over Bärbel?'

'Ook niet. Ik ben er nu van overtuigd dat hij haar vermoord heeft. Het kan niet anders. Bovendien aarzelde hij niet om nog meer mensen om te brengen.'

'Afschuwelijk, dat had ik nooit achter Ronald gezocht. Maar zeker is wel dat jij onschuldig bent,' beaamde Pien.

'Ronald is te ver gegaan in zijn machtsstrijd. Zijn atletes moesten winnen, op welke manier dan ook. Hij is nog gedrevener dan ik. Hij heeft de grens ver overschreden.'

'Wij ook, Chris. Maar gelukkig weet bijna niemand dat. Henk en Els zullen hun mond houden, die zijn blij dat het werkt. Toch was het onvoorstelbaar stom om het genetische middel aan de atletes mee te geven.'

'Minder stom dan jij denkt. Ik wist dat het moest werken. En bij Maud heeft het ook goed gewerkt. We zullen nooit weten of Lucinde misschien te veel heeft genomen. De dosering is zo ongelofelijk belangrijk.'

'Ik hoop dat het nooit uitkomt dat jij ermee te maken hebt.'

'Fenna en Maud houden hun mond. Ze hebben zelfs alle mails verwijderd. We zullen moeten afwachten of er een link wordt gelegd.'

64

'Wat ga je nu doen?' vroeg Fenna. Ze keek Maud aan. Haar blonde haar glansde in de zon en haar ogen wisselden van kleur, afhankelijk van het invallende zonlicht.

'Ik weet het nog niet. Het blijft een dilemma. Gendoping is iets onomkeerbaars. De dopingtest was dan wel negatief, toch zitten de nieuwe genen in mijn lichaam en zijn niet meer uit te zetten. Een oneerlijke positie in de sportwereld. Maar ik heb er al die jaren zoveel voor opzijgezet, er zo hard voor getraind. Ik kan eigenlijk niet opgeven. Het is een deel van mijn systeem.'

Het Holland Heineken House was op dat moment erg rustig. Heerlijk om even samen op het grote voorplein te genieten van een drankje. Iedereen bereidde zich voor op de opening die die avond zou plaatsvinden. Een happening waar heel China voor op zijn kop leek te staan. Maar Maud was er met haar hoofd nog helemaal niet bij.

'Weet je, Fenna. Ik kan er nog niet over uit dat ik Andrei zo gewantrouwd heb. Doordat ik hem bij de dopingcontrole had gezien, veroordeelde ik hem. Toch bleek hij het beste met me voor te hebben. Daar voel ik me zo schuldig over.'

'Vooroordelen zijn afschuwelijk, maar iedereen maakt zich daar schuldig aan. Ik ook.' Ze dacht aan Ronald. 'Ik heb Ronald vanaf het begin niet vertrouwd. Een gladde man, te makkelijk pratend. Hij walste overal zo makkelijk overheen. Ik ergerde me daaraan.' Fenna dacht terug aan de discussie die ze met Ruud daarover had gevoerd.

'Uiteindelijk bleek je het bij het juiste eind te hebben.' Maud nam een slok van haar vruchtensap.

'Jammer genoeg wel. Heb je nog wat over Kim gehoord?'

'Nee, Ronald heeft alle informatie achtergehouden.'

'Maakt het uit voor jouw beslissing? Vanavond is de opening. Je hebt nog een paar dagen voordat de wedstrijden beginnen.'

'Ik kan me nu voorstellen dat sporters de verleiding niet kunnen weerstaan. Ik zal Kim niet veroordelen als blijkt dat ze wat genomen heeft. Toch blijf ik me afvragen wat Andrei me aangeraden zou hebben,' zei Maud zacht.

Fenna wist ondertussen alles van het verdriet dat Maud om de kogelstoter had. 'Is dat belangrijk?'

'Ja, ik vroeg me altijd af wat Don wilde. Het hielp me om beslissingen te nemen.'

'Kom op, je kunt zelf die keuzes toch maken? Het gaat toch om jouw leven? Vrouwen zijn er een ster in om zich te richten naar de wensen van hun man. Maar zo bereik je nooit de top. Of dat nou in het bedrijfsleven is of in de sport.'

'Ook in de journalistiek?'

Fenna schoot in de lach. 'Daar heb je me te pakken. Ik ben overgeleverd aan de grillen van mijn hoofdredacteur. Maar het is voor mij wel iets om over na te denken. Misschien moet ik ook het roer eens omgooien en meer mijn eigen dromen najagen.'

'Mijn eigen dromen,' mijmerde Maud. 'Dan weet ik wat ik moet gaan doen.'

65

Fenna keek haar ogen uit. Het stadion, in de volksmond het Vogelnest genoemd, zat helemaal vol. Ernaast lag de waterkubus waar de zwemwedstrijden gehouden zouden worden. Samen vormden ze de traditionele Chinese gedachte dat de hemel rond en de aarde vierkant is. Rond of vierkant, yin en yang, het was een indrukwekkend geheel.

Overal waren juichende mensen. Verschillende kleuren vlaggen werden heen en weer gezwaaid. Muziek dreunde uit grote boxen. En beneden op het grote terrein liepen mensen zenuwachtig heen en weer om de laatste zaken te regelen.

'Ik ben erg benieuwd wat de Chinezen voor ons in petto hebben,' zei Ruud. 'Ze willen de wereld natuurlijk laten zien wat China in zijn mars heeft.'

'Reken er maar op dat de deelnemers tot in de puntjes van hun teennagels gedrild zijn. Met militaire precisie zal alles kloppen.' Fenna opende haar tas en pakte een reep chocolade. Ze had in China nauwelijks chocola gezien, maar nu was in de stalletjes echt alles te koop. Ook lagen er overal de olympische gadgets, die door vermoeide kinderhanden vervaardigd waren. Dan liever chocola. Hopelijk slavenvrij.

'Heb je nog wat van je moeder gehoord?'

'Ja, Tara schrijft trouw elke avond een mail. Het gaat prima met ze. Henk komt regelmatig eten en Tara lacht zich rot om hem. De gerimpelde spierbal, noemt ze hem.' Fenna was helemaal tot rust gekomen. Eindelijk konden ze aan het werk gaan. Ze bood Ruud een stukje chocola aan, dat hij gedachteloos in zijn mond stak. Zijn kaken maalden automatisch op en neer. Wel genieten, dacht ze. Maar ze zei het niet hardop, bang voor een voorspelbare reactie.

'Heb je al van Maud gehoord of ze gaat lopen?'

'Nee, maar ik heb wel een vermoeden.'

'We hebben nog geen enkel artikel geschreven en geen foto opgestuurd. Harry zal wel op ontploffen staan.' Ruud veegde zijn mond af.

Fenna zag dat er een bruine veeg op zijn wang achterbleef. Met een glimlach wees ze hem erop. Ze had zijn onhebbelijkheden leren accepteren.

'Sommige zaken kunnen we ook pas opschrijven als we weer terug zijn. Het verhaal van de vrouw in het park ga ik zeker opschrijven. Maar niet hier. Eén nachtje cel was meer dan genoeg.' Fenna zag dat het centrale gedeelte nu volledig ontruimd werd.

'Ik blijf het wel vreemd vinden. De dood van Andrei is breed uitgemeten in alle kranten, terwijl er niets in het nieuws is geweest over Lucinde.'

'Alle ogen van de wereld zijn gericht op Beijing. Daar kunnen ze niets verborgen houden. Maar dat is natuurlijk anders in Chengdu. Ze zullen het daar wel houden op een ongeluk. Of een ziekte. Bovendien is de doofpot in China net zo groot als het land zelf.'

'Ja, en hij bevat al zoveel smerige zaken, dat dit er ook wel bij kan.' De bulderende lach viel in het niet bij het gejuich van de honderdduizend mensen in het stadion. Het Vogelnest barstte zowat uit zijn voegen. De Olympische Spelen werden geopend voor de ogen van de hele wereld.

Verantwoording

De informatie, tips, aanwijzingen, kennis en support van meerdere mensen zijn belangrijk geweest bij het tot stand komen van *Schaduwspelen*.

* Allereerst wil ik topatleet Simon Vroemen bedanken. De informatie uit het oogpunt van de topsporter is voor mij van grote waarde geweest. Ik wil benadrukken dat eerlijkheid in de sport bij hem hoog in het vaandel staat.
* Mijn dank gaat uit naar professor Haisma, professor genmodulatie aan de universiteit van Groningen, die mijn specifieke vragen over de mogelijkheden en gevaren van gendoping heeft beantwoord. Hij heeft het rapport 'Genetische doping' geschreven in opdracht van het Nederlands Centrum voor Dopingvraagstukken (NeCeDo).
* Het contact met Robin van Lommel is vanaf het begin heel prettig geweest. Hij was heel open over zijn ziekte. Ik heb grote bewondering voor de positieve manier waarop hij in het leven staat.
* Tijdens een rondreis door China heb ik kennisgemaakt met de vele gezichten van dit indrukwekkende land. Achtergrondinformatie vanuit de bevolking, hun bijgeloof en hun rituelen ontving ik van Jenny Yang.

* De website www.olympic-games.eu geeft leuke wetenswaardigheden over de voorbereiding van China op de Olympische Spelen.
* Proeflezers zijn voor een auteur een eerste toetssteen. Ine Jacet en Eric Herni beheersen het om zowel kritisch als positief te zijn.
* De prettige samenwerking met alle medewerkers van Karakter Uitgevers heeft dit boek zijn uiteindelijke vorm gegeven. Het vertrouwen van mijn uitgever Otto Haan is voor mij erg inspirerend.
* Hartverwarmend is de onvoorwaardelijke steun en waardering van mijn familie, en mijn zonen Guido en Joeri.
* Als laatste wend ik me tot Arnold. Wij genieten samen van woorden; de liefde voor taal verbindt ons. Maar het mooiste is als woorden overbodig zijn om mijn waardering voor jouw steun te laten blijken.

Marelle Boersma

Lees ook van Karakter Uitgevers B.V.

MARELLE BOERSMA

Complex

Journaliste Fenna vertrekt naar India, waar ze samen met fotograaf Ben een reportage gaat maken over een Nederlandse onderzoeker. Die is bezig met de ontwikkeling van een revolutionair medicijn op het gebied van de wondheling. Maar als ze erachter komen dat arme Indiase sloebers misbruikt worden ten behoeve van dit medische onderzoek, verandert de eerst gastvrije onderzoeker in een angstaanjagende persoonlijkheid... Wat is de prijs die ze moeten betalen voor hun nieuwsgierigheid?

Marjet, de hartsvriendin van Fenna, is al sinds haar jeugd ontevreden over haar uiterlijk. Als ze wordt geselecteerd voor een nieuw *make-over* programma, lijkt een droom uit te komen. Voor het oog van heel televisiekijkend Nederland zal zij, in het programma *Bodymorfose*, van een lelijk eendje veranderen in een mooie zwaan.
Maar als de eerste kandidaten ziek worden, en enkele zelfs overlijden, vreest Fenna voor het leven van haar vriendin. Marjet heeft echter maar één ding voor ogen: een cosmetische operatie. Fenna ziet zich geplaatst voor een dilemma: moet ze Marjet steunen om die liefste wens uit te laten komen? Of juist waarschuwen voor de privé-kliniek, waar met levens gespeeld lijkt te worden?

Zal Fenna haar vriendin wijzen op het vermoeden dat er weleens een verband zou kunnen bestaan met de mensonterende en zelfs dodelijke praktijken in India?

ISBN 978 90 6112 236 4